Danse avec les loups

Michael Blake

Danse avec les loups

traduit de l'américain
par Gilles BERGAL

Éditions J'ai lu

En fin de compte, l'inspiration est tout

Pour Exene Cervenka

Titre original :

DANCES WITH WOLVES
A Fawcett Gold Medal Book
Published by Ballantine Books

CHAPITRE I

1

Le Lieutenant Dunbar ne fut pas véritablement avalé, mais ce fut le premier mot qui lui vint à l'esprit.

Tout était immense.

Le grand ciel sans nuages. L'océan d'herbe ondulant. Rien d'autre, où qu'il posât les yeux. Pas de route. Pas de traces d'ornières que le grand chariot aurait pu suivre. Juste un immense espace absolument vide.

Il était à la dérive. Il était totalement seul. Cela faisait bondir son cœur d'une manière étrange et profonde. Assis en plein air sur le siège plat, laissant son corps osciller au rythme de la prairie, les pensées du Lieutenant Dunbar se focalisèrent sur son cœur bondissant. Il était excité. Pourtant, son sang ne bouillonnait pas, son pouls était lent. La contradiction lui agitait délicieusement l'esprit. Des mots tournaient constamment dans sa tête, tandis qu'il essayait de formuler les phrases ou les tournures de style qui lui permettraient de décrire ce qu'il ressentait. Il était difficile de mettre exactement le doigt dessus.

Au cours de leur troisième jour de voyage, la voix dans sa tête prononça les mots : « C'est religieux », et cette phrase semblait des plus exactes. Mais le Lieutenant Dunbar n'avait jamais été un homme religieux, et, bien que la phrase ait sonné juste, il ne savait pas vraiment ce qu'il devait en tirer.

S'il n'avait pas été ainsi transporté, le Lieutenant Dunbar aurait probablement trouvé l'explication, mais dans sa rêverie, il la dépassa sans la voir.

Il était tombé amoureux. Il était tombé amoureux de ce pays sauvage et beau, et de tout ce qu'il contenait. C'était le genre d'amour que les gens rêvent de partager avec autrui : sans égoïsme et dégagé de tout doute, déférent et éternel. Son esprit avait reçu une promotion et son cœur bondissait. Peut-être était-ce la raison pour laquelle ce beau lieutenant de la cavalerie avait pensé à la religion.

Du coin de l'œil il vit Timmons pencher la tête de côté et cracher pour la millième fois dans l'herbe à bisons haute comme un homme. Ainsi que cela se produisait souvent, le crachat sortit en un flot inégal qui contraignit le conducteur à s'essuyer la bouche. Dunbar ne dit rien, mais les crachats incessants de Timmons le faisaient se crisper intérieurement.

C'était un acte sans malice, mais cela l'irritait néanmoins, comme de devoir pour l'éternité regarder quelqu'un se curer le nez.

Ils étaient restés assis côte à côte pendant toute la matinée. Mais seulement parce que le vent soufflait du bon côté. Bien qu'ils aient été séparés par une soixantaine de centimètres, la petite brise fraîche suffisait juste, et le Lieutenant Dunbar ne percevait pas l'odeur de Timmons. Durant les presque trente ans qu'avait duré sa vie, il avait souvent senti la mort, et il n'y avait rien de pire que ça. Mais la mort avait toujours été emportée au loin ou enterrée, ou contournée, et rien de tout cela n'était possible avec Timmons. Quand les courants d'air tournaient, sa puanteur enveloppait le Lieutenant Dunbar comme un nuage infect et invisible.

Aussi, quand le vent n'était pas favorable, le lieutenant quittait-il le siège pour grimper sur les montagnes de provisions empilées dans le chariot. Quelquefois il y restait des heures. D'autres fois il sautait dans les hautes herbes, détachait Cisco, et partait en éclaireur deux ou trois kilomètres en avant.

Il jeta un regard en arrière à Cisco. Le cheval avançait pesamment derrière le chariot, le nez enfoui avec satisfaction dans le sac contenant sa nourriture, sa robe fauve luisant sous la lueur du soleil. Dunbar sourit à la vue de son cheval et regretta brièvement que les chevaux ne puissent vivre aussi longtemps que les hommes. Avec de la chance, Cisco serait encore là pendant dix ou douze ans. D'autres chevaux lui succéderaient, mais celui-ci était de ceux qu'on ne trouve qu'une fois dans sa vie.

Il n'y aurait pas moyen de le remplacer quand il aurait disparu.

Tandis que le Lieutenant Dunbar regardait, le petit cheval bai leva soudain ses yeux d'ambre par-dessus le rebord du sac comme pour voir où se trouvait son maître et, apparemment satisfait, se remit à grignoter son fourrage.

Dunbar se réajusta sur le siège et glissa une main à l'intérieur de sa tunique pour en sortir un morceau de papier plié. Il s'inquiétait à propos de ce papier parce qu'il contenait ses ordres. Il l'avait parcouru de ses yeux noirs et sans pupille une demi-douzaine de fois depuis qu'il avait quitté Fort Hays, mais quel que soit le nombre d'examens auxquels il le soumettait, il ne parvenait pas à se sentir mieux.

Son nom était mal orthographié à deux reprises. Le major à l'haleine chargée de liqueur qui avait signé le papier avait maladroitement passé sa manche sur l'encre avant qu'elle soit sèche, et la signature officielle était fortement tachée. L'ordre ne faisait nulle mention d'une date, et le Lieutenant Dunbar avait dû l'inscrire lui-même quand il s'était trouvé sur la piste. Mais il avait écrit au crayon, ce qui jurait avec le gribouillis à la plume du major et les caractères standards imprimés sur le formulaire.

Le Lieutenant Dunbar soupira à la vue du papier officiel. Cela ne ressemblait pas à un ordre de l'armée. Ç'avait l'air d'un papier trouvé dans une poubelle.

L'examen de l'ordre lui rappela comment il avait été écrit, et cela le troubla encore plus. Son étrange entrevue avec ce major à l'haleine avinée lui revenait sans cesse à l'esprit.

Dans sa hâte à être assigné à un poste, il avait couru directement du train au quartier général. Le major était la première et la seule personne à qui il ait parlé entre le moment où il était arrivé et celui, plus tard dans l'après-midi, où il était monté sur le chariot pour prendre place près du malodorant Timmons.

Les yeux injectés de sang du major l'avaient jaugé pendant un long moment. Quand il avait finalement parlé, le ton avait été sèchement sarcastique.

– Combattant d'Indiens, hein ?

Le Lieutenant Dunbar n'avait jamais vu d'Indiens et en avait encore moins combattu.

– Eh bien, pas en ce moment, monsieur. Je suppose que ce serait possible. Je peux me battre.

– Un bagarreur, hein ?

Le Lieutenant Dunbar n'avait pas répondu à ça. Ils s'étaient regardés fixement l'un l'autre pendant ce qui parut une éternité avant que le major se mette à écrire. Il écrivit furieusement, ignorant la sueur qui dégoulinait le long de ses tempes. Dunbar pouvait voir d'autres gouttes huileuses se former au sommet de son crâne presque chauve. Des bandes graisseuses faites de ce qui restait des cheveux du major étaient plaquées le long de son crâne d'une façon qui évoquait quelque chose de malsain au Lieutenant Dunbar.

Le major ne s'interrompit qu'une seule fois dans ses écritures. Il expectora une boule de flegme qu'il cracha dans un seau particulièrement laid posé à côté de son bureau. À ce moment le Lieutenant Dunbar souhaita que l'entrevue se termine. Tout en cet homme le faisait songer à la maladie.

Le Lieutenant Dunbar était plus proche de la vérité qu'il ne le pensait, car, depuis un certain temps, ce major se raccrochait à la réalité par le plus ténu des liens, et ce fil venait finalement de se rompre dix minutes avant que le Lieutenant Dunbar entre dans la pièce. Le major s'était assis calmement à son bureau, les mains jointes nettement devant lui, et avait oublié sa vie entière. Une vie sans éclat, alimentée des pitoyables restes que l'on accorde à ceux qui servent avec obéissance mais qui ne laissent aucune trace de leur passage. Mais toutes les années où il avait été dépassé, toutes les années de célibat solitaire, toutes les années de lutte avec la bouteille s'étaient évanouies comme par magie. L'amer train-train quotidien qu'était l'existence du Major Fambrough avait été balayé par un événement imminent et formidable : il serait couronné roi de Fort Hays un peu avant le souper.

Le major finit d'écrire et tendit le papier.

– Je vous affecte à Fort Sedgewick ; vous dépendrez directement du Capitaine Cargill.

Le Lieutenant Dunbar avait regardé le formulaire informe.

– Bien, monsieur. Comment vais-je me rendre là-bas, monsieur ?

8

– Vous ne croyez pas que je le sais ? avait sèchement rétorqué le major.

– Non, monsieur, pas du tout. C'est simplement que je l'ignore.

Le major s'était laissé aller en arrière dans son fauteuil, avait enfoncé les deux mains dans son pantalon et souri d'un air suffisant.

– Je me sens d'humeur généreuse et je vais vous faire une faveur. Un chariot chargé des provisions du royaume part bientôt. Trouvez le paysan qui se fait appeler Timmons et partez avec lui.

Il désigna la feuille de papier dans les mains du Lieutenant Dunbar.

– Mon sceau vous servira de sauf-conduit à travers deux cent cinquante kilomètres de territoire païen.

Depuis le début de sa carrière, le Lieutenant Dunbar avait compris qu'il ne fallait pas s'étonner des excentricités des officiers locaux. Il avait salué correctement, dit « Oui, monsieur » et tourné les talons. Il avait localisé Timmons, couru au train pour récupérer Cisco, et quitté Fort Hays en moins d'une heure.

Et à présent, tandis qu'il relisait ses ordres après deux cents kilomètres de piste, il espérait que tout irait bien.

Il sentit que le chariot ralentissait. Timmons observait quelque chose dans l'herbe à bisons, tout près d'eux.

– Regardez là.

Un éclair blanc luisait dans l'herbe à moins de six mètres du chariot, et les deux hommes descendirent pour voir.

C'était un squelette humain, aux os décolorés jusqu'à atteindre un blanc éclatant, le crâne tourné vers le ciel.

Le Lieutenant Dunbar s'agenouilla près des os. L'herbe poussait à travers la cage thoracique d'où plus d'une vingtaine de flèches émergeaient comme des épingles sur un coussin. Dunbar en arracha une de la terre et la roula entre ses mains.

Tandis qu'il faisait courir ses doigts le long de la hampe, Timmons ricana par-dessus son épaule :

– Et dans l'Est quelqu'un se demande pourquoi il n'écrit pas.

2

Ce soir-là il plut des cordes. Mais le déluge vint par vagues, comme le font les orages d'été, qui ne paraissent pas aussi humides qu'en d'autres périodes de l'année, et les deux voyageurs dormirent recroquevillés dans le chariot recouvert de sa bâche.

Le quatrième jour passa comme les autres, sans événement notable. De même que le cinquième et le sixième. Le Lieutenant Dunbar fut déçu par l'absence de bisons. Il n'avait pas aperçu un seul animal. Timmons dit que les grands troupeaux disparaissaient parfois totalement. Il conseilla également de ne pas s'en inquiéter parce qu'ils seraient aussi nombreux que des sauterelles quand ils se montreraient.

Ils n'avaient pas vu non plus un seul Indien, et Timmons n'avait pas d'explication à proposer sur ce point. Il dit qu'ils les verraient bien assez tôt et qu'ils étaient bien plus tranquilles sans être pourchassés par une horde de sauvages.

Mais le septième jour, Dunbar n'écoutait plus Timmons qu'à demi.

Tandis qu'ils avalaient les derniers kilomètres, il songeait de plus en plus à son arrivée à son poste.

3

Le Capitaine Cargill promena sa langue à l'intérieur de sa bouche, les yeux fixes, les sourcils froncés.

Encore une de tombée, pensa-t-il. Bon Dieu !

Abattu, le capitaine regarda d'abord un mur, puis un autre dans ses quartiers de torchis humides. Il n'y avait absolument rien à voir. On se serait cru dans une cellule.

Des quartiers, pensa-t-il sarcastiquement. Foutus quartiers.

Tout le monde usait de ce terme depuis plus d'un mois, même lui. Il l'utilisait sans honte, en face de ses hommes. Et eux devant lui. Mais ce n'était pas une plaisanterie, une boutade légère entre camarades. C'était un véritable juron.

Et c'était une mauvaise période.

Le Capitaine Cargill baissa les bras et resta assis seul dans l'obscurité de ses foutus quartiers. Tout était calme dehors, et cette tranquillité lui brisait le cœur. En des circonstances normales l'air à l'extérieur aurait été empli du bruit des hommes vaquant à leurs occupations. Mais il n'y avait plus eu d'occupations depuis de nombreux jours. Même les corvées étaient tombées en désuétude. Et le capitaine n'avait rien pu faire. C'était bien ça le plus décourageant.

En écoutant le terrible silence de cet endroit, il sut qu'il ne pouvait attendre plus longtemps. Aujourd'hui il lui faudrait accomplir ce qu'il avait redouté. Même si cela signifiait la disgrâce. Ou la fin de sa carrière. Ou pire.

Il chassa les mots « ou pire » de son esprit et se leva lourdement. Se dirigeant vers la porte, il tripota pendant un instant un bouton mal fixé sur sa tunique. Le bouton se détacha et rebondit sur le plancher. Il ne se donna pas la peine de le ramasser. Il n'y avait rien pour le recoudre.

En s'avançant sous l'éclatante lueur du soleil, le Capitaine Cargill se prit à imaginer une dernière fois qu'un chariot en provenance de Fort Hays se trouverait dans la cour.

Mais il n'y avait pas de chariot. Juste cet endroit sinistre, cette blessure dans la prairie qui ne méritait pas de nom.

Fort Sedgewick.

Debout dans l'encadrement de la porte de sa cellule de torchis, le Capitaine Cargill avait l'air d'un rescapé. Il n'avait pas de chapeau et paraissait épuisé. Il s'immobilisa une dernière fois.

Il n'y avait pas de chevaux dans le corral délabré qui en abritait une cinquantaine peu de temps auparavant. En deux mois et demi, les chevaux avaient été volés, remplacés et volés à nouveau. Les Comanches s'étaient servis jusqu'au dernier.

Ses yeux dérivèrent jusqu'à l'entrepôt qui lui faisait face. À part ces foutus quartiers, c'était la seule structure dressée dans Fort Sedgewick. Du mauvais travail dès le début. Personne ne savait comment construire avec de la terre, et deux semaines après qu'il avait été bâti, une bonne partie du toit s'était affaissée. Un des murs penchait tellement qu'il semblait impossible qu'il tînt encore debout. Il s'écroulerait certainement très bientôt.

Peu importait, pensa le Capitaine Cargill en étouffant un bâillement.

L'entrepôt était vide. Il était vide depuis maintenant presque un mois. Ils avaient vécu sur ce qui restait des biscuits de soldats et de ce qu'ils pouvaient tuer dans la prairie, principalement des lapins et des pintades. Il avait tant souhaité le retour des bisons. Même maintenant ses papilles gustatives frémissaient à l'idée d'un gros steak. Cargill pinça les lèvres et lutta contre les larmes qui lui montaient soudain aux yeux.

Il n'y avait rien à manger.

Il parcourut une cinquantaine de mètres en terrain découvert jusqu'à la limite de la butte sur laquelle le fort avait été construit et regarda fixement le cours d'eau tranquille qui serpentait sans bruit une trentaine de mètres plus bas. Une couche d'ordures diverses maculait ses rives, et malgré le vent contraire l'odeur rance des déjections humaines parvenait à ses narines. Des déjections humaines mélangées à tout ce qui pourrissait en bas.

Son regard glissa le long de la pente douce de la butte juste au moment où deux hommes émergeaient de l'un des vingt trous d'hommes creusés dans le flanc de la colline comme des marques de petite vérole. La paire de soldats crasseux se tint debout à cligner des yeux dans le soleil brillant. Ils regardèrent le capitaine d'un air morose mais ne firent aucun signe indiquant qu'ils l'avaient reconnu. Et Cargill non plus. Les soldats replongèrent dans leur trou comme si la vue de leur commandant les avait fait reculer, laissant le capitaine se dresser debout, seul, au sommet de l'escarpement.

Il songea à la petite délégation que ses hommes

avaient envoyée au baraquement de torchis huit jours plus tôt. Leur requête avait été raisonnable. En fait, elle avait été nécessaire. Mais le capitaine l'avait rejetée. Il espérait toujours un chariot. Il avait estimé qu'il était de son devoir d'espérer un chariot.

Au cours des huit jours qui s'étaient écoulés depuis, personne ne lui avait adressé la parole. Pas un seul mot. À l'exception des expéditions de chasse chaque après-midi, les hommes étaient restés près de leurs trous, sans communiquer, rarement visibles.

Le Capitaine Cargill repartit vers ses foutus quartiers, mais s'arrêta à mi-chemin. Il resta sans bouger au milieu de la cour à regarder le bout de ses bottes éculées. Après quelques instants de réflexion, il murmura « maintenant », et refit le chemin qu'il venait de parcourir. Il y avait plus de vivacité dans sa démarche quand il atteignit la bordure de l'escarpement.

À trois reprises il appela le caporal par intérim avant qu'un mouvement se fasse dans un des trous. Une paire d'épaules osseuses enveloppées dans une veste sans manches apparut, puis un visage fatigué se tourna vers lui. Le soldat fut soudain paralysé par une quinte de toux, et Cargill attendit qu'elle se termine avant de parler.

– Rassemblez les hommes devant mes foutus quartiers dans cinq minutes. Tout le monde, même ceux qui ne sont pas aptes au service.

Le soldat toucha mollement son crâne du bout de ses doigts et disparut à nouveau dans son trou.

Vingt minutes plus tard, les hommes de Fort Sedgewick, qui ressemblaient plus à une bande de prisonniers honteusement maltraités qu'à des soldats, furent rassemblés sur l'espace vide et plat en face de l'horrible baraquement de Cargill.

Ils étaient dix-huit. Dix-huit sur cinquante-huit à l'origine. Trente-trois hommes avaient filé au-delà de la colline, préférant affronter les dangers de la prairie. Cargill avait envoyé une patrouille montée de sept hommes à la poursuite de la plus grosse bande de déserteurs. Peut-être étaient-ils morts ou avaient-ils également déserté. Ils n'étaient jamais revenus.

Maintenant il ne restait que dix-huit hommes épuisés.

Le Capitaine Cargill s'éclaircit la gorge.

– Vous êtes restés, et pour cela je suis fier de vous, commença-t-il.

La petite assemblée de zombis ne dit rien.

– Ramassez vos armes et tout ce que vous pouvez avoir envie d'emporter loin d'ici. Dès que vous serez prêts, nous repartirons pour Fort Hays.

Les dix-huit soldats se mirent en mouvement avant qu'il ait fini sa phrase, se ruant comme des ivrognes vers leurs trous d'hommes au pied de la butte, comme s'ils avaient peur que le capitaine puisse changer d'avis s'ils ne se hâtaient pas.

Tout fut près en moins de quinze minutes. Le Capitaine Cargill et son bataillon fantôme, titubant sur la prairie, prirent une route à l'est pour parcourir les deux cent cinquante kilomètres jusqu'à Fort Hays.

Le silence autour du monument déchu de l'armée fut complet quand ils furent partis. Cinq minutes plus tard apparut un loup solitaire sur la rive opposée du cours d'eau en face de Fort Sedgewick, qui s'arrêta pour humer le vent soufflant vers lui. Décidant que mieux valait abandonner cet endroit mort, il repartit en trottant.

Et ainsi l'abandon du plus reculé des avant-postes de l'armée, le fer de lance d'un grand projet visant à apporter la civilisation au cœur même de la frontière, devint absolu. L'armée considérerait cela comme un repli temporaire, une remise à plus tard de l'expansion qui devrait attendre la fin de la guerre de Sécession, jusqu'à ce que les ressources nécessaires puissent être rassemblées pour alimenter toute une chaîne de forts. Elle y reviendrait, bien sûr, mais pour le moment l'histoire officielle de Fort Sedgewick était provisoirement interrompue. Un chapitre perdu, le seul qui pourrait prétendre à un quelconque titre de gloire, allait débuter.

4

La journée commença rapidement pour le Lieutenant Dunbar. Il pensait déjà à Fort Sedgewick quand il cligna des yeux pour se réveiller, le regard à demi fixé sur les planches du chariot à soixante centimètres au-dessus de sa tête. Il se posait des questions au sujet du Capitaine Cargill, des hommes, de la configuration de l'endroit, de ce que serait sa première patrouille, et sur un millier d'autres choses qui lui trottaient frénétiquement dans la tête.

C'était le jour où il atteindrait finalement son poste, réalisant ainsi son vieux rêve de servir sur la frontière.

Il repoussa sa couverture et roula pour sortir de sous le chariot. Frissonnant dans la lueur matinale, il enfila ses bottes et piétina alentour avec impatience.

– Timmons, chuchota-t-il en se penchant sous le chariot.

L'odorant conducteur dormait profondément. Le lieutenant le poussa du bout de sa botte.

– Timmons !

– Ouais, quoi ? marmonna l'autre en s'asseyant avec inquiétude.

– Partons.

5

La colonne du Capitaine Cargill avait avancé de presque dix-huit kilomètres en début d'après-midi.

Le moral de la petite troupe avait également progressé. Les hommes chantaient, des chants fiers venant de cœurs pleins d'entrain, tandis qu'ils marchaient sans ordre dans la prairie. Ce son galvanisait le Capitaine Cargill. Le chant lui donnait de grandes résolutions. L'armée pouvait le placer face au peloton d'exécution si elle le désirait, il fumerait encore sa dernière cigarette avec le sourire. Il avait pris la bonne décision. Personne ne pourrait l'en dissuader.

Et, tandis qu'il marchait lourdement à travers la prairie, il sentait revenir en lui une satisfaction depuis longtemps oubliée. Celle de commander. Il pensait à nouveau comme un chef. Il aurait aimé avoir une véritable marche, avec une colonne de troupe montée.

J'aurais des hommes sur mes flancs à présent, songeait-il. J'en aurais à deux bons kilomètres au nord et au sud.

Il regarda réellement vers le sud quand l'idée de soldats flanquant sa colonne lui vint à l'esprit.

Puis Cargill se détourna, ignorant que, s'il avait eu des hommes à deux kilomètres au sud à cet instant, ils auraient découvert quelque chose.

Ils auraient découvert deux voyageurs qui s'étaient arrêtés dans leur périple pour examiner les restes calcinés d'un chariot dans un petit fossé. L'un exhalait une odeur puissante et l'autre, un bel homme sévère, était en uniforme.

Mais il n'y avait pas de soldats sur les flancs, aussi rien de cela ne fut-il découvert.

La colonne du Capitaine Cargill poursuivit résolument sa route, chantant en marchant à l'est vers Fort Hays.

Et après leur brève pause, le jeune lieutenant et le convoyeur remontèrent dans leur chariot, poussant à l'ouest vers Fort Sedgewick.

CHAPITRE II

1

Le second jour, les hommes du Capitaine Cargill tuèrent une femelle dans un petit troupeau d'une dizaine de bisons et prirent quelques heures pour festoyer à l'indienne grâce à la viande délicieuse. Les hommes insistèrent pour rôtir une tranche de la bosse de l'animal pour leur capitaine, et les yeux de ce dernier brillèrent de satisfaction quand il y plongea les dents qui lui restaient et laissa la divine viande fondre dans sa bouche.

La chance de la colonne se confirma, et vers midi le quatrième jour ils rencontrèrent une colonne d'approvisionnement de l'armée. L'état des hommes de Cargill suffit au major commandant la troupe pour saisir toute l'histoire de leurs épreuves, et sa sympathie fut immédiate.

Avec le prêt d'une demi-douzaine de chevaux et d'un chariot pour les malades, la colonne du Capitaine Cargill progressa en un temps record et arriva à Fort Hays quatre jours plus tard.

2

Il arrive parfois que les choses que nous craignons le plus sont celles qui finalement nous font le moins de mal, et ce fut le cas pour le Capitaine Cargill. Il ne fut pas mis aux arrêts pour avoir abandonné Fort Sedgewick, bien au contraire. Ses hommes qui, quelques jours plus tôt, étaient dangereusement près de se mutiner contre lui, racontèrent l'histoire de leurs privations, et pas un seul soldat ne manqua de désigner le Capitaine Cargill comme un chef en qui ils avaient une totale confiance. Jusqu'au dernier, ils témoignèrent que, sans lui, aucun d'entre eux n'en serait revenu.

L'armée de la frontière, avec ses ressources et son moral réduits à néant, écouta ce témoignage avec joie.

Deux mesures furent immédiatement prises. Le commandant du poste transmit toute l'histoire de Fort Sedgewick au Général Tide du quartier général régional de St Louis, terminant son rapport avec la recommandation que Fort Sedgewick soit définitivement abandonné, au moins jusqu'à nouvel ordre. Le Général Tide fut enclin à accepter de grand cœur, et quelques jours plus tard Fort Sedgewick cessa officiellement d'exister.

La seconde mesure concernait le Capitaine Cargill. Il fut élevé au rang de héros, recevant coup sur coup la Médaille du Mérite et une promotion au titre de major. Un «dîner de la victoire» fut organisé en son honneur au mess des officiers.

Ce fut au cours de ce dîner, entre les boissons et les mets, que Cargill apprit d'un ami la curieuse histoire qui avait fourni l'essentiel des conversations du poste juste avant son arrivée triomphale.

Le vieux Major Fambrough, un administrateur de niveau intermédiaire avec un dossier sans éclat, avait perdu les pédales. Il s'était dressé un après-midi au milieu du champ de parade, balbutiant des incohérences à propos de son royaume et réclamant sa couronne à cor et à cri. Le pauvre type avait été renvoyé dans l'est quelques jours auparavant à peine.

Tandis que le capitaine écoutait les détails de cet étrange événement, il ne se doutait pas que le triste départ du Major Fambrough avait également emporté toute trace du Lieutenant Dunbar. Officiellement, le jeune officier n'existait plus que dans les recoins embrouillés du cerveau fêlé du Major Fambrough.

Cargill apprit aussi que, ironiquement, un plein chariot de provisions avait finalement été envoyé par le même malheureux major, un chariot à destination de Fort Sedgewick. Ils devaient s'être croisés lors de leur marche de retour. Le Capitaine Cargill et ses camarades s'amusèrent beaucoup à l'idée du conducteur s'arrêtant dans cet endroit horrible et se demandant ce que diable il avait bien pu arriver. Ils allèrent jusqu'à spéculer sans plaisanter sur ce que le conducteur pourrait faire et décidèrent que s'il était malin, il continuerait à l'ouest, vendant les provisions à divers centres de commerce le long du chemin. Cargill tituba à demi ivre jusqu'à ses quartiers à l'approche de l'aube, et sa tête heurta l'oreiller avec l'idée merveilleuse que Fort Sedgewick n'était plus à présent qu'un souvenir.

Ainsi advint-il qu'il n'y eut plus qu'une personne sur terre ayant la moindre notion des activités ou même de l'existence du Lieutenant Dunbar.

Et cette personne était un célibataire civil pauvrement instruit dont personne ne se souciait vraiment.

Timmons.

CHAPITRE III

1

Le seul signe de vie était le morceau de chiffon qui s'agitait mollement dans l'entrée de l'entrepôt écroulé. La brise de fin d'après-midi s'était levée, mais la seule chose qui bougeât était ce morceau de toile déchiré.

Sans l'inscription, grossièrement sculptée dans la solive au-dessus de la dernière résidence du Capitaine Cargill, le Lieutenant Dunbar n'aurait pas cru qu'il pouvait s'agir de cet endroit. Mais c'était clairement épelé.

« Fort Sedgewick ».

Les deux hommes restèrent assis en silence sur le siège du chariot, fixant la ruine minuscule qui était leur destination.

Finalement, le Lieutenant Dunbar sauta sur le sol et passa avec prudence le seuil de la porte. Quelques secondes plus tard, il émergea et regarda Timmons, qui était toujours assis sur le chariot.

– C'est pas ce qu'on pourrait appeler un endroit vivant ! lui cria Timmons.

Mais le lieutenant ne répondit pas. Il alla jusqu'à l'entrepôt, repoussa la toile de côté et se pencha à l'intérieur. Il n'y avait rien à voir, et un instant plus tard il revint au chariot.

Timmons le fixa d'en haut et commença à secouer la tête.

– On ferait aussi bien de décharger, dit le lieutenant d'un ton neutre.

– Pourquoi, lieutenant ?

– Parce que nous sommes arrivés.

Timmons s'agita sur son siège.

– Il n'y a rien ici, croassa-t-il.

20

Le Lieutenant Dunbar regarda son poste.

– Pas pour le moment, non.

Un silence passa entre eux, un silence chargé d'électricité. Les bras de Dunbar pendaient à ses côtés, tandis que Timmons triturait les rênes de l'attelage. Il cracha par-dessus le bord du chariot.

– Tout le monde s'est sauvé... ou a été tué.

Il fixait durement le lieutenant, comme s'il n'allait pas tolérer plus longtemps ces absurdités.

– On ferait aussi bien de faire demi-tour et de repartir.

Mais le Lieutenant Dunbar n'avait nulle intention de repartir. Ce qui était arrivé à Fort Sedgewick était une chose à découvrir. Peut-être que tout le monde s'était enfui, peut-être étaient-ils tous morts ? Peut-être y avait-il des survivants, à une heure de là à peine, luttant pour regagner le fort ?

Et il avait une raison plus profonde de rester, un mobile plus puissant encore que son sens aigu du devoir. Il y a des moments où une personne veut quelque chose si intensément que le prix ou les conditions pour l'obtenir cessent d'être des obstacles. Le Lieutenant Dunbar avait voulu la frontière plus que tout. Et maintenant il était là. Ce à quoi Fort Sedgewick ressemblait ou les conditions dans lesquelles il se trouvait lui importaient peu. Il avait pris sa décision.

Aussi ses yeux ne cillèrent-ils pas quand il parla, sa voix resta plate et sans passion.

– Ceci est mon poste, et ça, ce sont les provisions du poste.

Ils se fixèrent à nouveau. Un sourire fendit la bouche de Timmons. Il rit.

– Est-ce que vous êtes fou, mon garçon ?

Timmons dit cela en pensant que le lieutenant était un jeune chiot, qu'il n'était probablement jamais allé au combat, qu'il n'était jamais venu dans l'Ouest, et qu'il n'avait pas vécu suffisamment longtemps pour savoir quoi que ce soit. «Est-ce que vous êtes fou, mon garçon ?» Les mots étaient sortis comme de la bouche d'un père agacé.

Il avait tort.

Le Lieutenant Dunbar n'était pas un chiot. Il était doux et serviable, et par moments il était gentil. Mais il n'était pas un chiot.

Il avait combattu durant pratiquement toute sa vie. Et il avait vaincu parce qu'il possédait un trait rare : un sens inné, une espèce de sixième sens, qui lui disait quand être dur. Et quand cet instant critique se présentait à lui, quelque chose d'intangible se déclenchait dans son subconscient et le Lieutenant Dunbar devenait une machine impitoyable et sans âme qu'on ne pouvait arrêter. Pas avant qu'elle ait atteint son objectif. Quand il fallait agir, le lieutenant agissait le premier. Et ceux qui se mettaient en travers de sa route le regrettaient.

Les mots « Est-ce que vous êtes fou, mon garçon ? » avaient actionné le mécanisme, et le sourire de Timmons commença à s'évanouir lentement quand il vit les yeux du Lieutenant Dunbar devenir noirs. Un instant plus tard, Timmons vit la main droite du militaire se lever lentement et délibérément. Il vit la paume de la main reposer doucement sur la crosse du gros Colt Navy qu'il portait à la hanche. Il vit l'index du lieutenant glisser doucement dans le pontet.

– Descendez votre cul de ce chariot et aidez-moi à décharger !

Ces mots eurent un profond effet sur Timmons. Le ton lui dit que la mort était brusquement apparue sur la scène. Sa propre mort.

Timmons n'eut pas un clignement d'yeux. Il ne fit pas la moindre réponse non plus. Pratiquement en un seul mouvement il attacha les rênes au frein, sauta de son siège, marcha rapidement jusqu'à l'arrière du chariot, referma l'abattant de toile et souleva la première chose qui lui tomba sous la main.

2

Ils en entassèrent autant que possible dans l'entrepôt à demi effondré et stockèrent le reste dans les anciens quartiers de Cargill.

CHAPITRE IV

1

Après avoir expliqué que la lune serait levée et qu'il ne voulait pas perdre de temps, Timmons partit au coucher du soleil.

Le Lieutenant Dunbar s'assit sur le sol, se roula une cigarette et regarda le chariot diminuer dans le lointain. Le soleil se coucha à peu près en même temps que le chariot disparaissait, et il resta assis dans l'obscurité pendant un long moment, heureux de la compagnie du silence. Au bout d'une heure, il commença à s'engourdir, aussi se leva-t-il pour se rendre d'un pas pesant au baraquement du Capitaine Cargill.

Soudain fatigué, il s'abattit tout habillé sur le petit lit qu'il s'était ménagé entre les fournitures et reposa sa tête.

Ses oreilles furent grandes ouvertes cette nuit-là. Le sommeil fut long à venir. Chaque petit bruit dans l'obscurité demandait une explication que Dunbar ne pouvait fournir. Il y avait durant la nuit une étrangeté dans cet endroit qu'il n'avait pas ressenti durant le jour.

Alors qu'il s'endormait, le craquement d'une branche ou une éclaboussure lointaine dans le cours d'eau le ramenait à un état de veille totale. Cela dura longtemps et l'épuisa graduellement. Il était fatigué et aussi excité qu'épuisé, et ce mélange ouvrit la porte à un visiteur malvenu. Par la brèche de la somnolence sans repos du Lieutenant Dunbar entra le doute. Le doute le défia durement cette première nuit. Il lui murmura des choses horribles à l'oreille. Il avait été idiot. Il avait tort sur toute la ligne. Il ne valait rien. Il aurait aussi bien pu être mort. Le doute cette nuit-là l'amena au bord des larmes. Le Lieutenant Dunbar lutta, s'apaisant avec des pensées agréables. Il combattit jusque tôt dans la matinée, et, dans les heures précédant l'aube, il chassa finalement le doute à coups de pied et tomba endormi.

2

Ils s'étaient arrêtés.

Ils étaient six.

C'étaient des Pawnees, la plus terrible de toutes les tribus. Des cheveux en brosse, des rides précoces et une tournure d'esprit collective qui ressemblait à la machine que le Lieutenant Dunbar pouvait occasionnellement devenir. Mais il n'y avait rien d'occasionnel dans la façon dont les Pawnees voyaient les choses. Ils avaient un regard non sophistiqué mais d'une brutale efficacité ; leurs yeux, une fois posés sur un objet, décrétaient dans le temps d'un clignement s'il devait vivre ou mourir. Et s'il était décidé que l'objet devait cesser de vivre, les Pawnees veillaient à ce qu'il meure avec une précision de psychopathes. Quand il s'agissait de mort, les Pawnees réagissaient comme des automates et les Indiens des Plaines les craignaient plus que tout.

Ce qui avait fait s'arrêter ces six Pawnees était une chose qu'ils avaient vue. À présent, assis sur leurs chevaux décharnés, ils regardaient une série de ravines qui se déroulaient devant eux. Un étroit filet de fumée se courbait dans l'air à environ un kilomètre de là.

Depuis leur promontoire, ils apercevaient clairement la fumée. Mais ils ne pouvaient en distinguer la source. Elle était dissimulée dans la dernière des ravines. Et parce qu'ils ne pouvaient voir autant qu'ils l'auraient voulu, les hommes avaient commencé à discuter, de leurs voix basses et gutturales, de cette fumée et de ce qu'elle pouvait être. S'ils s'étaient sentis plus forts ils auraient pu y galoper immédiatement. Mais ils étaient loin de chez eux depuis déjà longtemps, et cette période avait été un désastre.

Quand ils étaient partis ils constituaient un petit groupe de onze hommes, qui faisaient le voyage au sud pour voler les Comanches riches en chevaux. Après avoir chevauché pendant presque une semaine, ils avaient été surpris par une importante force de Kiowas alors qu'ils traversaient une rivière. Ils avaient eu de la chance de pouvoir s'échapper avec seulement un mort et un blessé.

Le blessé avait tenu pendant une semaine avec un poumon salement perforé, et ce fardeau avait grandement ralenti le groupe. Quand enfin il était mort et que les neuf Pawnees en maraude avaient pu reprendre leur quête sans encombre, ils n'avaient rencontré que de la malchance. Le groupe de Comanches était toujours à une ou deux journées des infortunés Pawnees, et pendant deux semaines supplémentaires ils ne trouvèrent que des traces anciennes.

Finalement ils localisèrent un grand camp avec beaucoup de chevaux et se réjouirent de voir disparaître le mauvais sort qui les avait poursuivis si longtemps. Mais ce que les Pawnees ne savaient pas, c'était que leur malchance n'avait pas disparu le moins du monde. En fait, c'était la pire des chances qui les avait conduits à ce village, parce que cette tribu de Comanches avait été durement frappée quelques jours auparavant à peine par un puissant groupe d'Utes, qui avait tué plusieurs bons guerriers et s'était enfui avec trente chevaux.

Toute la bande des Comanches était sur le pied de guerre, et ils avaient également soif de vengeance. Les Pawnees furent découverts à l'instant où ils commencèrent à ramper dans le village, et ils avaient fui avec la moitié du campement sur les talons, trébuchant dans l'obscurité étrangère sur leurs poneys épuisés. Ce ne fut que dans la retraite que la chance les rejoignit enfin. Tous auraient dû mourir cette nuit-là. Pourtant, ils ne perdirent que trois guerriers.

Il n'y avait donc plus à présent que six hommes découragés sur cette colline solitaire. Juchés sur leurs poneys efflanqués et trop fatigués pour bouger sous eux, ils se demandaient que faire à propos d'un seul filet de fumée à un kilomètre de là.

Débattre des mérites d'une attaque était très indien. Mais discuter d'un unique filet de fumée pendant une demi-heure était une chose toute différente, et cela montrait à quel point s'était effondrée la confiance de ces

Pawnees. Les six étaient partagés. Une partie était d'avis de se retirer, l'autre d'aller voir. Tandis qu'ils hésitaient, un seul homme, le plus fier d'entre eux, resta ferme sur ses positions depuis le début. Il voulait fondre immédiatement sur la fumée, et, alors que se poursuivaient les mouvements de mâchoires, il devint de plus en plus impatient.

Après trente minutes, il s'écarta de ses frères et commença à descendre silencieusement le flanc de la colline. Les cinq autres vinrent à son côté, lui demandant ce qu'il comptait faire.

Le guerrier maussade leur répliqua avec causticité qu'ils n'étaient pas des Pawnees et qu'il ne pouvait pas chevaucher plus longtemps avec des femmes. Il dit qu'ils devraient piteusement s'en retourner chez eux. Il répéta qu'ils n'étaient pas des Pawnees et ajouta qu'il préférait mourir plutôt que de marchander avec des hommes qui n'étaient pas des hommes.

Il partit vers la fumée.

Les autres le suivirent.

3

La haine de Timmons à l'égard des Indiens n'avait d'égale que sa méconnaissance de leurs façons d'agir. Le territoire était relativement sûr depuis quelque temps. Mais il était en fait un homme sans grands moyens de défense, et il aurait dû en savoir suffisamment pour faire un feu sans fumée.

Mais ce matin-là il avait émergé de sa couverture puante avec une faim puissante. L'idée de bacon et de café avait été sa seule préoccupation et il avait hâtivement allumé un joli petit feu avec du bois vert.

C'était le feu de Timmons qui avait attiré la petite bande de Pawnees malintentionnés.

Il était accroupi devant son feu, les doigts enroulés autour de sa tasse, buvant dans les effluves du bacon, quand la flèche le toucha. Elle s'enfonça profondément dans sa fesse droite, et la force de l'impact le fit basculer par-dessus les flammes. Il entendit les hurlements avant d'avoir vu qui que ce soit, et les cris le plongèrent dans la panique. Il sauta dans le fossé et, sans ralentir, escalada l'autre versant, une flèche pawnee aux plumes multicolores émergeant de son postérieur.

Voyant qu'il n'y avait qu'un homme, le Pawnee prit son temps. Tandis que les autres mettaient le chariot à sac, le fier guerrier qui leur avait fait honte pour les entraîner dans l'action galopa tranquillement derrière Timmons.

Il rattrapa le conducteur juste au moment où ce dernier allait quitter la pente menant hors de la ravine. Là, Timmons s'effondra soudain sur un genou, et quand il se leva il tourna la tête au bruit des sabots.

Mais il ne vit ni le cheval ni son cavalier. Pendant une fraction de seconde il devina la massue de guerre en pierre. Puis elle cogna le côté de son crâne avec tant de force que sa tête éclata littéralement.

4

Les Pawnees pillèrent les provisions, en prenant autant qu'ils pouvaient en porter. Ils détachèrent le bon attelage de chevaux de l'armée, brûlèrent le chariot, et chevauchèrent à côté du corps mutilé de Timmons sans même un regard en passant. Ils lui avaient pris tout ce qu'ils désiraient. Le scalp du conducteur flottait près de la hampe de la lance de son meurtrier.

Le corps resta toute la journée dans les hautes herbes, attendant que les loups le découvrent à la nuit tombée. Mais la disparition de Timmons avait plus de signification que la suppression d'une simple vie. Avec sa mort, un concours inhabituel de circonstances venait de se produire.

Le cercle s'était refermé autour du Lieutenant John J. Dunbar.

Nul ne pouvait être plus seul.

CHAPITRE V

1

Lui aussi avait fait un feu ce matin-là, mais le sien avait pris bien plus tôt que celui de Timmons. En fait, le lieutenant avait déjà bu la moitié de sa première tasse de café une heure avant que le conducteur soit tué.

Deux chaises pliantes avaient été inclues dans le chargement. Il en ouvrit une devant le baraquement de torchis de Cargill et resta assis très longtemps, une couverture de l'armée drapée autour de ses épaules, une grosse tasse réglementaire dans ses mains, à regarder la première journée complète à Fort Sedgewick s'écouler sous ses yeux. Ses pensées en vinrent rapidement à l'action; alors, le doute le saisit à nouveau.

Avec une soudaineté surprenante, le lieutenant se sentit submergé. Il réalisa qu'il ne savait par où commencer, ignorant ce que seraient ses fonctions et même comment il devait se considérer. Il n'avait pas de devoirs, pas de programme à suivre, pas de statut.

Tandis que le soleil se levait progressivement derrière lui, Dunbar se retrouva dans l'ombre fraîche du baraquement, aussi remplit-il à nouveau sa tasse et déplaça-t-il sa chaise pour la mettre au soleil qui inondait la cour.

Il était en train de se rasseoir quand il vit le loup. Il se tenait debout sur l'escarpement qui faisait face au fort, juste de l'autre côté de la rivière. Le premier réflexe du lieutenant fut de l'effrayer avec une ou deux balles, mais plus il observait son visiteur, moins cette idée lui paraissait avoir de sens. Même à cette distance, il pouvait voir que l'animal était juste curieux. Et, obscurément, il fut heureux de cette compagnie.

Cisco broncha dans le corral, ce qui attira l'attention du lieutenant. Il avait oublié son cheval. En se rendant à l'entrepôt il regarda par-dessus son épaule et vit que son visiteur matinal avait fait demi-tour et disparaissait au-delà de l'horizon derrière le monticule.

2

Cela lui vint dans le corral alors qu'il versait le fourrage de Cisco dans une gamelle plate. C'était une solution simple, et elle chassait le doute une fois de plus.

Pour le moment il s'inventerait ses tâches.

Dunbar fit une rapide inspection du baraquement de Cargill, de l'entrepôt, du corral et de la rivière. Puis il se mit au travail, commençant par les ordures qui submergeaient les rives du petit cours d'eau.

Bien que n'étant pas délicat de nature, il trouva que cette décharge était une véritable honte. Des bouteilles et des ordures se trouvaient répandues partout. Des morceaux et des débris de matériel et d'uniformes étaient incrustés dans la rive. Le pire, c'étaient les carcasses, à des stades divers de décomposition, qui avaient été jetées sans soin au bord de la rivière. La plupart provenaient de petit gibier, lapins et pintades. Il y avait aussi une antilope entière et un morceau d'une autre.

Observer cette saleté donna à Dunbar ses premières indications sur ce qui pouvait être arrivé à Fort Sedgewick. À l'évidence, c'était devenu un endroit dont personne n'était fier. Et alors, sans le savoir, il fut très proche de la vérité.

Peut-être était-ce la nourriture, pensa-t-il. Peut-être mouraient-ils de faim.

Il travailla jusqu'à midi, n'ayant gardé que son caleçon long, un vieux pantalon râpé et une paire de vieilles bottes, passant méthodiquement au crible les ordures sur les berges de la rivière.

Il y avait d'autres carcasses plongées dans l'eau elle-même, et son estomac bouillonnait presque quand il tira de la vase fétide tapissant le fond des eaux peu profondes les corps suintants des animaux.

Il empila tout sur une toile, et quand il y en eut suffisamment pour constituer un chargement, il attacha la toile comme un sac. Puis, avec Cisco qui fournissait les muscles, ils traînèrent leur horrible chargement jusqu'au sommet de la butte.

En milieu d'après-midi le cours d'eau fut nettoyé et, bien qu'il n'ait pu en être certain, le lieutenant aurait juré qu'il coulait plus vite. Il fuma et se reposa un moment, regardant la rivière défiler devant lui. Libérée de ses dégoûtants parasites, elle ressemblait à nouveau à un véritable cours d'eau et une certaine bouffée de fierté le saisit à la pensée de ce qu'il avait accompli.

En se remettant sur pied, il sentit son dos se raidir. Étant peu habitué à ce genre de travail, il trouva que la douleur n'était pas déplaisante. Elle signifiait qu'il avait accompli quelque chose.

Après avoir ôté les derniers et minuscules restants de déchets, il escalada la butte et fit face à la pile d'ordures qui lui arrivait presque jusqu'à l'épaule. Il versa dessus un bidon de pétrole et l'enflamma.

Longtemps, il contempla la grande colonne de fumée noire et grasse qui montait dans le ciel vide. Mais soudain son cœur se serra à la pensée de ce qu'il venait de faire. Il n'aurait jamais dû commencer ce feu. Ici une flamme de cette taille équivalait à lancer une fusée éclairante par une nuit sans lune. Cela revenait à pointer une grande flèche lumineuse d'invitation en direction de Fort Sedgewick.

Quelqu'un allait certainement être attiré par cette colonne de fumée, et ce serait très vraisemblablement un groupe d'Indiens.

3

Le Lieutenant Dunbar resta assis devant le baraquement jusqu'au crépuscule, scrutant constamment l'horizon dans toutes les directions.

Personne.

Il fut soulagé. Mais, tandis qu'il restait assis là tout l'après-midi, un fusil Springfield et son gros Navy chargés, son sentiment de solitude s'accrut. À un moment l'idée d'un naufragé sur une île déserte lui vint à l'esprit et il frissonna. Il savait que c'était l'idée exacte. Il savait aussi qu'il pourrait rester seul pendant un bon moment. Secrètement, au fond de lui-même, il voulait être seul, mais être naufragé n'avait rien à voir avec l'euphorie qu'il avait ressentie au cours du voyage avec Timmons.

Tout cela était démoralisant.

Il fit un repas frugal et remplit son rapport du premier jour. Le Lieutenant Dunbar avait une bonne plume, ce qui fait qu'il éprouvait moins d'aversion que la plupart des soldats pour la paperasse. Et il avait à cœur de garder un historique scrupuleux de son séjour à Fort Sedgewick, particulièrement en ces circonstances étranges.

12 avril 1863

J'ai découvert que Fort Sedgewick était complètement abandonné. L'endroit semble pourrir depuis quelque temps déjà. S'il y avait un contingent ici avant que j'arrive, lui aussi devait être en décomposition.

Je ne sais que faire.

Fort Sedgewick est mon affectation, mais il n'y a personne à qui me présenter. La communication ne peut exister que si je pars, et je ne veux pas abandonner mon poste.

Les provisions sont abondantes.

Je me suis assigné un travail de nettoyage. Je tenterai de renforcer l'entrepôt, mais j'ignore si un seul homme peut faire ce travail.

Tout est calme ici sur la frontière.

Lt. John J. Dunbar, USA

Au bord du sommeil, il eut cette nuit-là l'idée de l'auvent. Un auvent pour le baraquement. Une longueur de cour protégée contre le soleil s'étendant à partir de l'entrée. Un endroit où s'asseoir et travailler les jours où la chaleur à l'intérieur des quartiers deviendrait insupportable. Une addition au fort.

Et une fenêtre, taillée dans le torchis. Une fenêtre

31

pourrait faire une grande différence. Il était envisageable de raccourcir le corral et d'utiliser les poteaux restants pour d'autres constructions. Peut-être serait-il possible de tirer quelque chose de l'entrepôt, en fin de compte.

Dunbar s'endormit avant d'avoir catalogué toutes les activités qui s'offraient à lui. Ce fut un sommeil profond et peuplé de rêves agités.

Il se trouvait dans un hôpital de campagne en Pennsylvanie. Les médecins s'étaient rassemblés au pied de son lit, une demi-douzaine en longues blouses blanches tachées du sang des autres « cas ».

Ils débattaient pour savoir s'ils devaient couper son pied à la cheville ou au genou. La discussion s'acheva sur une dispute, la dispute prit une vilaine tournure, et tandis que le lieutenant regardait, horrifié, ils commencèrent à se battre.

Ils se frappaient avec les membres coupés lors de précédentes amputations. Tandis qu'ils tournaient dans l'hôpital, balançant leurs grotesques massues, des patients qui avaient perdu leurs appendices sautaient ou rampaient hors de leurs grabats, fouillant désespérément dans les débris laissés par les praticiens en train de se battre, à la recherche de leurs propres bras et jambes.

Au milieu de la mêlée il s'échappa, galopant comme un fou à travers les portes principales sur son pied à demi arraché.

Il claudiqua à travers une prairie d'un vert étincelant couverte de rangées de cadavres de l'Union et de la Confédération. Comme des dominos à l'envers, les cadavres s'assirent tandis qu'il courait et braquèrent des pistolets sur lui.

Découvrant une arme dans sa main, le Lieutenant Dunbar tua chacun des cadavres avant qu'il ait pu presser la détente. Il tirait rapidement et chacune de ses balles trouvait une tête. Et chaque tête explosait sous l'impact. Elles ressemblaient à une longue rangée de melons, explosant l'une après l'autre sur ces perchoirs que constituaient les épaules d'hommes morts.

Le Lieutenant Dunbar pouvait se voir d'une certaine distance, silhouette sauvage dans une chemise de nuit d'hôpital, pulvérisant devant lui deux rangées de cadavres assemblés comme pour le frapper au passage, les têtes volant en l'air au fur et à mesure qu'il progressait.

Soudain il n'y eut plus de cadavres et plus de coups de feu.

Mais il y avait quelqu'un derrière lui appelant d'une voix douce :

– Mon chéri... mon chéri.

Dunbar regarda par-dessus son épaule.

Courant après lui arrivait une femme, une belle femme avec des pommettes hautes, d'épais cheveux couleur sable et des yeux si vivants de passion qu'il sentit son cœur battre plus fort. Elle ne portait pour tout vêtement qu'un pantalon d'homme et courait avec un pied ensanglanté qu'elle tenait dans ses mains tendues, comme une offrande.

Le lieutenant regarda son propre pied blessé et découvrit qu'il avait disparu. Il courait sur un morceau d'os blanc.

Il s'éveilla, s'asseyant immédiatement sous le choc, et agrippa sauvagement son pied au bout du lit. Il était là.

Ses couvertures étaient humides de transpiration. Il fouilla sous le lit à la recherche de sa blague à tabac et se roula hâtivement une cigarette. Puis il repoussa les couvertures d'un coup de pied, se redressa sur l'oreiller et souffla de la fumée, attendant que les choses s'apaisent.

Il savait exactement ce qui avait inspiré ce rêve. Les éléments de base avaient réellement eu lieu. Dunbar laissa son esprit vagabonder sur eux.

Il avait été blessé au pied. Par un éclat d'obus. Il avait passé un certain temps dans un hôpital de campagne où il avait été question de lui couper le pied, et, ne supportant pas cette idée, il s'était échappé. Au milieu de la nuit, les terribles gémissements des hommes blessés résonnant dans la salle, il s'était glissé hors de son lit et avait volé de quoi faire un pansement. Il avait saupoudré son pied avec de l'antiseptique, l'avait entouré de gaze et réussi à l'enfiler dans sa botte.

Après quoi il s'était faufilé par une porte de service, avait volé un cheval, et, n'ayant nulle part où aller, avait rejoint son unité à l'aube avec une histoire à dormir debout à propos d'une légère blessure à l'orteil.

Il pensa : « Qu'est-ce que je pouvais bien avoir dans la tête à ce moment-là ? » et sourit.

Après deux jours la douleur était si intense que le lieutenant ne souhaitait plus rien d'autre que mourir. Quand l'opportunité se présenta, il la saisit.

Deux unités ennemies s'étaient tirées dessus de chaque côté d'un terrain découvert large de trois cents mètres pendant la plus grande partie de l'après-midi. Elles étaient cachées derrière de petits murets de pierres bordant les côtés opposés du champ, chacune peu sûre de la force de l'autre et peu désireuse de donner la charge.

L'unité du Lieutenant Dunbar avait lancé un ballon d'observation, mais les rebelles l'avaient rapidement abattu.

La situation était restée bloquée, et quand la tension fut à son apogée, en fin d'après-midi, le Lieutenant Dunbar atteignit son propre point de rupture. Ses pensées se fixèrent sans hésiter sur la façon de finir sa vie.

Il se porta volontaire pour chevaucher vers l'ennemi et attirer son feu sur lui.

Le colonel du régiment n'était pas fait pour la guerre. Il avait l'estomac faible et l'esprit lent.

Normalement il n'aurait jamais dû permettre une telle chose, mais cet après-midi-là, il se trouvait soumis à une pression extrême. Le pauvre homme était complètement perdu et, pour une raison inexpliquée, l'idée d'un grand saladier de pêches au sirop ne cessait de le hanter.

Pour aggraver encore la situation, le Général Tipton et ses aides venaient juste d'installer un poste d'observation sur une colline à l'ouest. Sa performance était donc surveillée, et pourtant il était dans l'incapacité de démontrer quoi que ce soit.

Pour couronner le tout, il y avait ce lieutenant au visage exsangue, qui lui parlait d'un ton crispé d'attirer le feu de l'ennemi et dont les grands yeux sans pupille l'effrayaient.

Le colonel incompétent consentit à appliquer ce plan.

Sa propre monture ayant une mauvaise toux, Dunbar fut autorisé à choisir un nouveau cheval. Il prit un petit bai puissant répondant au nom de Cisco, et réussit à se mettre en selle sans crier de douleur sous le regard de toute la troupe.

Tandis qu'il dirigeait le bai vers le muret de pierre, quelques sifflements de balles leur parvinrent à travers le champ, mais à part ça il n'y eut qu'un silence de mort et le Lieutenant Dunbar se demanda si ce silence était réel ou bien s'il en allait toujours ainsi dans les instants précédant la mort d'un homme.

Il donna un violent coup de pied dans les côtes de Cisco, sauta par-dessus le mur et fila dans le champ découvert, allant droit sur le mur de pierre qui dissimulait l'ennemi. Pendant un moment les rebelles furent trop surpris pour tirer, et le lieutenant couvrit la première centaine de mètres dans le plus grand silence.

Puis ils commencèrent le tir. Les balles emplirent l'air autour de lui comme un jet d'eau dans un robinet. Le lieutenant ne se donna pas la peine de riposter. Il se tenait bien droit de façon à offrir une meilleure cible et talonna à nouveau Cisco. Le petit cheval aplatit ses oreilles et vola vers le mur. Pendant tout ce temps, Dunbar attendit qu'une des balles l'atteigne.

Mais aucune n'y parvint et quand il fut suffisamment proche pour voir les yeux des ennemis, lui et Cisco virèrent sur la gauche, courant droit au nord, à cinquante mètres du mur. Cisco galopait si durement que la terre jaillissait de ses sabots arrière comme l'écume dans le sillage d'un bateau rapide. Le lieutenant conserva sa posture rigide, et cela attira irrésistiblement les soldats confédérés. Ils se dressèrent comme des cibles sur un champ de foire, vidant leurs fusils par rafales tandis que le cavalier solitaire filait devant eux.

Ils ne parvenaient pas à l'abattre.

Le Lieutenant Dunbar entendit les tirs s'achever. La ligne de fusiliers était à bout de ressources. S'arrêtant brusquement, il sentit quelque chose lui brûler le bras et découvrit qu'il avait été touché au biceps. La douleur lui fit retrouver brièvement ses sens. Il regarda la ligne qu'il venait juste de dépasser et vit que les Confédérés étaient assemblés derrière le mur avec stupéfaction.

Soudain ses oreilles se remirent à fonctionner, et il put entendre des cris d'encouragement provenant de ses propres lignes, loin à l'autre bout du champ. Puis il eut à nouveau conscience de son pied, douloureux comme quelque pompe hideuse au fond de sa botte.

Il fit pivoter Cisco face au mur et, quand le petit bai se dressa sous le mors, le Lieutenant Dunbar entendit un tonnerre d'ovations. Il regarda de l'autre côté du champ. Ses frères d'armes se dressaient en masse contre le mur et.

Il enfonça ses talons dans les flancs de Cisco et ils chargèrent droit devant eux, refaisant en galopant le chemin qu'ils venaient de parcourir, cette fois-ci pour tester l'autre flanc confédéré. Les hommes qu'il avait déjà dépassés furent totalement pris au dépourvu et il put les voir qui rechargeaient frénétiquement tandis qu'il filait devant eux.

Mais plus loin, au niveau du flanc qu'il n'avait pas encore sondé, il vit des fusiliers se mettre debout, les fusils prenant appui au creux de leurs épaules.

Déterminé à ne pas se déjuger, le lieutenant laissa soudain, sur une impulsion, tomber les rênes et leva les deux bras très haut. Il aurait pu avoir l'air d'un cavalier de cirque, mais ce qu'il ressentait en fait était l'approche de la fin. Il avait levé les bras en un geste d'adieu final à cette vie. Pour un observateur, cela pouvait être mal interprété. Cela pouvait ressembler à un geste de triomphe.

Bien sûr, le Lieutenant Dunbar n'avait pas voulu que ce soit un signal. Il avait seulement souhaité mourir. Mais ses camarades de l'Union avaient déjà le cœur au bord des lèvres, et quand ils virent les bras du lieutenant se dresser, ce fut plus qu'ils n'en pouvaient supporter.

Ils submergèrent le mur, une marée spontanée de combattants, hurlant avec une frénésie qui figea le sang des troupes confédérées. Les soldats en uniforme gris s'égaillèrent et coururent comme un seul homme, se piétinant dans un désordre indescriptible pour gagner les arbres derrière eux.

Le temps que le Lieutenant Dunbar arrête Cisco, les troupes vêtues de bleu de l'Union étaient déjà par-dessus le mur, chassant les rebelles terrorisés dans les bois.

Sa tête devint soudain toute légère.

Le monde autour de lui se mit à tournoyer.

Le colonel et ses aides convergeaient dans une direction, le Général Tipton et ses hommes dans une autre. Tous deux l'avaient vu s'affaisser, s'écroulant inconscient de sa selle, et chacun hâta le pas quand le lieutenant tomba. Courant jusqu'à l'endroit du champ désert où Cisco attendait tranquillement près de la silhouette informe étendue à ses pieds, le colonel et le Général Tipton partageaient le même sentiment, un sentiment rare chez les officiers de haut rang, particulièrement en temps de guerre.

Ils ressentaient tous deux une inquiétude profonde et sincère pour un même individu.

Le Général Tipton était le plus bouleversé. En vingt-sept ans de vie militaire il avait vu nombre d'actes de bravoure, mais rien qui approchât la démonstration dont il avait été témoin cet après-midi-là.

Quand Dunbar revint à lui, le général était agenouillé à son côté avec la ferveur d'un père auprès d'un fils tombé au combat.

Et quand il découvrit que ce brave lieutenant avait chevauché sur le champ de bataille alors qu'il était déjà blessé, le général baissa la tête comme pour prier et fit une chose qu'il n'avait pas faite depuis l'enfance : des larmes roulèrent dans sa barbe grisonnante.

Le Lieutenant Dunbar n'était pas en état de parler beaucoup, mais il réussit à proférer une simple requête. Il la dit plusieurs fois :

– Qu'on ne me coupe pas le pied.

Le Général Tipton entendit et enregistra cette requête comme si c'était un commandement de Dieu. Le Lieutenant Dunbar fut emporté du champ de bataille dans la propre ambulance du général, transporté jusqu'au quartier général du régiment, et, une fois là, placé sous la supervision directe du médecin personnel du général.

Il y eut une brève scène quand ils arrivèrent. Le Général Tipton ordonna à son médecin de sauver le pied du jeune homme, mais, après un rapide examen, le médecin répondit qu'il y avait une forte probabilité pour qu'on l'ampute.

Le Général Tipton prit le docteur à part et lui dit :

– Si vous ne sauvez pas le pied de ce garçon, je vous ferai renvoyer pour incompétence. Je vous ferai renvoyer même si c'est la dernière chose que je fais.

La guérison du Lieutenant Dunbar devint une obsession pour le général. Il trouva le temps chaque jour pour rendre visite au jeune lieutenant et, en même temps, surveiller ce que faisait le docteur qui ne cessa de transpirer pendant les deux semaines qu'il fallut pour sauver le pied du Lieutenant Dunbar.

Le général ne dit pas grand-chose au patient durant tout ce temps. Il n'exprima qu'un souci de père. Mais quand le pied fut finalement hors de danger, il se glissa dans la tente un après-midi, tira une chaise près du lit et commença à parler sans passion d'une chose qui lui était venue à l'esprit.

Dunbar écouta avec stupéfaction tandis que le général lui exposait son idée. Il voulait que la guerre soit terminée pour le Lieutenant Dunbar car ses actions sur le champ de bataille, auxquelles le général pensait encore, étaient suffisantes pour un seul homme au cours d'une guerre.

Et il voulait que le lieutenant lui demande une faveur parce que, et là le général baissa la voix :

– Nous sommes tous vos débiteurs. Je suis votre débiteur.

Le lieutenant se permit un léger sourire et dit :

– Eh bien... j'ai mon pied, monsieur.

Le Général Tipton ne lui retourna pas son sourire.

– Que voulez-vous ? demanda-t-il.

Dunbar ferma les yeux et réfléchit.

– J'ai toujours voulu être affecté sur la frontière, dit-il finalement.

– Où ?

– N'importe où. Sur la frontière, simplement.

Le général se leva.

– Très bien, dit-il en se dirigeant vers la sortie de la tente.

– Monsieur ?

Le général s'immobilisa, et quand il tourna son regard vers le lit, ce fut avec une affection désarmante.

– J'aimerais garder le cheval... Est-ce que je le peux ?

– Bien sûr que vous le pouvez.

Le Lieutenant Dunbar avait réfléchi à l'entrevue avec le général pendant le reste de l'après-midi. Il avait été excité par les nouvelles perspectives soudainement apparues dans sa vie. Mais il avait également ressenti une pointe de culpabilité en se remémorant l'affection qu'il avait lue sur le visage du général. Il n'avait dit à personne qu'il essayait seulement de se suicider. Mais maintenant, c'était bien trop tard. Cet après-midi-là, il décida qu'il ne le dirait jamais.

À présent, étendu sur les couvertures humides, Dunbar roulait sa troisième cigarette en une demi-heure et songeait aux voies mystérieuses du destin qui l'avaient finalement amené à Fort Sedgewick.

La pièce s'éclairait, et l'humeur du lieutenant également. Il détourna ses pensées du passé pour les orienter vers le présent. Avec l'ardeur d'un homme satisfait de son sort, il commença à penser à sa campagne de nettoyage.

CHAPITRE VI

1

Comme un enfant qui préfère se priver de légumes pour passer directement au dessert, le Lieutenant Dunbar renonça pour le moment à étayer l'entrepôt en faveur des perspectives plus agréables qu'offrait la construction de l'auvent.

Fouillant dans les provisions, il découvrit des tentes de campagne qui fourniraient la toile, mais malgré ses recherches il ne trouva rien pour coudre et regretta alors d'avoir été si rapide à brûler les carcasses.

Il parcourut les rives du cours d'eau en aval pendant une bonne partie de la matinée avant de découvrir un petit squelette qui recelait plusieurs esquilles d'os suffisamment solides pour être utilisées comme aiguilles.

De retour à l'entrepôt, il dénicha une longueur de corde assez fine qui, une fois effilochée, lui donna des cordons de la taille qu'il désirait. Du cuir aurait été plus résistant, mais, en procédant à toutes ses améliorations, le Lieutenant Dunbar se réjouissait de donner un aspect temporaire à son travail. Je tiens le fort, pensa-t-il en gloussant tout seul. Je tiens le fort en attendant qu'il revienne pleinement à la vie avec l'arrivée de troupes fraîches.

Bien que prenant soin de ne pas se créer de faux espoirs, il était certain que, tôt ou tard, quelqu'un viendrait.

La couture était grossière. Le lendemain, il cousit la toile avec ténacité, faisant de bons progrès. Quand il s'arrêta, tard dans l'après-midi, ses mains étaient si douloureuses et si gonflées qu'il eut des difficultés à préparer son café du soir.

Au matin ses doigts étaient semblables à de la pierre, bien trop raides pour travailler avec l'aiguille. Il fut tenté d'essayer malgré tout, parce qu'il avait presque fini, mais n'en fit rien.

Au lieu de ça, il tourna son attention vers le corral. Après l'avoir soigneusement étudié, il décida d'arracher quatre des poteaux les plus grands et les plus solides. Ils n'avaient pas été profondément enfoncés, et il ne lui fallut pas longtemps pour les déterrer.

Cisco ne s'éloignait pas et le lieutenant joua brièvement avec l'idée de laisser le corral ouvert. À la fin, malgré tout, il décida qu'une absence de corral irait à l'encontre de son idée de la campagne de nettoyage et prit donc une heure supplémentaire pour refaire la clôture.

Puis il étendit la toile en face de la baraque où il dormait et enfonça profondément les poteaux dans le sol, les tassant autant qu'il le put avec la terre lourde.

La journée était devenue chaude, et lorsqu'il en eut terminé avec les poteaux, le lieutenant se retrouva à traîner çà et là à l'ombre de la baraque de torchis. Il s'assit au bord du lit et s'appuya contre le mur. Ses yeux s'alourdissaient. Il s'étendit sur le grabat pour se reposer un moment et tomba très vite dans un profond sommeil des plus agréable.

2

Il s'éveilla, empli d'une langueur sensuelle, émergeant doucement du sommeil. S'étirant avec délices, il laissa pendre sa main au bord du lit et, comme un enfant rêveur, ses doigts jouèrent doucement avec le sol de terre battue.

Il se sentait merveilleusement bien, étendu là sans rien faire, et il lui vint à l'esprit que, en plus de ses propres devoirs, il pouvait également décider de son propre rythme. Pour le moment du moins. Il décréta que, de la même façon qu'il s'était abandonné à une sieste, il se donnerait plus de liberté avec d'autres plaisirs. Cela ne me ferait pas de mal de m'accorder un peu de repos, pensa-t-il.

Des ombres rampaient par l'entrée de la cabane et, curieux de savoir combien de temps il avait dormi, Dunbar glissa une main à l'intérieur de son pantalon et en sortit la vieille montre toute simple qui avait appartenu à son père. Quand il l'amena devant ses yeux, il vit qu'elle était arrêtée. Pendant un moment il envisagea de la régler sur une heure approximative, mais plaça finalement le vieux chronomètre usé sur son ventre et se plongea dans la méditation.

Que lui importait le temps, à présent? Quelle importance avait-il jamais eue? Eh bien, peut-être qu'il était nécessaire dans le mouvement des choses, des hommes et du matériel, par exemple. Pour cuire les aliments correctement. Pour les écoles, et les mariages, et les services à l'église, et pour aller au travail.

Mais quelle importance avait-il ici?

Le Lieutenant Dunbar se roula une cigarette et suspendit son héritage à un crochet convenant parfaitement à cet usage, soixante centimètres au-dessus du lit. Il regarda les chiffres sur le cadran de la montre tout en fumant, pensant à quel point il serait plus efficace de travailler quand on s'en sentait l'envie, de manger quand on avait faim, de dormir quand on avait sommeil.

Il tira longuement sur sa cigarette et, croisant les mains avec satisfaction derrière sa tête, souffla un jet de fumée bleue.

Comme il serait bon de vivre sans le temps pendant un moment! songea-t-il.

Soudain il y eut un bruit de pas lourds à l'extérieur. Ils s'arrêtèrent un instant avant de reprendre. Une ombre passa devant l'entrée de la cabane et une seconde plus tard la grosse tête de Cisco apparut. Ses oreilles étaient inclinées et ses yeux écarquillés d'émerveillement. Il ressemblait à un enfant ayant envahi le sanctuaire qu'était la chambre de ses parents un dimanche matin.

Le Lieutenant Dunbar éclata de rire. Le bai laissa retomber ses oreilles, secoua la tête longuement et d'un air tout à fait naturel, comme pour prétendre que ce petit incident ne s'était jamais produit. Ses yeux examinèrent la chambre d'un air détaché. Puis il regarda directement le lieutenant et cogna du sabot sur le sol comme le font les chevaux qui veulent se débarrasser des mouches.

Dunbar savait qu'il voulait quelque chose.

Une promenade, probablement.

Il était resté inactif depuis deux jours.

3

Le Lieutenant Dunbar n'était pas un cavalier de parade. On ne lui avait jamais enseigné les subtilités de l'équitation. Son corps, d'une force surprenante malgré sa minceur, n'avait pas connu les rigueurs de l'athlétisme.

Mais il savait s'y prendre avec les chevaux. Peut-être parce qu'il les aimait depuis l'enfance; mais la raison importait peu. Ce qui comptait, c'était que quelque chose d'extraordinaire se produisait quand Dunbar montait sur le dos d'un cheval, surtout si c'était un animal doué comme Cisco.

Une communication s'installait entre les chevaux et lui. Il avait un don pour déchiffrer le langage d'un cheval. Et une fois qu'il le maîtrisait, il n'y avait plus de limites. Il avait compris la langue de Cisco presque immédiatement, et il y avait peu de choses qu'ils ne puissent faire ensemble. Quand ils chevauchaient, c'était avec la grâce d'un couple de danseurs.

Et le plus simple était le mieux. Dunbar avait toujours préféré un dos nu à une selle, mais l'armée, bien évidemment, ne permettait pas cette pratique. On pouvait se blesser, et c'était hors de question dans les longues campagnes.

Aussi, quand le lieutenant pénétra dans l'ombre de l'entrepôt, sa main se porta-t-elle automatiquement vers la selle entreposée dans le coin.

Il se reprit. La seule armée ici, c'était lui. Et le Lieutenant Dunbar savait qu'il ne serait pas blessé.

Il se contenta de prendre la bride de Cisco et laissa la selle derrière lui.

Ils ne s'étaient pas éloignés à plus de trente mètres du corral qu'il aperçut à nouveau le loup qui l'observait depuis l'endroit qu'il avait occupé la veille, au bord de l'escarpement juste de l'autre côté de la rivière.

Le loup avait commencé à bouger, mais quand il vit Cisco s'arrêter, il s'immobilisa, revint délibérément à son ancienne position et se remit à fixer le lieutenant.

Dunbar l'examina avec plus d'intérêt que la veille. C'était bien le même loup, avec ses deux bottes blanches sur les pattes antérieures. Il était grand et vigoureux, mais quelque chose en lui donna à Dunbar l'impression qu'il n'était plus de la première jeunesse. Sa fourrure était mal soignée, et le lieutenant crut distinguer une ligne irrégulière le long du museau, vraisemblablement une vieille cicatrice. Il y avait en lui une méfiance qui indiquait l'âge. Il semblait tout observer sans bouger un muscle. Sagesse fut le mot qui vint à l'esprit du lieutenant. La sagesse était ce que l'on acquérait après avoir survécu de nombreuses années, et ce vieux basané aux yeux alertes avait vécu plus que sa part.

Curieux qu'il soit revenu, pensa le Lieutenant Dunbar.

Il pressa doucement les flancs de Cisco qui se mit en marche. À ce moment, Dunbar perçut un mouvement et dirigea son regard de l'autre côté de la rivière.

Le loup avançait également.

En fait, il maintenait la distance. Cela continua pendant une centaine de mètres avant que le lieutenant ne tire sur les rênes.

Le loup s'arrêta lui aussi.

Mû par une impulsion, le lieutenant fit pivoter Cisco d'un quart de tour pour faire face au cours d'eau. À présent il regardait le loup droit dans les yeux, et il fut certain de pouvoir y lire quelque chose. Quelque chose comme un fort désir.

Il commençait à réfléchir à ce que pouvait être ce désir quand le loup bâilla et se détourna. Il se mit à trotter et disparut.

13 avril 1863

Bien que correctement approvisionné, j'ai décidé de me rationner. La garnison manquante ou un remplacement pourrait arriver n'importe quand. Je ne peux imaginer que cela tarde encore beaucoup à présent.

En tout cas, je suis décidé à économiser les provisions comme si la garnison était au complet. Ce sera difficile avec le café, mais je ferai de mon mieux.

Ai commencé l'auvent. Si mes mains, qui sont dans un triste état pour le moment, sont capables de quelque chose demain matin, je pourrai avoir terminé demain soir.

Ai fait une courte patrouille ce matin. Rien découvert.

Il y a un loup qui semble intéressé par ce qui se passe ici. Il ne paraît pas dangereux et, à part mon cheval, c'est le seul visiteur que j'aie eu. Il est apparu chaque après-midi ces deux derniers jours. S'il me rend visite demain, je l'appellerai Deux Bottes. Il a des bottes d'une blancheur de lait sur les deux pattes avant.

Lt. John J. Dunbar, USA

CHAPITRE VII

1

Les jours suivants s'écoulèrent doucement.

Les mains du Lieutenant Dunbar guérirent et l'auvent s'érigea. Vingt minutes après qu'il l'eut dressé, alors qu'il se reposait sous l'ombre répandue, penché sur un tonneau en train de se rouler une cigarette, le vent se leva et l'auvent s'écroula.

Se sentant ridicule, le lieutenant s'extirpa d'en dessous, étudia l'échec pendant quelques minutes et envisagea d'installer des câbles de soutènement. Il utilisa de la corde et, avant que le soleil soit couché, il était de retour à l'ombre, les yeux clos, tirant sur une autre cigarette roulée à la main tout en écoutant le bruit agréable de la toile qui claquait doucement au-dessus de sa tête.

Utilisant une baïonnette, il scia une grande fenêtre dans la baraque de torchis devant laquelle il drapa un morceau de toile.

Il travailla longtemps et durement sur l'entrepôt, mais après avoir dégagé une grande partie du mur qui s'affaissait, il fit peu de progrès. Un trou béant fut le résultat final. Comme le torchis d'origine s'écroulait chaque fois qu'il essayait de le reconstituer, le Lieutenant Dunbar finit par couvrir la brèche avec un autre morceau de toile et s'en tint là. Depuis le début l'entrepôt avait été une cause perdue.

Étendu sur sa couchette à chaque fin d'après-midi, Dunbar tourna et retourna le problème de l'entrepôt dans sa tête, mais les jours passant il y pensa de moins en moins. Le temps avait été beau, sans aucune des violences du printemps. La température ne pouvait être plus parfaite, l'air plus léger, et la brise qui agitait mollement le rideau de la fenêtre au-dessus de sa tête au cours de ces fins d'après-midi était douce.

Les petits problèmes du jour paraissaient plus aisés à résoudre au fur et à mesure que le temps passait, et quand son travail était terminé, le lieutenant s'étendait sur sa couchette avec sa cigarette et s'émerveillait de la paix qu'il ressentait. Invariablement ses yeux se faisaient lourds, et il prit l'habitude de faire une sieste d'une demi-heure avant le souper.

Deux Bottes devint également une habitude. Il surgissait à sa place habituelle sur le monticule chaque après-midi, et, au bout de deux ou trois jours, le Lieutenant Dunbar commença à considérer l'arrivée de son visiteur silencieux comme normale. À l'occasion il voyait arriver le loup, mais la plupart du temps le lieutenant relevait la tête de quelque tâche et le surprenait là, assis sur son arrière-train, regardant fixement de l'autre côté de la rivière avec cet air bizarre mais indiscutable de désirer quelque chose.

Un soir, tandis que Deux Bottes l'observait, il laissa un morceau de bacon gros comme le poing de son côté de la rivière. Le lendemain matin il n'y avait plus trace du bacon, et, bien qu'il n'en ait eu nulle preuve, Dunbar fut certain que Deux Bottes s'était servi.

2

Certaines choses manquaient au Lieutenant Dunbar : la compagnie des gens, le plaisir d'une boisson forte. Plus que tout, les femmes lui manquaient. Ou plutôt une femme. Le sexe ne lui venait pas vraiment à l'esprit. Mais plutôt le plaisir d'être deux. Plus il s'installait dans sa vie routinière libre et facile de Fort Sedgewick, plus il souhaitait la partager avec quelqu'un, et quand le lieutenant songeait à l'élément manquant, il baissait le menton et regardait fixement dans le vide, l'air morose.

Heureusement, ces sautes d'humeur passaient rapidement. Ce qui aurait pu lui manquer pâlissait au regard de ce qu'il avait. Son esprit était libre. Il n'y avait pas de différence entre le travail et le jeu. Tout était mêlé. Peu importait s'il tirait de l'eau de la rivière ou s'il préparait un bon dîner. Tout était semblable, et il découvrit que cela n'avait rien d'ennuyeux. Il se considérait comme un courant unique au sein d'une profonde rivière. Il était séparé et il était un tout, en même temps. C'était une sensation merveilleuse.

Il aimait les reconnaissances journalières sur le dos nu de Cisco. Chaque jour il partait dans une direction différente, allant quelquefois jusqu'à neuf ou dix kilomètres du fort. Il ne vit ni bisons ni Indiens. Mais sa déception n'était pas très grande. La prairie était magnifique, piquetée de fleurs sauvages et parcourue de gibier. L'herbe à bisons était ce qu'il préférait, vivante comme un océan, s'agitant sous le vent aussi loin que ses yeux pouvaient voir. Il savait qu'il ne se lasserait jamais de ce spectacle.

L'après-midi avant que le Lieutenant Dunbar ne fasse sa lessive, lui et Cisco avaient chevauché à moins de deux kilomètres du poste quand, par hasard, il regarda par-dessus son épaule et vit Deux Bottes qui arrivait de son trot tranquille, à deux cents mètres derrière eux.

Le Lieutenant Dunbar tira sur les rênes et le loup ralentit.

Mais il ne s'arrêta pas.

Il passa au large, reprenant son trot. Quand il fut à leur niveau, le vieux loup s'assit dans l'herbe haute, à cinquante mètres à gauche du lieutenant, attendant un signal indiquant qu'il fallait repartir.

Ils reprirent leur route et Deux Bottes les suivit. La curiosité de Dunbar le conduisit à procéder à une série de haltes et de nouveaux départs tout au long de son chemin. Deux Bottes, ses yeux jaunes toujours vigilants, fit de même chaque fois.

Même quand Dunbar changea sa course, zigzaguant ici et là, il continua, conservant toujours ses cinquante mètres de distance.

Quand il mit Cisco à un petit galop, le lieutenant fut étonné de voir Deux Bottes allonger le pas également.

S'arrêtant, il regarda son fidèle suiveur et essaya de

trouver une explication. Cet animal avait sûrement connu l'homme à un moment ou à un autre de sa vie. Peut-être était-il à moitié chien. Mais quand les yeux du lieutenant balayèrent les étendues sauvages autour de lui, qui allaient jusqu'à chaque horizon, il ne put imaginer que Deux Bottes fût autre chose qu'un loup.

– D'accord ! cria le lieutenant.

Deux Bottes dressa les oreilles.

– Allons-y.

Tous trois couvrirent deux autres kilomètres avant d'effrayer un petit troupeau d'antilopes. Le lieutenant regarda les animaux au derrière blanc et aux cornes effilées bondir sur la prairie jusqu'à être presque hors de vue.

Lorsqu'il se tourna pour observer la réaction de Deux Bottes, il ne le vit plus.

Le loup était parti.

Des nuages s'amoncelaient à l'ouest, avant-coureurs d'un orage empli d'éclairs. Tandis que lui et Cisco revenaient sur leurs traces, Dunbar garda un œil sur l'avancée de l'orage. Il venait vers eux, et la perspective de la pluie faisait faire grise mine au lieutenant.

Il fallait vraiment qu'il lave son linge : ses couvertures commençaient à sentir les chaussettes sales.

CHAPITRE VIII

1

Le Lieutenant Dunbar se conforma à la tradition de ceux qui prédisent le temps.

Il se trompa.

L'orage spectaculaire glissa durant la nuit sans perdre une seule goutte de pluie sur Fort Sedgewick, et le ciel qui apparut le lendemain matin fut du plus pur pastel ; l'air était un nectar et le soleil miséricordieux qui baignait toutes choses le faisait sans dessécher le moindre brin d'herbe.

Tout en prenant son café, le lieutenant relut son compte rendu officiel des jours écoulés et conclut qu'il avait fait du bon travail en couchant les faits par écrit. Plus d'une fois il prit la plume pour rayer une ligne, mais en fin de compte il ne changea rien.

Il se servait une seconde tasse quand il remarqua le curieux nuage loin à l'ouest. Il était brun, un nuage sombre, plat, à la base du ciel.

C'était trop brumeux pour être un nuage. Cela ressemblait à la fumée d'un feu. Les éclairs de la nuit précédente devaient avoir touché quelque chose. Peut-être la prairie avait-elle été incendiée. Il prit mentalement note de garder un œil sur le nuage de fumée et de faire son tour à cheval de l'après-midi dans cette direction s'il persistait. Il avait entendu dire que les feux de prairie pouvaient être gigantesques et très rapides.

Ils étaient arrivés la veille, à l'approche du crépuscule, et, contrairement au Lieutenant Dunbar, la pluie leur était tombée dessus.

Mais leur bonne humeur n'en avait pas été assombrie pour autant. Le dernier pas du long voyage depuis le campement de l'hiver loin au sud était fait. Cela, et l'arrivée du printemps, suffisaient à faire de cet instant un moment de bonheur parfait. Les poneys engraissaient et devenaient plus forts de jour en jour, la marche avait tonifié tout le monde après plusieurs mois de relative inactivité, et les préparatifs allaient commencer immédiatement pour les chasses de l'été. Cela les rendait plus heureux encore, du bonheur en perspective pour chaque estomac. Les bisons arrivaient. Les festins étaient en vue.

Et parce que cet endroit avait été le camp de l'été depuis des générations, un puissant sentiment de retour chez soi éclairait le cœur des cent soixante-douze hommes, femmes et enfants.

L'hiver avait été doux et le groupe en était sorti en excellente forme. Aujourd'hui, en ce premier matin chez eux, c'était un campement plein de sourires. Les plus jeunes folâtraient parmi le troupeau de poneys, les guerriers échangeaient des histoires et les femmes accomplissaient les corvées du déjeuner avec plus de gaieté qu'à l'accoutumée.

C'étaient des Comanches.

Le nuage de fumée que le Lieutenant Dunbar avait pris pour un feu de prairie était monté de leurs foyers.

Ils campaient sur le même cours d'eau, quinze kilomètres à l'ouest de Fort Sedgewick.

3

Dunbar empoigna tout ce qu'il put trouver qui nécessitait un lavage et l'enfourna dans un sac à dos. Puis il drapa la couverture malodorante autour de ses épaules, chercha un morceau de savon et se dirigea vers la rivière.

Alors qu'il s'accroupissait au bord de l'eau pour sortir le linge sale du sac, il songea qu'il aimerait bien laver également ce qu'il avait sur le dos.

Mais il n'aurait plus rien à se mettre avant que ce soit sec.

Il y avait le manteau.

Suis-je stupide ! se dit-il. Avec un petit rire, il poursuivit à haute voix :

– Il n'y a que moi et la prairie.

Être nu était agréable. Il posa même son chapeau d'officier à côté de lui pour être dans l'esprit des choses.

Quand il se pencha vers l'eau avec des vêtements plein les bras, il vit son reflet, le premier qu'il ait vu depuis plus de deux semaines. Cela le fit réfléchir.

Ses cheveux étaient plus longs. Son visage paraissait plus maigre malgré la barbe qui avait poussé. Il avait vraiment perdu du poids. Mais il trouva qu'il avait bonne mine. Ses yeux étaient plus perçants qu'ils ne l'avaient jamais été, et, comme s'il marquait son affection pour quelqu'un, il sourit puérilement à son image.

Plus il regardait sa barbe, moins elle lui plaisait. Il courut chercher son rasoir.

Le lieutenant ne pensait pas à sa peau en se rasant. Elle avait toujours été ainsi. Les hommes blancs sont de toutes sortes de couleurs. Certains sont blancs comme la neige.

Le Lieutenant Dunbar était blanc à vous faire jaillir les yeux de la tête.

4

Oiseau Frappeur avait quitté le camp avant l'aube. Il savait que son départ ne susciterait pas le moindre étonnement. Il n'avait jamais à répondre de ses déplacements, et rarement de ses actes. Sauf s'il s'agissait d'actes maladroits. Des actes maladroits pouvaient conduire à une catastrophe. Mais bien qu'il débutât, bien qu'il n'ait été véritablement homme-médecine que depuis un an, aucune de ses actions n'avait entraîné de catastrophe.

En fait, il s'en était bien tiré. À deux reprises il avait accompli des miracles mineurs. Il aimait bien les miracles, mais il aimait tout autant le pain et le beurre que lui apportait son emploi, en veillant sur le bien-être quotidien de la tribu. Il effectuait une myriade de travaux administratifs, assistait aux chamailleries de toutes sortes, pratiquait la médecine et siégeait aux conseils interminables qui se tenaient chaque jour. Tout cela en plus de devoir subvenir aux besoins de deux femmes et de quatre enfants. Et tout en gardant un œil et une oreille tournés vers le Grand Esprit; toujours à l'écoute, toujours en train de guetter le plus petit son ou le plus infime des signes.

Oiseau Frappeur remplissait ses nombreux devoirs honorablement, et tout le monde le savait. On le savait parce qu'on connaissait l'homme. Oiseau Frappeur était toujours prêt à aider les autres et partout où il allait, on le saluait avec un profond respect.

Certains des autres lève-tôt auraient pu se demander où il allait ce premier matin, mais ils ne pensèrent nullement à se poser la question.

Oiseau Frappeur n'avait pas une mission spéciale. Il était parti chevaucher dans la prairie pour s'éclaircir les idées. Il n'aimait pas les grands mouvements : de l'hiver à l'été, de l'été à l'hiver. L'épouvantable retentissement que cela impliquait le distrayait. Cela distrayait l'œil et l'oreille qu'il essayait de garder dirigés vers le Grand Esprit, et en ce premier matin après la longue marche il savait que le vacarme du camp que l'on dressait serait plus qu'il n'en pourrait supporter.

Aussi avait-il pris son meilleur poney, un brun au dos large, pour aller en direction de la rivière, la suivant sur plusieurs kilomètres jusqu'à ce qu'il arrive à une protubérance accidentée qu'il connaissait depuis l'enfance.

Là il attendit que la prairie se dévoile, et quand elle le fit, Oiseau Frappeur fut satisfait. Elle ne lui avait jamais paru si belle. Tous les signes indiquaient un été d'abondance. Il y aurait des ennemis, bien sûr, mais la tribu était très forte à présent. Oiseau Frappeur ne put retenir un sourire. Il était certain que la saison serait prospère.

Au bout d'une heure sa gaieté n'avait pas diminué. Il décida de se promener dans ce beau pays, et talonna son poney en direction du soleil levant.

5

Il avait plongé les deux couvertures dans l'eau avant de se souvenir que le linge qu'on lave doit être battu. Il n'y avait pas un seul rocher en vue.

Plaquant les couvertures dégouttantes d'eau et le reste des vêtements contre sa poitrine, le Lieutenant Dunbar, apprenti blanchisseur, s'aventura plus bas dans le courant, marchant pieds nus et d'un pas léger.

Quatre cents mètres plus loin, il découvrit une avancée rocheuse qui ferait une bonne planche. Il fit une belle mousse et, comme tout novice qui se respecte, frotta avec hésitation l'intérieur de l'une des couvertures avec le savon.

Peu à peu il prit le tour de main. Avec chaque nouvel article la routine du savonnage, du battage, puis du rinçage devint plus assurée, et vers la fin Dunbar accomplissait son travail avec la concentration, sinon la précision, d'une lavandière confirmée.

En seulement deux semaines ici, il avait acquis une nouvelle appréciation des détails, et, sachant que les premières pièces avaient été mal lavées, il les reprit.

Un chêne rabougri poussait à mi-hauteur de la pente et il y suspendit son linge. C'était un bon endroit, baigné de soleil et sans trop de vent. Malgré tout, il faudrait un certain temps pour que tout sèche, et il avait oublié son tabac.

Le lieutenant nu décida de ne pas attendre.

Il repartit vers le fort.

Oiseau Frappeur avait entendu des histoires surprenantes quant à leur nombre. En plus d'une occasion il avait entendu des gens dire qu'ils étaient aussi nombreux que les oiseaux, et cela laissait une sensation désagréable à l'arrière-plan de l'esprit du chaman.

Et pourtant, sur la base de ce qu'il avait vu en réalité, les bouches poilues n'inspiraient que la pitié.

Ils semblaient constituer une race triste.

Ces pauvres soldats du fort, si riches en biens de toutes sortes, si pauvres pour ce qui était du reste. Ils tiraient mal, ils montaient mal sur leurs grands chevaux lents. Ils étaient censés être les guerriers des hommes blancs, mais ils n'étaient pas alertes. Et ils s'effrayaient si aisément. Prendre leurs chevaux avait été une partie de plaisir, comme de cueillir des baies sur un buisson.

Ces Blancs constituaient un grand mystère pour Oiseau Frappeur. Il ne pouvait penser à eux sans sombrer dans la perplexité.

Les soldats du fort, par exemple. Ils vivaient sans famille et sans leurs plus grands chefs. Avec le Grand Esprit en évidence partout, où tous pouvaient le voir, ils adoraient des choses écrites sur du papier. Et ils étaient si sales. Ils ne savaient même pas rester propres.

Oiseau Frappeur ne pouvait imaginer comment ces bouches poilues pouvaient subvenir à leurs propres besoins pendant seulement une année. Et pourtant on disait qu'ils étaient prospères. Il ne le comprenait pas.

Ses pensées s'étaient orientées dans cette direction quand il avait songé au fort, quand il avait songé à s'en approcher. Il s'attendait à ce qu'ils soient partis, mais estima qu'il devait aller voir de toute façon. Et à présent, assis sur son poney et observant la prairie, il put voir d'un premier coup d'œil que l'endroit avait été amélioré. Le fort des hommes blancs était propre. Un grand abri claquait au vent. Un petit cheval, qui avait bonne allure, se trouvait dans le corral. Il n'y avait pas de mouvement.

Pas le moindre bruit. L'endroit aurait dû être mort. Mais quelqu'un l'avait gardé en vie.

Oiseau Frappeur fit avancer son cheval.

Il devait voir de plus près.

7

Le Lieutenant Dunbar traîna pour remonter le courant. Il y avait tant à voir.

D'une façon étrangement ironique, il se sentait moins déplacé sans ses vêtements. Peut-être était-ce le cas. Chaque petite plante, chaque insecte vrombissant semblait attirer son attention. Tout autour de lui était remarquablement plein de vie.

Un faucon à la queue rouge, avec un petit écureuil pendant de ses serres, prit son envol à moins de quatre mètres devant lui.

À mi-chemin il s'arrêta à l'ombre d'un peuplier pour observer un blaireau creuser son terrier à un mètre à peine au-dessus du niveau de l'eau. De temps à autre, le blaireau jetait un regard au lieutenant nu, mais il continuait de creuser.

En approchant du fort, Dunbar s'arrêta pour regarder l'étreinte de deux amants. Un couple de noirs serpents d'eau était entrelacé avec extase dans la faible profondeur du courant, et comme tous les amants ils avaient perdu conscience de ce qui les entourait. Ils ne virent même pas l'ombre du lieutenant qui s'étendait sur l'eau.

Il escalada la pente, enchanté, se sentant aussi fort que tout ce qui l'environnait, conscient d'être un vrai citoyen de la prairie.

Quand sa tête émergea au sommet de la montée, il aperçut le poney marron.

Au même instant il vit la silhouette qui se glissait subrepticement sous l'ombre de l'auvent. Une fraction de seconde plus tard, la silhouette passa au soleil et Dunbar se tapit dans une crevasse juste à la limite de la butte.

Il était accroupi, les genoux tremblants, ses oreilles aussi larges que des soucoupes, écoutant avec une concentration qui faisait de l'ouïe le seul sens qu'il possédât apparemment.

Son esprit courait. Des images fantastiques dansaient devant ses yeux clos. Un pantalon à franges. Des mocassins ornés de perles. Une hachette à laquelle pendaient des cheveux. Un pectoral d'os luisant. La lourde chevelure brillante coulant jusqu'au milieu du dos. Les yeux noirs profondément enfoncés. Le grand nez. La peau couleur d'argile. La plume s'agitant sous le vent à l'arrière du crâne.

Il savait que c'était un Indien, mais il n'avait jamais escompté quelque chose d'aussi sauvage, et le choc l'avait étourdi aussi sûrement qu'un coup sur la tête.

Dunbar demeura accroupi sous la butte, ses fesses effleurant le sol, des coulées de sueur froide ruisselant sur son front. Il n'arrivait pas à assimiler ce qu'il avait vu. Il avait peur de regarder à nouveau.

Il entendit un cheval broncher et, rassemblant son courage, risqua lentement un œil par-dessus la butte.

L'Indien était dans le corral. Il s'approchait de Cisco, une longueur de corde dans la main.

La paralysie du Lieutenant Dunbar s'évapora à cette vue. Il cessa même de réfléchir, bondit sur ses pieds et escalada le reste de la butte. Il cria, son hurlement fissurant le calme comme un coup de feu.

– Hé là-bas !

8

Oiseau Frappeur fit un bond en l'air.

Quand il se tourna pour affronter la voix qui venait de le surprendre, l'homme-médecine comanche se trouva face à face avec la vision la plus étrange qu'il ait jamais vue.

Un homme nu. Un homme nu traversant la cour avec les poings fermés, les mâchoires serrées, et une peau si blanche qu'elle en faisait mal aux yeux.

Oiseau Frappeur recula en trébuchant avec horreur, se

redressa, et, au lieu de sauter par-dessus la barrière du corral, passa carrément à travers. Il traversa la cour en courant, bondit sur son poney et s'enfuit au galop comme s'il avait le diable à ses trousses.

Pas une seule fois il ne regarda en arrière.

CHAPITRE IX

1

27 avril 1863

Ai eu mon premier contact avec un Indien sauvage.

L'un d'eux est venu au fort et a essayé de voler mon cheval. Quand je suis apparu il a pris peur et s'est enfui. J'ignore combien d'autres il peut y avoir à proximité, mais je présume que là où on en trouve un on peut être certain qu'il y en a d'autres.

Prends des précautions en vue d'une autre visite. Je ne peux pas préparer une défense adéquate, mais j'essaierai de faire grande impression quand ils reviendront.

Je suis toujours seul, de toute façon, et, à moins que des troupes n'arrivent bientôt, tout est peut-être perdu.

L'homme que j'ai rencontré était un gaillard magnifique.

Lt. John J. Dunbar, USA

Dunbar passa les deux jours suivants à prendre des mesures, dont la plupart étaient destinées à donner une impression de force et de stabilité. Cela pouvait paraître insensé, un homme seul essayant de se préparer à l'assaut d'innombrables ennemis, mais le lieutenant possédait une certaine force de caractère qui lui permettait de travailler dur même quand il n'avait pas grand-chose à sa disposition. C'était un bon trait et cela contribuait à faire de lui un bon soldat.

Il travailla à ses préparatifs comme s'il n'était qu'un homme parmi d'autres au sein du poste. Il commença par dissimuler les provisions. Il fit un tri de l'ensemble, en séparant seulement les éléments les plus essentiels. Il enterra le reste avec grand soin dans des trous autour du fort.

Il entassa les outils, les lampes à huile, plusieurs tonneaux de clous et d'autres matériaux de construction dans l'un des anciens trous d'hommes. Puis il couvrit le tout avec un morceau de bâche, répandit plusieurs mètres de terre sur l'endroit, et, après des heures d'un travail soigneux sur le terrain, la cache avait l'air de faire naturellement partie de la pente.

Il transporta deux caisses de fusils et une demi-douzaine de petits tonneaux de poudre et de balles dans la prairie. Là, il extirpa du sol plus de vingt mottes de terre, chacune d'une trentaine de centimètres de côté, chacune avec la terre et l'herbe tenant bien ensemble. Au même endroit il creusa un trou profond, de près de deux mètres de côté, et enterra les fournitures. En fin d'après-midi, il avait replacé les morceaux d'herbe et de terre, les tassant si soigneusement que même l'œil le mieux entraîné n'aurait pu distinguer le moindre défaut. Il marqua l'endroit avec une côte de bison blanchie, qu'il enfonça dans le sol selon un certain angle à quelques mètres de cet emplacement secret.

Dans l'entrepôt il découvrit une paire de drapeaux américains, et, utilisant deux des poteaux du corral comme hampes, il les déploya, un sur le toit de l'entrepôt, l'autre sur celui de ses quartiers.

Les chevauchées de l'après-midi furent réduites à de courtes patrouilles circulaires qu'il faisait autour du fort, gardant toujours son poste en vue.

Deux Bottes réapparut comme d'habitude sur la butte, mais Dunbar était trop occupé pour lui accorder beaucoup d'attention.

Il prit l'habitude de porter un uniforme complet en permanence, gardant ses bottes hautes dans un état resplendissant, son chapeau net de toute poussière, et son visage rasé. Il n'allait nulle part, pas même jusqu'au cours d'eau, sans un fusil, un pistolet et une cartouchière emplie de munitions.

Après deux jours d'activité fébrile, il estima qu'il était fin prêt.

Ma présence ici a dû être signalée à présent.
Ai fait tous les préparatifs auxquels je pouvais songer.
J'attends.

Lt. John J. Dunbar, USA

2

Mais la présence du Lieutenant Dunbar à Fort Sedge-wick n'avait pas été signalée.

Oiseau Frappeur avait gardé L'Homme Qui Brille Comme La Neige enfermé dans ses pensées. Pendant deux jours l'homme-médecine était resté seul, profondément troublé par ce qu'il avait vu, luttant farouchement pour découvrir la signification de ce qu'il avait tout d'abord pris pour une hallucination cauchemardesque.

Après moult réflexions, pourtant, il admit que ce qu'il avait vu était réel.

D'une certaine façon, cette conclusion lui causa encore plus de problèmes. L'homme était réel. Il vivait. Il était là-bas. Oiseau Frappeur en conclut que L'Homme Qui Brille Comme La Neige devait être lié d'une manière ou d'une autre au destin de la tribu. Autrement le Grand Esprit ne se serait pas soucié de lui en présenter la vision.

Il aurait voulu comprendre le sens de tout cela, mais il avait beau essayer, il n'y arrivait pas. Cette situation le troublait plus que tout ce qu'il avait pu expérimenter jusque-là.

Ses femmes surent qu'il y avait un problème dès qu'il rentra de cette chevauchée marquée par le destin jusqu'à Fort Sedgewick. Elles purent voir clairement un changement dans l'expression de ses yeux. Mais, hormis un redoublement d'attention dans leurs relations avec lui, elles ne dirent rien et continuèrent de vaquer à leurs occupations.

Il y avait une poignée d'hommes qui, comme Oiseau Frappeur, avaient une grande influence au sein de la tribu. Aucun n'était plus influent que Dix Ours. Il était le plus vénéré et, à soixante ans, sa dureté, sa sagesse et la main remarquablement ferme avec laquelle il guidait la tribu n'étaient dépassées que par son incroyable faculté de deviner de quel côté le vent de la chance, petite ou grande, allait tourner ensuite.

Dix Ours vit dès le premier regard que quelque chose était arrivé à Oiseau Frappeur, qu'il considérait comme un membre important du groupe. Pourtant, lui non plus ne dit rien. Son habitude, et elle le servait bien, était d'attendre et d'observer.

Mais à la fin du second jour, il sembla évident à Dix Ours qu'un événement sérieux avait dû se produire, et en fin de soirée il effectua une visite amicale chez Oiseau Frappeur.

Pendant vingt minutes ils fumèrent silencieusement le tabac de l'homme-médecine avant de passer à des bribes de conversation concernant des matières peu importantes.

Juste au bon moment, Dix Ours osa poser une question d'ordre général. Il demanda comment Oiseau Frappeur percevait, d'un point de vue spirituel, les perspectives de l'été.

Sans entrer dans les détails, l'homme-médecine lui dit que les signes étaient bons. Un prêtre qui ne se soucie pas d'expliquer son travail n'était d'aucune utilité pour Dix Ours. Il était certain que quelque chose n'avait pas été dit.

Alors, avec l'habileté d'un diplomate confirmé, Dix Ours demanda s'il y avait des signes potentiellement négatifs.

Les yeux des deux hommes se rencontrèrent. Dix Ours l'avait coincé d'une manière des plus délicate.

– Il y en a un, dit Oiseau Frappeur.

Dès qu'il eut prononcé ces mots, Oiseau Frappeur ressentit un soulagement immédiat, comme si ses mains avaient été détachées, et il raconta tout : la chevauchée, le fort, le beau cheval bai et L'Homme Qui Brille Comme La Neige.

Quand il eut terminé, Dix Ours ralluma sa pipe et tira pensivement dessus avant de la reposer entre eux.

– Avait-il l'air d'un dieu ? demanda-t-il.

– Non. Il avait l'air d'un homme, répondit Oiseau Frappeur. Il marchait comme un homme, criait comme un homme. Sa forme était celle d'un homme. Même son sexe était celui d'un homme.

– Je n'ai jamais entendu parler d'un homme blanc sans vêtements, dit Dix Ours.

Son expression se fit soupçonneuse.

– Sa peau reflétait vraiment le soleil ?

– Cela faisait mal aux yeux.

Ils retombèrent dans le silence une fois de plus.

Dix Ours se mit sur pied.

– Je vais réfléchir à tout ça, à présent.

4

Dix Ours chassa tout le monde de sa tente et resta assis seul pendant plus d'une heure, repensant à ce que lui avait dit Oiseau Frappeur.

Ce fut une dure réflexion.

Il n'avait vu les hommes blancs qu'en de rares occasions, et, comme Oiseau Frappeur, il n'arrivait pas à comprendre leur comportement. À cause de leur nombre supposé il faudrait les surveiller et les contrôler d'une façon ou d'une autre, mais jusqu'à présent ils n'avaient rien été d'autre qu'une nuisance persistante pour l'esprit.

Dix Ours n'avait jamais aimé avoir à penser à eux.

Comment une race pouvait-elle être si perturbée ? se demandait-il.

Mais il s'écartait du point important, et intérieurement

il se morigéna pour cette mauvaise réflexion. Que savait-il réellement des Blancs ? Pratiquement rien... Il devait le reconnaître.

Cet être étrange au fort. Peut-être était-ce un esprit. Peut-être était-ce un type d'homme blanc différent. Il était possible, admit Dix Ours, que l'être qu'avait vu Oiseau Frappeur soit le premier d'une nouvelle race de gens.

Le vieux chef soupira, tandis que son cerveau bouillonnait. Il y avait déjà tant à faire, avec les chasses de l'été. Et à présent cela.

Il ne parvenait à aucune conclusion.

Dix Ours décida de convoquer le conseil.

5

L'assemblée se réunit avant le coucher du soleil, mais cela dura jusque tard dans la soirée, suffisamment long-temps pour attirer l'attention du reste du village, spécialement les jeunes hommes, qui se rassemblèrent en petits groupes pour spéculer sur ce que pouvait être le sujet de discussion de leurs aînés.

Après une heure de préliminaires, ils en arrivèrent au point important. Oiseau Frappeur raconta l'histoire. Quand il eut terminé, Dix Ours sollicita les avis de ses compagnons.

Il y en eut beaucoup, et de toutes sortes.

Vent Dans Les Cheveux était le plus jeune d'entre eux, un combattant impulsif mais efficace. Il pensait qu'ils de-vaient envoyer immédiatement une expédition pour atta-quer l'homme blanc et lui planter quelques flèches dans le corps. S'il s'agissait d'un dieu, les flèches n'auraient au-cun effet. S'il était mortel, ils auraient à s'inquiéter d'une bouche poilue en moins. Vent Dans Les Cheveux serait heureux de diriger l'expédition.

Sa suggestion fut rejetée par les autres. Si cette per-sonne était un dieu, lui envoyer des flèches ne serait pas une bonne idée. Et tuer un Blanc devait se faire avec certaines précautions. Un homme blanc mort pouvait en faire surgir beaucoup plus de vivants.

Corne de Buffle était connu pour sa réserve. Personne n'aurait osé mettre sa bravoure en doute, mais il était vrai qu'il optait en général pour la discrétion en toutes choses. Il fit une simple suggestion. Envoyer une délégation pour parlementer avec L'Homme Qui Brille Comme La Neige.

Vent Dans Les Cheveux attendit jusqu'à ce que Corne de Buffle ait terminé sa déclaration relativement longue. Puis il réagit avec fougue, soulignant un point que nul n'osa discuter : les Comanches n'envoyaient pas des guerriers respectés pour s'enquérir des affaires d'un seul homme blanc chétif et perdu.

Après quoi plus personne ne dit grand-chose et, lorsqu'ils recommencèrent, la discussion glissa sur d'autres sujets, comme la préparation de la chasse et la possibilité d'envoyer des expéditions de guerre vers d'autres tribus. Pendant une heure encore, les hommes examinèrent des bribes de rumeurs et d'informations pouvant avoir de l'importance à l'égard du bien-être de la tribu.

Quand enfin ils revinrent à la délicate question de savoir ce qu'il convenait de faire à propos de l'homme blanc, les yeux de Dix Ours se fermaient et sa tête commençait à dodeliner. Il était inutile d'aller plus loin ce soir-là. Le vieil homme ronflait déjà légèrement quand ils quittèrent sa tente.

L'affaire resta en suspens.

Mais cela ne signifiait pas qu'aucune action ne serait entreprise.

Tout petit groupe uni est soumis à de fortes pressions quand il détient un secret ; tard cette nuit-là, le fils âgé de quatorze ans de Corne de Buffle entendit son père raconter l'essentiel des discussions du conseil à un oncle en visite. Il entendit parler du fort et de L'Homme Qui Brille Comme La Neige ainsi que du beau cheval bai, la vigoureuse monture décrite par Oiseau Frappeur comme l'égal de dix poneys. Cela enflamma son imagination.

Une fois ces informations implantées dans sa tête, le fils de Corne de Buffle ne parvint pas à dormir et, tard dans la nuit, il rampa hors de la tente pour confier ce qu'il savait à ses deux meilleurs amis et leur faire part de la chance extraordinaire qui s'offrait à eux.

Comme il s'y était attendu, Dos De Grenouille et Souris Beaucoup commencèrent par rechigner. Il n'y avait qu'un cheval. Comment pouvait-on partager un cheval en trois? Cela ne faisait pas beaucoup. Sans parler de la possibilité qu'un dieu blanc traîne par là-bas. C'était une chose qui méritait réflexion.

Mais le fils de Corne de Buffle les attendait. Il avait déjà réfléchi à tout cela. Le dieu blanc, c'était le meilleur. Ne voulaient-ils pas tous prendre le sentier de la guerre? Et quand le temps viendrait, ne devraient-ils pas accompagner les guerriers confirmés? Et puis, il était probable qu'ils ne verraient que peu d'action, qu'ils n'auraient que peu de chances de se distinguer.

Mais attaquer un dieu blanc! Trois garçons contre un dieu! Ce serait quelque chose... On en ferait peut-être des chants. S'ils y allaient, il y avait de bonnes chances pour que tous trois conduisent bientôt des expéditions de guerre au lieu de se contenter de les suivre.

Et le cheval? Eh bien, le fils de Corne de Buffle aurait le cheval, mais les autres pourraient le monter. Ils pourraient le faire galoper s'ils le voulaient.

Alors, qui pouvait dire que ce n'était pas un grand plan?

Leurs cœurs battaient déjà la chamade quand ils s'esquivèrent et traversèrent la rivière pour choisir trois bonnes montures dans le troupeau de poneys. À pied, ils conduisirent les chevaux loin du village, puis le contournèrent en un large arc de cercle.

Quand ils se furent suffisamment éloignés, les garçons talonnèrent leurs poneys pour les lancer au galop, et, chantant pour garder leurs cœurs forts, ils chevauchèrent à travers la prairie obscure, restant près de la rivière qui les mènerait directement à Fort Sedgewick.

6

Pendant deux nuits, le Lieutenant Dunbar fut un soldat parfait, ne dormant que d'un œil.

Mais les adolescents qui vinrent ne le firent pas comme des vandales partis pour s'amuser. Il s'agissait de garçons comanches et ils étaient engagés dans l'action la plus sérieuse de leurs jeunes vies.

Le Lieutenant Dunbar ne les entendit pas arriver.

Le bruit des sabots au galop et les hurlements des garçons l'éveillèrent, mais ce n'était que des sons, se perdant dans l'immensité de la nuit sur la prairie quand il franchit en trébuchant le seuil de la hutte.

7

Les garçons chevauchaient vite. Tout avait marché à la perfection. Prendre le cheval avait été facile, et, qui plus est, ils n'avaient même pas vu le dieu blanc.

Mais ils ne coururent aucun risque inutile. Les dieux pouvaient faire toutes sortes de choses fantastiques, particulièrement quand ils étaient en colère. Les garçons ne s'arrêtèrent pas pour se congratuler. Ils chevauchaient aussi vite que possible, déterminés à ne pas ralentir avant d'avoir atteint la sécurité du village.

Cependant, ils n'avaient pas parcouru quatre kilomètres que Cisco décida d'exercer sa volonté. Et sa volonté n'était pas d'aller avec ces garçons.

Ils étaient tous à pleine vitesse quand le bai vira brusquement. Le fils de Corne de Buffle fut arraché de son poney comme s'il avait heurté une branche basse.

Dos De Grenouille et Souris Beaucoup essayèrent de lui donner la chasse, mais Cisco continua de galoper, la longue longe traînant derrière lui. Il galopait vite, et quand la vitesse ne suffit plus, sa résistance prit le relais.

Les poneys indiens n'auraient pu le rattraper même s'ils avaient été frais.

8

Dunbar venait juste de se faire un pot de café et était assis avec morosité près du feu quand Cisco trotta tranquillement dans la lueur tremblotante.

Le lieutenant fut plus soulagé que surpris. Se faire voler son cheval l'avait rendu fou comme une guêpe. Mais Cisco avait déjà été volé auparavant, à deux reprises pour être exact, et comme un chien fidèle il avait toujours trouvé le moyen de revenir.

Le Lieutenant Dunbar ôta la longe comanche, examina son cheval à la recherche de coupures et, avec le ciel qui tournait au rose à l'est, conduisit le petit cheval bai le long de la colline pour boire à la rivière.

Assis près du cours d'eau, Dunbar en regardait la surface. Les petits poissons commençaient à dévorer les insectes invisibles qui flottaient sur l'eau, et le lieutenant se sentit soudain aussi impuissant qu'une mouche d'eau.

Les Indiens auraient pu le tuer aussi facilement qu'ils avaient volé son cheval.

L'idée de mourir l'ennuyait. Je pourrais être tué cet après-midi, songea-t-il.

Ce qui l'ennuyait le plus, c'était la perspective de mourir comme un insecte.

Il décida alors que, s'il devait mourir, ce ne serait pas dans son lit.

Il devinait que quelque chose se préparait, quelque chose qui le rendait si vulnérable qu'un frisson lui remonta le long de la colonne vertébrale. Il était peut-être un citoyen de la prairie, mais cela ne signifiait pas pour autant qu'il était accepté. Il était le nouveau gamin à l'école. Les yeux des autres étaient fixés sur lui.

Son échine frémissait toujours quand il fit remonter Cisco le long de la pente.

Le fils de Corne de Buffle s'était cassé le bras.

Il fut confié à Oiseau Frappeur dès que le trio dépenaillé d'apprentis guerriers entra dans le village.

Les garçons avaient commencé à s'inquiéter dès le moment où le fils de Corne de Buffle s'était aperçu que son bras ne fonctionnait plus. Si personne n'avait été blessé ils auraient pu garder secret leur raid avorté. Mais il y avait eu tout de suite des questions, et les garçons, bien qu'ils aient pu avoir tendance à améliorer un peu la vérité, étaient avant tout des Comanches. Et les Comanches éprouvaient de grandes difficultés à mentir. Même les garçons comanches.

Tandis qu'Oiseau Frappeur soignait son bras, le fils de Corne de Buffle avoua la vérité à son père et à Dix Ours.

Il n'était pas rare qu'un cheval volé échappe à ses ravisseurs pour retourner chez lui, mais, parce qu'ils avaient peut-être affaire à un esprit, l'histoire du cheval prenait une grande importance et les deux hommes interrogèrent soigneusement le garçon.

Quand il leur dit que le cheval n'avait pas bronché, qu'il s'était simplement échappé délibérément, les visages des anciens s'allongèrent notablement.

Un autre conseil fut convoqué.

Cette fois tout le monde savait de quoi il s'agissait, car l'histoire des mésaventures des garçons était rapidement devenue l'unique sujet de conversation du camp. Les plus impressionnables connurent un bref accès de panique quand ils apprirent qu'un étrange dieu blanc était peut-être en train de rôder dans le voisinage, mais pour la plupart ils vaquèrent à leurs occupations avec le sentiment que le conseil de Dix Ours trouverait une solution.

Dans tout le groupe, une seule personne était réellement terrifiée.

CHAPITRE X

1

Elle avait été terrifiée l'été précédent, quand on s'était aperçu que des soldats blancs étaient arrivés dans le pays. La tribu n'avait jamais rencontré les bouches poilues, sauf pour en tuer quelques-unes lors d'occasions isolées. Elle avait espéré qu'ils ne les croiseraient jamais.

Quand les chevaux des soldats blancs furent volés l'été précédent, elle avait paniqué et s'était enfuie. Elle était sûre que les soldats blancs viendraient au village. Mais ils ne l'avaient pas fait.

Malgré tout, elle fut sur des charbons ardents jusqu'à ce qu'il soit établi que les soldats blancs sans leurs chevaux étaient pratiquement impuissants. Alors elle avait pu se détendre un peu. Mais ce ne fut que lorsqu'ils levèrent le camp pour partir sur la piste de l'hiver que l'horrible nuage de peur qui l'avait suivie pendant tout l'été la quitta finalement.

À présent l'été était revenu, et tout au long de la piste depuis le camp de l'hiver elle avait prié farouchement pour que les bouches poilues s'en aillent. Ses prières n'avaient pas été entendues, et une fois de plus ses jours étaient troublés, heure après heure.

Elle s'appelait Celle Qui Se Dresse Avec Un Poing Fermé.

Elle seule, parmi les Comanches, savait que l'homme blanc n'était pas un dieu. L'histoire de la rencontre d'Oiseau Frappeur la surprenait malgré tout. Un seul homme blanc, tout nu? Par ici? En territoire comanche? Cela n'avait aucun sens. Mais peu importait.

Sans savoir précisément pourquoi, elle devinait qu'il ne s'agissait pas d'un dieu. Quelque chose d'ancien le lui disait.

Elle avait entendu l'histoire ce matin-là, en se rendant à la tente d'une-fois-par-mois, celle mise à l'écart pour les femmes en période de menstruation. Elle avait songé à son époux. Normalement elle n'aimait pas aller à la tente parce que sa compagnie lui manquait. Il était merveilleux, un homme brave, beau, et dans l'ensemble exceptionnel. Un époux modèle. Il ne l'avait jamais frappée, et bien que leurs deux bébés fussent morts (un à la naissance, l'autre quelques semaines plus tard), il avait refusé avec entêtement de prendre une autre femme.

Certains lui avaient conseillé de le faire. Même Celle Qui Se Dresse Avec Un Poing Fermé l'avait suggéré. Mais il avait simplement répondu : « Tu me suffis », et elle n'en avait jamais reparlé. Au plus profond de son cœur, elle était fière qu'il soit heureux avec elle seule.

Il lui manquait terriblement à présent. Avant qu'ils lèvent le camp de l'hiver, il était parti en expédition avec un groupe important contre les Utes. Près d'un mois s'était écoulé depuis lors, sans nouvelles de lui ni des autres guerriers. Mais comme elle était déjà séparée de lui, aller à la tente d'une-fois-par-mois ne lui avait pas paru aussi difficile que d'habitude. Tandis qu'elle se préparait à partir ce matin-là, la jeune Comanche se consola à l'idée qu'une ou deux amies proches seraient enfermées avec elle, des femmes avec qui le temps passerait facilement.

Mais en chemin vers la tente, elle entendit l'étrange histoire de ce raid stupide. La nouvelle avait explosé au visage de Celle Qui Se Dresse Avec Un Poing Fermé. Une fois encore, une grande frayeur s'était posée comme une couverture d'acier sur ses épaules fièrement dressées, et elle était entrée dans la tente d'une-fois-par-mois extrêmement perturbée.

Mais elle était très forte. Ses beaux yeux brun clair, des yeux qui brillaient d'intelligence, ne révélèrent rien durant toute la matinée qu'elle avait passée à coudre et à bavarder avec ses amies.

Elles connaissaient le danger. Toute la tribu le connaissait. Mais en parler ne servait à rien. Aussi personne n'en parla.

Durant tout l'après-midi sa silhouette fine mais solide se déplaça sous la tente sans rien montrer de la lourde angoisse pesant sur elle.

Celle Qui Se Dresse Avec Un Poing Fermé avait vingt-six ans.

Pendant douze de ces années elle avait été une Comanche.

Avant cela elle avait été une Blanche.

Avant cela elle avait été... comment déjà ?

Elle ne se rappelait le nom qu'en de rares occasions, quand elle ne pouvait pas éviter de penser aux Blancs. Alors, pour quelque inexplicable raison, il surgissait devant ses yeux.

Oui, pensa-t-elle en comanche, je m'en souviens. Avant j'étais Christine.

Alors elle songeait à avant, et c'était toujours la même chose. C'était comme de passer à travers un vieux rideau poussiéreux et les deux mondes devenaient un seul, l'ancien se mêlant au nouveau. Celle Qui Se Dresse Avec Un Poing Fermé était Christine et Christine était Celle Qui Se Dresse Avec Un Poing Fermé.

Son teint s'était assombri au fil des années, et son apparence même avait pris une allure sauvage. Mais en dépit de deux grossesses, sa silhouette restait celle d'une femme blanche. Et ses cheveux, qui refusaient de pousser au-delà de ses épaules, et de rester raides, avaient encore une teinte rouge. Et, bien sûr, il y avait les yeux brun clair.

La grande peur de Celle Qui Se Dresse Avec Un Poing Fermé était fondée. Elle ne pouvait pas espérer lui échapper un jour. Pour un œil blanc il y aurait toujours quelque chose d'étrange chez la femme qui se trouvait à présent dans la tente d'une-fois-par-mois. Quelque chose qui n'était pas tout à fait indien. Et même aux yeux de son propre peuple, elle n'était pas tout à fait indienne, même après tout ce temps.

C'était un fardeau terriblement lourd, mais Celle Qui Se Dresse Avec Un Poing Fermé n'en parlait jamais et s'en plaignait encore moins. Elle le portait silencieusement et avec un grand courage à travers chaque journée de sa vie indienne, et elle le supportait pour une raison fondamentale.

Celle Qui Se Dresse Avec Un Poing Fermé voulait rester où elle était.

Elle était très heureuse.

CHAPITRE XI

1

Le conseil de Dix Ours prit fin sans qu'aucune décision eût été prise, mais cela n'avait rien d'extraordinaire.

Le plus souvent, un conseil sur un point critique s'achevait dans l'indécision, signalant ainsi le début d'une nouvelle phase dans la vie politique de la tribu.

C'était à ces moments que, s'ils le décidaient, les hommes pouvaient entreprendre une action indépendante.

2

Vent Dans Les Cheveux avait fortement milité pour un second plan. Chevaucher jusque là-bas et prendre le cheval sans blesser l'homme blanc. Mais cette fois envoyer des hommes au lieu d'adolescents. Le conseil rejeta sa seconde idée, mais Vent Dans Les Cheveux n'en voulut à personne.

Il avait ouvertement écouté toutes les opinions et offert sa solution. La solution n'avait pas été adoptée, mais les arguments qu'on lui avait opposés n'avaient pas convaincu Vent Dans Les Cheveux que son plan n'était pas bon.

Il était un guerrier respecté, et en tant que tel il conservait un droit inaliénable.

Il pouvait faire ce qu'il voulait.

Si le conseil avait été intransigeant, ou s'il mettait son plan en action et que cela tournait mal, il y avait une possibilité pour qu'il soit chassé de la tribu.

Vent Dans Les Cheveux y avait déjà songé. Le conseil n'avait pas été intransigeant ; il avait été indécis. Quant à lui... eh bien... Vent Dans Les Cheveux n'avait jamais échoué dans ce qu'il avait entrepris.

C'est pourquoi, sitôt le conseil terminé, il s'était rendu dans l'une des avenues les plus peuplées du camp, cherchant plusieurs amis sur son passage, disant la même chose à chaque tente :

– Je vais voler ce cheval. Tu veux venir ?

Chacun de ses amis avait répondu à sa question par une autre :

– Quand ?

Et Vent Dans Les Cheveux avait eu la même réponse pour tous :

– Maintenant.

3

C'était une petite troupe. Cinq hommes.

Ils quittèrent le campement pour s'engager dans la prairie d'un pas posé. Ils y allaient calmement. Mais cela ne signifiait pas qu'ils fussent joviaux.

Ils chevauchaient sinistrement, comme des hommes au visage impassible se rendant aux funérailles d'un parent éloigné.

Vent Dans Les Cheveux leur avait expliqué ce qu'ils devraient faire tout en allant chercher leurs poneys.

– Nous prendrons le cheval. On le surveillera en revenant. Nous chevaucherons tout autour de lui. S'il y a un homme blanc, ne lui tirez pas dessus, sauf s'il tire le premier. S'il essaie de parler, ne répondez pas. Nous prendrons le cheval et on verra ce qui se passera.

Vent Dans Les Cheveux ne l'aurait reconnu devant personne, mais il ressentit une vague de soulagement quand ils furent en vue du fort.

Il y avait un cheval dans le corral, un bel animal.

Mais il n'y avait pas d'homme blanc.

4

L'homme blanc était entré bien avant midi. Il avait dormi pendant plusieurs heures. Vers le milieu de l'après-midi, il s'était éveillé, heureux de constater que sa nouvelle idée fonctionnait.

Le Lieutenant Dunbar avait décidé de dormir le jour et de rester éveillé auprès d'un feu durant la nuit. Ceux qui avaient volé Cisco étaient venus à l'aube, et les histoires qu'il avait entendues disaient que l'aube était l'heure préférée pour les attaques. De cette façon il serait éveillé quand ils viendraient.

Il se sentait un peu étourdi après sa longue sieste. Et il transpirait beaucoup. Son corps était moite. C'était un moment qui en valait un autre pour prendre un bain.

Voilà pourquoi il était accroupi dans le courant avec la tête pleine de mousse et de l'eau jusqu'aux épaules quand il entendit les cinq cavaliers tonner le long de la butte.

Il pataugea hors de l'eau et plongea instinctivement vers son pantalon. Il lutta un instant avec le vêtement avant de le rejeter pour se saisir du gros revolver Navy. Puis il escalada la butte à quatre pattes.

5

Ils le virent tous distinctement alors qu'ils s'enfuyaient avec Cisco.

Il se tenait debout au bord de l'escarpement. De l'eau dégoulinait sur son corps. Sa tête était couverte de quelque chose de blanc. Il avait une arme à la main. Tout cela fut perçu par des coups d'œil jetés par-dessus leurs épaules. Mais pas plus. Ils se souvenaient tous des instructions de Vent Dans Les Cheveux. Un guerrier tenant la longe de Cisco et les autres rassemblés autour, ils filèrent hors du fort en formation serrée.

Vent Dans Les Cheveux resta en arrière.

L'homme blanc n'avait pas bougé. Il se tenait immobile et droit au bord de la butte, son arme pendant à son côté.

Pour Vent Dans Les Cheveux, l'homme blanc ne comptait pas. Ce qui comptait, c'était ce qu'il représentait. Il était le plus fidèle ennemi de tout guerrier. L'homme blanc représentait la peur. C'était une chose que de se retirer du champ de bataille après un dur combat, mais accepter que la peur se pose sur son visage et ne rien faire... Vent Dans Les Cheveux savait qu'il ne pouvait laisser cela se produire.

Il reprit son poney énervé en main, le fit pivoter, et galopa droit sur le lieutenant.

6

Dans sa folle escalade de la butte, le Lieutenant Dunbar était tout ce qu'un soldat doit être. Il se précipitait à la rencontre de l'ennemi. Il n'avait pas d'autre idée en tête.

Mais tout cela changea au moment où il parvint au sommet de l'escarpement.

Il s'était préparé à des criminels, une bande de hors-la-loi, des voleurs qui méritaient une punition.

Ce qu'il découvrit en fait fut du grand spectacle ; une action extraordinaire qui lui coupa tellement le souffle que, comme un enfant conduit pour la première fois au cirque, le lieutenant fut impuissant à faire quoi que ce soit d'autre que de se tenir là, debout, à regarder les choses se dérouler sous ses yeux.

Le déferlement furieux des poneys quand ils passèrent devant lui. Leur robe luisante, les plumes volant à leurs brides, leurs crinières, leurs queues, les décorations sur leurs croupes. Et les hommes sur leurs dos, chevauchant avec l'abandon d'enfants sur des chevaux de bois. Leur peau riche et sombre, les lignes de muscles sinueux se découpant nettement. Les chevelures tressées et brillantes, les arcs, les lances, les fusils, les larges peintures courant en lignes sur leurs visages et leurs bras.

Et tout cela dans une harmonie magnifique. L'ensemble, hommes et chevaux, ressemblait à la grande lame d'une charrue filant sur le paysage, son sillon éraflant à peine la surface.

C'était d'une couleur, d'une rapidité, d'une magnificence qu'il n'avait jamais imaginées. C'était la célébration de la gloire de la guerre captée en une seule fresque vivante, et Dunbar resta cloué au sol, oubliant qu'il était un homme pour ne plus être qu'une paire d'yeux.

Dunbar se trouvait dans un épais brouillard qui venait juste de commencer à se dissiper quand il réalisa que l'un d'entre eux revenait.

Comme un dormeur dans un rêve, il lutta pour s'éveiller. Son cerveau essayait d'envoyer des ordres, mais la communication ne cessait d'être coupée. Il ne pouvait bouger un muscle.

Le cavalier arrivait vite, se précipitant sur lui en suivant une trajectoire qui rendait la collision inévitable. Le Lieutenant Dunbar ne pensa pas qu'il allait se faire piétiner. Il ne pensa pas à la mort. Il avait perdu toute faculté de raisonner. Il resta immobile, son attention fixée sur les narines du poney comme s'il avait été en transe.

7

Quand Vent Dans les Cheveux fut à moins de dix mètres du lieutenant, il s'arrêta si brusquement que, pendant un instant, son cheval fut littéralement assis sur le sol. Avec un grand bond en l'air, le poney excité retomba sur ses pieds et commença aussitôt à danser, trépigner et virevolter. Vent Dans Les Cheveux le garda bien en main pendant tout ce temps, à peine conscient des mouvements qui avaient lieu sous lui.

Il fixait l'homme blanc, nu et immobile. La silhouette ne bougeait absolument pas. Vent Dans Les Cheveux ne le voyait même pas ciller. Il pouvait voir la poitrine de l'homme blanc se soulever et s'abaisser lentement, malgré tout. L'homme était vivant.

Il ne semblait pas avoir peur. Vent Dans Les Cheveux

apprécia l'absence de crainte de l'homme blanc mais en même temps cela le rendit nerveux. L'homme aurait dû être effrayé. Comment pouvait-il ne pas l'être ? Vent Dans Les Cheveux sentit revenir sa propre peur. Cela lui faisait fourmiller la peau.

Il leva son fusil au-dessus de sa tête et gronda trois phrases emphatiques.

– Je suis Vent Dans Les Cheveux !

« Vois-tu que je n'ai pas peur de toi ?

« Le vois-tu ?

L'homme blanc ne répondit pas, et Vent Dans Les Cheveux se sentit soudain satisfait. Il était venu droit sous le nez de cet ennemi potentiel. Il avait défié l'homme blanc nu, et l'homme blanc n'avait rien fait. Cela suffisait.

Il fit pivoter son poney, le mit dans la bonne direction et fila rejoindre ses amis.

8

Le Lieutenant Dunbar regarda avec stupéfaction le guerrier qui s'éloignait. Les mots résonnaient encore dans sa tête. Le son des mots, en tout cas, comme l'aboiement d'un chien. Bien qu'il n'ait eu aucune idée de ce qu'ils signifiaient, les mots ressemblaient à une proclamation.

Peu à peu, il sortit de sa stupeur. La première chose qu'il sentit fut le revolver dans sa main. Il était extraordinairement lourd. Il le lâcha.

Puis il tomba lentement à genoux et se laissa glisser sur les fesses. Il resta assis pendant un long moment, vidé comme jamais il ne l'avait été auparavant, aussi faible qu'un chiot nouveau-né.

Pendant un certain temps, il crut qu'il ne serait plus jamais capable de bouger, mais finalement il se remit sur pied et zigzagua jusqu'à la cabane. Ce ne fut qu'au prix d'un suprême effort qu'il parvint à se rouler une cigarette. Mais il était trop faible pour la fumer, et il s'endormit après deux ou trois bouffées.

La seconde évasion fut différente à un ou deux détails près mais, dans l'ensemble, les choses se passèrent de la même façon que la fois précédente.

Au bout de quatre kilomètres les cinq Comanches firent adopter un trot léger à leurs montures. Il y avait des cavaliers à l'arrière et de chaque côté, aussi Cisco prit-il le seul chemin qui lui restât.

Il partit en avant.

Les hommes avaient juste commencé à échanger quelques mots quand le petit cheval bai bondit comme s'il avait reçu une claque sur la croupe, et fila devant eux.

L'homme tenant la longe fut aspiré par-dessus la tête de son poney. Pendant quelques courtes secondes, Vent Dans Les Cheveux aurait pu attraper la longe qui rebondissait sur le sol derrière Cisco, mais il mit un instant de trop. Elle lui glissa entre les doigts.

Après quoi il n'y eut plus d'autre solution que de le poursuivre. Ce ne fut pas très gai pour les Comanches. L'homme qui avait été arraché de son cheval était hors course, et les quatre poursuivants restants n'eurent pas de chance.

L'un d'eux perdit son cheval quand il posa le sabot dans le terrier d'un chien de prairie et se brisa la jambe. Cisco était rapide comme un chat cet après-midi-là, et deux autres cavaliers furent désarçonnés en essayant de faire suivre ses zigzags à leurs poneys.

Cela ne laissait que Vent Dans Les Cheveux. Il garda la distance pendant plusieurs kilomètres, mais il n'avait rien regagné quand sa monture commença à donner des signes de fatigue, et il décida qu'il était inutile d'épuiser son poney favori jusqu'à la mort pour quelque chose qu'il ne pouvait pas attraper.

Tandis que le poney reprenait son souffle, Vent Dans Les Cheveux regarda le bai suffisamment longtemps pour voir qu'il repartait dans la direction du fort, et sa frustration fut tempérée par le fait qu'Oiseau Frappeur avait peut-être raison. C'était un cheval magique, un animal appartenant à une personne magique.

Il rencontra les autres en revenant. Il était évident que Vent Dans Les Cheveux avait échoué, et personne ne lui demanda de détails.

Nul ne dit mot.

Ils parcoururent le long chemin du retour en silence.

CHAPITRE XII

1

Vent Dans Les Cheveux et ses hommes revinrent pour trouver le village en deuil.

Le groupe parti attaquer les Utes et qui avait été si longtemps absent était enfin de retour.

Et les nouvelles n'étaient pas bonnes.

Ils n'avaient volé que six chevaux, ce qui ne suffisait pas à couvrir leurs propres pertes. Ils avaient les mains vides après tant de temps passé sur la piste.

Avec eux se trouvaient quatre hommes gravement blessés, dont un seul survivrait. Mais la véritable tragédie se situait au niveau des six hommes qui avaient été tués, six très bons guerriers. Et, pis encore, il n'y avait que quatre corps enveloppés de couvertures sur les travois.

Ils n'avaient pas été en mesure de récupérer deux des morts, et tristement, les noms de ces hommes ne seraient plus jamais prononcés.

L'un d'eux était le mari de Celle Qui Se Dresse Avec Un Poing Fermé.

2

Parce qu'elle se trouvait dans la tente d'une-fois-par-mois, deux amis de son époux durent lui transmettre la nouvelle de l'extérieur.

Tout d'abord elle sembla prendre l'annonce avec impassibilité, restant assise et immobile comme une statue sur le sol de la tente, les mains croisées sur ses cuisses, la tête légèrement inclinée. Elle resta assise ainsi pendant la plus grande partie de l'après-midi, laissant le chagrin lui ronger lentement le cœur tandis que les autres femmes vaquaient à leurs occupations.

Elles la regardaient, malgré tout, en partie parce qu'elles savaient toutes à quel point elle et son mari avaient été proches. Mais elle était une femme blanche, et ça, plus que tout, méritait l'attention. Aucune d'elles ne savait comment un esprit blanc fonctionnerait face à ce genre de crise. Aussi observaient-elles avec un mélange de compassion et de curiosité.

Et heureusement qu'elles le firent.

Celle Qui Se Dresse Avec Un Poing Fermé était si profondément anéantie qu'elle ne proféra pas un son de tout l'après-midi. Elle ne versa pas une seule larme. Elle resta simplement assise. Mais pendant tout ce temps, son esprit vagabondait. Elle pensait à sa perte, à son mari, et finalement à elle-même.

Elle revoyait les événements de sa vie avec lui, tout lui apparaissant en détails dissociés mais clairs. Encore et encore, un moment particulier lui revenait... la seule et unique fois où elle avait pleuré.

C'était une nuit peu après la mort de leur second enfant. Elle s'était contenue, essayant tout ce qu'elle connaissait pour éviter de sombrer dans le désespoir. Elle se retenait encore quand les larmes étaient venues. Elle avait essayé de les arrêter en enfouissant son visage dans la couverture de nuit. Ils avaient eu la discussion concernant une autre femme, et il avait déjà prononcé les mots : « Tu me suffis. » Mais cela ne suffisait pas à endiguer le chagrin consécutif à la disparition du second bébé, un chagrin dont elle savait qu'il le partageait, et elle avait enfoui son visage humide dans la couverture. Mais elle ne pouvait pas s'arrêter de pleurer et les larmes s'étaient transformées en sanglots.

Puis elle avait relevé la tête et l'avait trouvé assis calmement au bord du feu, qu'il attisait sans raison, les yeux perdus dans le vague, au-delà des flammes.

Quand leurs yeux s'étaient croisés, elle avait dit :

– Je ne suis rien.

Tout d'abord il n'avait pas répondu. Mais il avait regardé droit au fond de son âme avec une expression si calme qu'elle n'avait pu résister à son effet apaisant. Puis elle avait vu le plus léger des sourires s'esquisser sur ses lèvres et il avait répété :

– Tu me suffis.

Elle s'en souvenait si bien ; sa façon délibérée de se redresser, son mouvement à peine ébauché qui disait « Viens », sa façon de se couler doucement sous la couverture, ses bras qui l'avaient enlacée si tendrement.

Et elle se souvenait de l'oubli quand ils avaient fait l'amour, si dénué de mouvements, de mots et d'énergie. C'était comme d'être porté haut pour flotter sans fin sur un courant puissant et invisible. Ce fut leur plus longue nuit. Chaque fois qu'ils atteignaient la lisière du sommeil, ils recommençaient. Encore. Et encore. Deux êtres en une seule chair.

Même la venue du soleil ne les fit pas cesser. Pour la première et unique fois de leur vie, aucun des deux ne quitta la tente ce matin-là.

Quand le sommeil finit par les trouver, ce fut simultané, et Celle Qui Se Dresse Avec Un Poing Fermé se souvenait être partie à la dérive avec le sentiment que le fardeau que constituait sa double personnalité était soudain si léger qu'il cessait d'avoir de l'importance. Elle se souvenait ne plus s'être sentie indienne ou blanche. Elle s'était sentie comme un seul être, une seule personne, indivisible.

Celle Qui Se Dresse Avec Un Poing Fermé cligna des yeux pour se retrouver dans le présent de la tente d'une-fois-par-mois.

Elle n'était plus une épouse, ni une Comanche, ni même une femme. Elle n'était plus rien à présent. Qu'est-ce qu'elle attendait ?

Un racloir pour tanner les peaux se trouvait sur le sol de terre battue à un peu plus d'un mètre d'elle. Elle vit sa main se refermer sur la poignée. Elle vit la lame plonger profondément dans sa poitrine, sur toute sa longueur, jusqu'au manche.

Celle Qui Se Dresse Avec Un Poing Fermé attendit le moment où l'attention de toutes les autres se trouvait ailleurs. Elle se balança d'avant en arrière pendant quelques instants, puis se jeta en avant, couvrant la courte distance à quatre pattes.

Sa main se porta dessus sans hésitation, et en un éclair le racloir fut devant son visage. Elle le leva plus haut, hurla, et l'enfonça des deux mains, comme pour presser un objet chéri contre son cœur.

Au milieu de la fraction de seconde qu'il fallut à l'arme pour parcourir sa trajectoire surgit la première femme. Bien qu'elle ait manqué la main qui tenait le couteau, la collision fut suffisante pour le détourner. La lame partit en biais, laissant un petit sillon sur le corsage de Celle Qui Se Dresse Avec Un Poing Fermé en passant sur le sein gauche, perça la manche de daim, et lui laboura la partie charnue du bras juste au-dessus du coude.

Elle se débattit comme un démon, et les femmes passèrent un moment difficile en essayant de lui arracher le racloir des mains. Dès que ce fut fait, la jeune femme cessa de résister. Elle s'effondra dans les bras accueillants de ses amies et, comme le flot qui jaillit quand une valve récalcitrante cède enfin, elle se mit à sangloter convulsivement.

Mi-portant, mi-traînant la petite boule de frissons et de larmes, elles la mirent au lit. Tandis qu'une de ses amies la berçait comme un bébé, deux autres arrêtèrent l'hémorragie et pansèrent le bras.

Elle pleura si longtemps que les femmes durent se relayer pour la soutenir. Finalement sa respiration devint moins intense et les sanglots diminuèrent jusqu'à ne plus être qu'un gémissement régulier. Alors, sans ouvrir ses yeux gonflés de larmes, elle répéta les mêmes mots encore et encore, les chantant doucement comme pour elle seule.

– Je ne suis rien. Je ne suis rien.

En début de matinée, elles emplirent d'un léger bouillon une corne creuse et le lui firent avaler. Elle commença par des gorgées hésitantes, mais plus elle but, plus elle en eut besoin. Elle le termina d'un trait et se laissa aller en arrière sur le lit, les yeux grands ouverts, fixant le plafond au-delà de ses amies.

– Je ne suis rien, répéta-t-elle.

Mais maintenant le ton de son affirmation était empreint de sérénité, et les autres femmes surent qu'elle avait franchi le passage le plus dangereux de son chagrin.

Avec de gentils mots d'encouragement, doucement

murmurés, elles lui caressèrent les cheveux et glissèrent les bords d'une couverture autour de ses frêles épaules.

3

À peu près au moment où la fatigue entraînait Celle Qui Se Dresse Avec Un Poing Fermé dans un sommeil profond et sans rêves, le Lieutenant Dunbar s'éveillait au bruit de sabots frappant le sol dans l'encadrement de la porte de son baraquement.

Ne reconnaissant pas le bruit, et encore dans les brumes de son long sommeil, le lieutenant ne bougea pas, clignant des yeux pour se réveiller tandis que sa main fouillait le sol à la recherche de son Colt Navy. Il identifia le son avant d'être parvenu à trouver l'arme. C'était Cisco, qui était revenu une fois de plus.

Toujours sur ses gardes, Dunbar se glissa silencieusement hors de son grabat et sortit en avançant à croupetons.

Il faisait noir, mais c'était déjà le matin. Vénus était seule dans le ciel. Le lieutenant écouta et observa. Il n'y avait personne dans les environs.

Cisco l'avait suivi dans la cour et, quand le Lieutenant Dunbar posa sans y penser une main sur son encolure, il trouva la crinière raide de sueur séchée. Il sourit alors et dit à haute voix :

– Je suppose que tu leur as fait passer un mauvais moment, hein ? Viens, je t'offre à boire.

Conduisant Cisco jusqu'à la rivière, il fut surpris de voir à quel point il se sentait fort. Sa paralysie devant le spectacle du raid de l'après-midi, bien qu'il s'en souvînt clairement, lui semblait très lointaine. Pas imprécise, mais lointaine, comme une histoire ancienne. C'était un baptême, en conclut-il, un baptême qui l'avait catapulté de l'imagination dans la réalité. Le guerrier qui avait galopé jusqu'à lui pour lui aboyer quelque chose avait été réel. Les hommes qui avaient emporté Cisco avaient été réels. Il les connaissait maintenant.

Tandis que Cisco batifolait dans l'eau, l'agitant avec ses lèvres, le Lieutenant Dunbar réfléchit et en arriva à une conclusion plutôt déprimante.

Attendre, songea-t-il, c'est tout ce que j'ai fait.

Il secoua la tête, riant intérieurement de lui-même. J'ai attendu. Il jeta une pierre dans l'eau. Attendu quoi ? Que quelqu'un me trouve ? Que des Indiens me volent mon cheval ? De voir un bison ?

Il n'arrivait pas à le croire. Il n'avait jamais marché sur des œufs, et pourtant c'était ce qu'il avait fait ces dernières semaines. Marcher sur des œufs en attendant que quelque chose se produise.

Je ferais mieux de mettre un terme à cela dès maintenant, se dit-il.

Avant qu'il ait eu le temps de réfléchir plus avant, ses yeux saisirent un mouvement : de la couleur se reflétait sur l'autre rive.

Le Lieutenant Dunbar leva les yeux vers la colline derrière lui.

Une énorme lune d'équinoxe se levait.

Sur une impulsion, il bondit sur le dos de Cisco et monta jusqu'au sommet de la butte.

C'était une vue magnifique que cette grosse lune, lumineuse comme un jaune d'œuf, emplissant le ciel nocturne comme s'il s'agissait d'un nouveau monde venu pour l'appeler.

Il sauta à terre, se roula une cigarette et regarda avec émerveillement la lune monter rapidement au-dessus de sa tête, son relief aussi précis qu'une carte.

Au fur et à mesure qu'elle se levait, la prairie devenait de plus en plus claire. Il n'avait connu que l'obscurité durant les nuits précédentes, et ce flot de lumière ressemblait à un océan soudain vidé de son eau.

Il devait y aller.

Ils chevauchèrent en silence pendant une demi-heure, dont Dunbar goûta chaque minute. Quand enfin il fit demi-tour, il était gonflé d'assurance.

À présent, il était heureux de ce qui était arrivé. Il n'allait pas continuer à broyer du noir à propos de soldats qui n'arrivaient pas. Il ne changerait pas ses rythmes de sommeil. Il ne patrouillerait pas en petits cercles effrayés, il ne passerait pas une nuit de plus sans fermer l'œil, tous les sens aux aguets.

Il n'allait pas attendre plus longtemps. Il allait modifier les règles du jeu.

Demain matin il monterait sur son cheval et irait trouver les Indiens.

Et s'ils le dévoraient tout cru ?

Eh bien, s'ils le dévoraient, le diable pourrait avoir les restes !

Mais l'attente serait terminée.

4

Quand elle ouvrit les yeux, à l'aube, la première chose qu'elle vit fut une autre paire d'yeux. Puis elle réalisa qu'il y en avait plusieurs qui la contemplaient. Tout lui revint d'un coup et Celle Qui Se Dresse Avec Un Poing Fermé ressentit une soudaine vague d'embarras devant toute cette attention. Elle avait fait sa tentative d'une façon si peu digne, si peu comanche.

Elle voulait se cacher le visage.

Elles lui demandèrent comment elle se sentait et si elle désirait manger, et Celle Qui Se Dresse Avec Un Poing Fermé répondit que oui, elle se sentait mieux, et oui, ce serait bien de manger.

Tandis qu'elle déjeunait, elle regarda les femmes s'activer à leurs petites occupations, ce qui, avec le sommeil et la nourriture, eut un effet régénérateur. La vie continuait, envers et contre tout.

Mais quand elle posa la main sur son cœur, elle sut qu'il était brisé. Il lui faudrait guérir si elle devait poursuivre cette vie, et la meilleure façon d'y parvenir serait un deuil raisonné et profond.

Elle devait porter le deuil de son époux.

Pour cela, elle devait quitter la tente.

Il était encore tôt quand elle se prépara à partir. Les autres femmes lui tressèrent les cheveux et envoyèrent deux jeunes en quête, l'une de sa meilleure robe, l'autre de l'un des poneys de son mari dans le troupeau.

Personne n'intervint quand Celle Qui Se Dresse Avec Un Poing Fermé glissa une ceinture dans le fourreau de son meilleur couteau pour l'attacher autour de sa taille. Elles avaient empêché un acte irrationnel la veille, mais elle était plus calme à présent, et si Celle Qui Se Dresse Avec Un Poing Fermé voulait toujours prendre sa vie, alors qu'il en soit ainsi. Beaucoup de femmes avaient fait de même au cours des années précédentes.

Elles se rassemblèrent derrière elle quand elle sortit de la tente, si belle, si étrange et si triste. L'une d'elles lui prit le pied pour l'aider à monter sur le poney. Puis la femme et sa monture s'éloignèrent, quittant le bassin qui abritait le camp pour pénétrer dans la prairie ouverte.

Personne ne cria après elle, personne ne pleura, nul n'agita la main pour lui dire au revoir. Elles se contentèrent de la regarder partir. Mais chacune de ses amies espérait qu'elle ne serait pas trop dure envers elle-même et qu'elle reviendrait.

Toutes aimaient bien Celle Qui Se Dresse Avec Un Poing Fermé.

5

Le Lieutenant Dunbar hâtait ses préparatifs. Il avait dormi après le lever du soleil alors qu'il voulait se réveiller à l'aube. Aussi se dépêcha-t-il de prendre son café, aspirant des bouffées de sa première cigarette tandis que son esprit essayait de mettre tout en ordre d'une façon aussi efficiente que possible.

Il s'attaqua d'abord au travail salissant, commençant par le drapeau sur l'entrepôt. Il était plus neuf que celui flottant au-dessus de ses quartiers, aussi grimpa-t-il sur le mur de torchis croulant pour le décrocher.

Il fendit un des poteaux du corral, l'enfonça dans le côté de sa botte et, après l'avoir soigneusement mesuré, en coupa quelques centimètres à la pointe. Puis il y attacha le drapeau. Cela n'avait pas l'air trop mal.

Il travailla pendant plus d'une heure sur Cisco, nettoyant soigneusement le fanon autour de chaque sabot, brossant sa crinière et sa queue, huilant leurs épais poils noirs avec de la graisse de bacon.

Ce fut sur sa veste qu'il passa le plus de temps. Il la frotta à plusieurs reprises et la brossa une demi-douzaine de fois jusqu'à ce que, finalement, il puisse faire un pas en arrière et voir qu'il était inutile de continuer. La peau de daim brillait comme une illustration dans un livre d'images.

Il raccourcit la longe de son cheval, pour l'empêcher de s'étendre dans la poussière, et se hâta de rentrer dans son baraquement. Là, il sortit son uniforme et passa une fine brosse sur chaque centimètre carré, ôtant des cheveux, chassant au loin la plus petite boule de peluche. Il polit tous les boutons. S'il avait eu de la peinture, il aurait pu retoucher les épaulettes et les bandes jaunes courant sur les jambes du pantalon. Il se contenta de la brosse et d'un peu de salive. Quand ce fut fait, l'uniforme paraissait plus que passable.

Pour les faire briller, il cracha sur ses bottes neuves qui lui arrivaient à hauteur du genou et les posa à côté de l'uniforme qu'il avait étendu sur le lit.

Lorsqu'il eut finalement le temps de s'occuper de lui-même, il prit une serviette rêche et son nécessaire de rasage et courut jusqu'à la rivière. Il sauta dans l'eau, se couvrit de savon, se rinça et en sortit en bondissant, toute l'opération ayant pris moins de cinq minutes. Prenant soin de ne pas se couper, le lieutenant se rasa deux fois. Quand il put passer une main sur sa mâchoire et son cou sans trouver l'ombre d'un poil, il remonta jusqu'au sommet de la butte et s'habilla.

6

Cisco baissa la tête et regarda avec étonnement la silhouette qui venait vers lui, accordant une attention toute spéciale à l'écharpe écarlate qui voltigeait à la taille de l'homme. Même si l'écharpe n'avait pas été là, il est vraisemblable que les yeux du cheval seraient restés écarquillés. Personne n'avait jamais vu le Lieutenant Dunbar sous cette apparence. Cisco en tout cas ne l'avait jamais vu ainsi, et il connaissait son maître aussi bien que quiconque.

Le lieutenant se vêtait toujours d'une manière pratique, attachant peu d'importance à l'éclat des parades, des inspections ou des rencontres avec les généraux.

Mais si les esprits les plus fins de l'armée s'étaient assemblés pour brosser le portrait du parfait officier, ils ne seraient pas tombés très loin de ce que le Lieutenant Dunbar avait réalisé par cette matinée de mai d'une clarté de cristal.

Jusqu'au gros Colt Navy balançant doucement à sa hanche, il incarnait le rêve que toute jeune fille se faisait d'un homme en uniforme. La vision qu'il présentait était si pleine de couleurs et d'éclat qu'aucun cœur féminin n'aurait pu manquer de marquer le pas en le voyant. La tête la plus cynique aurait été contrainte de se retourner, et les lèvres les plus pincées se seraient surprises à prononcer les mots : « Qui est-ce ? »

Après avoir glissé le mors dans la bouche de Cisco, il agrippa une poignée de la crinière et sauta sans effort sur le dos lustré du cheval bai. Ils trottèrent jusqu'à l'entrepôt, où le lieutenant se pencha pour prendre le drapeau appuyé contre le mur. Il glissa la hampe dans sa botte gauche, empoigna l'étendard et guida Cisco en direction de la prairie.

Quand il eut parcouru une centaine de mètres, Dunbar s'arrêta et regarda en arrière, sachant qu'il ne reverrait peut-être jamais cet endroit. Il jeta un coup d'œil vers le soleil et vit que la matinée en était à peine à son milieu. Il aurait tout le temps de les trouver. Loin à l'ouest, il pouvait voir le nuage de fumée plat qui était apparu trois matins de suite. Il ne pouvait s'agir que d'eux.

Le lieutenant reporta son regard sur l'extrémité de ses bottes. Elles reflétaient la lueur du soleil. Une légère pointe de doute l'effleura, et pendant une fraction de seconde il regretta de ne pas avoir une dose de whisky sec. Puis il claqua de la langue pour Cisco, et le petit cheval se lança en un trot léger qui les emporta vers l'ouest. La brise s'était levée et le drapeau étoilé claquait tandis qu'il allait à la rencontre... à la rencontre d'il ne savait quoi.

Mais il y allait.

7

Sans qu'elle l'ait voulu en quoi que ce soit, le deuil de Celle Qui Se Dresse Avec Un Poing Fermé était hautement rituel.

Elle n'avait plus aucune intention de mourir. Ce qu'elle voulait, c'était laver le chagrin en elle. Elle voulait le nettoyage le plus complet possible, et elle prit donc son temps.

Tranquillement et méthodiquement, elle chevaucha pendant près d'une heure avant de découvrir un emplacement qui lui convienne, un endroit où les dieux devaient se réunir.

Pour quelqu'un vivant dans la prairie, cela passait pour une colline. Pour n'importe qui d'autre, ce n'aurait rien été de plus qu'une bosse sur la terre, comme une petite houle sur une grande mer étale. Il n'y avait qu'un arbre solitaire à son sommet, un vieux chêne noueux qui parvenait à s'accrocher à la vie en dépit des mutilations que lui infligeaient chaque année ceux qui passaient par là. C'était le seul arbre qu'elle pût voir dans n'importe quelle direction.

C'était un endroit très solitaire. Il paraissait idéal. Elle monta jusqu'au sommet, glissa de son poney, fit quelques pas pour descendre la pente opposée et s'assit en tailleur sur le sol.

La brise faisait bondir ses nattes, aussi les saisit-elle pour les défaire et laisser ses cheveux couleur cerise voler dans le vent. Puis elle ferma les yeux, commença à se balancer doucement d'avant en arrière et se concentra sur la terrible chose qui était survenue dans sa vie, y fixant son attention à l'exclusion de tout le reste.

Peu de temps après, les mots d'une chanson prirent forme dans sa tête. Elle ouvrit la bouche et des vers en jaillirent, aussi sûrs et forts que si elle avait longuement répétés.

Les notes étaient hautes. Quelquefois sa voix craqua. Mais elle chanta de tout son cœur, avec une beauté qui dépassait de loin le fait d'être agréable à l'oreille.

Le premier chant était simple, célébrant les vertus de son mari en tant que guerrier et époux. Vers la fin, un couplet lui vint. Il disait :

> *C'était un grand homme,*
> *Il était grand pour moi.*

Elle s'arrêta avant de chanter ces lignes. Levant ses yeux fermés vers le ciel, Celle Qui Se Dresse Avec Un Poing Fermé tira son couteau de son fourreau et se fit délibérément une entaille de six centimètres dans l'avant-bras. Elle laissa retomber sa tête et regarda la coupure. Le sang coulait bien. Elle reprit sa mélodie, tenant le couteau serré dans une main.

Elle se tailla à nouveau à plusieurs reprises durant l'heure suivante. Les incisions étaient peu profondes, mais elles produisaient beaucoup de sang, et cela plaisait à Celle Qui Se Dresse Avec Un Poing Fermé. Au fur et à mesure que sa tête se faisait plus légère, sa concentration devenait plus forte.

Le chant était bon. Il racontait toute l'histoire de leurs vies d'une façon que n'aurait pu rendre une conversation avec quelqu'un. Sans entrer dans les détails, elle n'omit pourtant rien.

Finalement, quand elle eut trouvé un beau vers implorant le Grand Esprit de donner à son époux une place d'honneur dans le monde au-delà du soleil, un brusque flot d'émotion la frappa. Elle termina, et cela signifiait adieu.

Des larmes coulèrent de ses yeux tandis qu'elle remontait sa robe de daim pour entailler une de ses cuisses. Elle fit rapidement courir la lame en travers de sa jambe et poussa un petit cri. La coupure était très profonde cette fois. Elle devait avoir touché une veine importante ou une artère, car lorsqu'elle posa son regard dessus, elle put voir le rouge sortir en pulsant à chaque battement de son cœur.

Elle pouvait essayer d'arrêter l'hémorragie ou bien poursuivre son chant.

Celle Qui Se Dresse Avec Un Poing Fermé choisit cette dernière possibilité. Elle s'assit les jambes étendues, laissant son sang imbiber le sol tandis qu'elle levait haut la tête et gémissait :

> *Il sera bon de mourir.*
> *Il sera bon d'aller avec lui.*
> *Je vais le suivre.*

8

Comme la brise lui soufflait au visage, elle n'entendit pas approcher le cavalier.

Il avait remarqué la bosse de loin et décidé que, puisqu'il n'avait encore rien vu, ce serait un bon endroit d'où examiner les environs. S'il ne pouvait toujours rien voir en arrivant là-bas, il pourrait grimper dans ce vieil arbre.

Le Lieutenant Dunbar était à mi-pente quand le vent lui apporta un son étrange et triste aux oreilles. Avançant avec précaution, il parvint au sommet de la butte et vit une personne assise à un ou deux mètres sur la pente opposée, juste devant lui. Cette personne avait le dos tourné. Il ne pouvait dire avec certitude s'il s'agissait d'un homme ou d'une femme. Mais pour ce qui était d'être indien, il n'y avait pas à s'y tromper.

Un Indien ou une Indienne en train de chanter.

Il était assis, immobile sur Cisco, lorsque la personne pivota pour lui faire face.

9

Elle n'aurait pu dire ce que c'était, mais Celle Qui Se Dresse Avec Un Poing Fermé sut brusquement qu'il y avait quelqu'un derrière elle, et elle se retourna pour voir.

Elle n'eut qu'un aperçu du visage sous le chapeau avant qu'une bourrasque rabatte le drapeau coloré ceignant la tête de l'homme.

Mais le coup d'œil avait suffi. Il lui avait révélé qu'il s'agissait d'un soldat blanc.

Elle ne bondit pas sur ses pieds ni ne s'enfuit. Il y avait quelque chose de magnétique dans cette image de cavalier solitaire. Le grand drapeau coloré, le poney brillant et le soleil qui se reflétait dans les ornements de ses vêtements. Et à présent le visage à nouveau tandis que le drapeau se déroulait : un visage dur, jeune, avec des yeux brillants. Celle Qui Se Dresse Avec Un Poing Fermé cligna des paupières à plusieurs reprises, ne sachant si elle avait une hallucination ou si elle voyait réellement quelqu'un. Rien n'avait bougé à part le drapeau.

Puis le cavalier changea de position sur le cheval. Elle n'avait pas rêvé. Elle roula sur les genoux et commença à s'éloigner en descendant la pente. Elle ne produisit pas un son, ne courut pas. Celle Qui Se Dresse Avec Un Poing Fermé s'était éveillée d'un cauchemar pour se retrouver plongée dans un autre, qui était bien réel. Elle se déplaçait lentement parce qu'elle était trop horrifiée pour courir.

10

Dunbar fut choqué en voyant son visage. Il ne prononça pas les mots, pas même dans sa tête, mais s'il l'avait fait le lieutenant aurait dit quelque chose comme : « Quel genre de femme est-ce là ? »

Le petit visage acéré, les cheveux emmêlés couleur cerise et les yeux intelligents, suffisamment sauvages pour aimer ou haïr avec la même intensité, l'avaient complètement désarçonné. Il ne lui vint pas à l'esprit à cet instant qu'elle pouvait ne pas être indienne. Il n'avait qu'une chose en tête à ce moment-là.

Il n'avait jamais vu une femme ayant l'air aussi primitive.

Avant qu'il puisse bouger ou parler, elle roula sur les genoux et il vit qu'elle était couverte de sang.

– Ô mon Dieu, hoqueta-t-il.

Elle avait reculé jusqu'au bas de la pente ; il leva la main et appela doucement :

– Attendez.

En entendant ce mot, Celle Qui Se Dresse Avec Un Poing Fermé se mit à courir d'une démarche chancelante. Le Lieutenant Dunbar trotta derrière elle, lui demandant de s'arrêter. Quand il ne fut plus qu'à quelques mètres, Celle Qui Se Dresse Avec Un Poing Fermé jeta un regard en arrière, s'emmêla les pieds et s'écroula dans les herbes hautes.

Lorsqu'il arriva à son niveau elle rampait, et chaque fois qu'il allongea le bras pour la toucher, il dut ramener la main, comme effrayé de toucher un animal blessé. Lorsqu'il la prit finalement par les épaules, elle se jeta sur le dos et tenta de lui griffer le visage.

– Vous êtes blessée, dit-il en lui écartant les mains. Vous êtes blessée.

Pendant quelques secondes elle le combattit sauvagement, mais son énergie la déserta rapidement et il la tint bientôt par les poignets. Avec ce qu'il lui restait de forces elle se tortilla sous lui en donnant des coups de pieds. Alors une chose bizarre se produisit.

Dans le délire de sa lutte, un mot de son ancienne langue, qu'elle n'avait pas prononcé depuis de nombreuses années, lui revint. Il glissa hors de sa bouche avant qu'elle ait pu l'arrêter.

– Non, dit-elle.

Cela les fit s'immobiliser tous deux. Le Lieutenant Dunbar ne pouvait pas croire qu'il l'avait entendu, et Celle Qui Se Dresse Avec Un Poing Fermé ne pouvait pas croire qu'elle l'avait prononcé.

Elle rejeta sa tête en arrière et laissa son corps s'affaisser contre le sol. C'était trop pour elle. Elle gémit quelques mots comanches et s'évanouit.

11

La femme dans l'herbe respirait toujours. La plupart de ses blessures étaient superficielles, mais celle sur sa cuisse était grave. Le sang continuait d'en sourdre régulièrement, et le lieutenant regretta d'avoir jeté l'écharpe rouge deux ou trois kilomètres plus tôt. Elle aurait fait un garrot parfait.

Il avait failli en jeter plus. Plus il avait chevauché, moins il en avait vu, et plus son plan lui avait paru ridicule. Il avait jeté l'écharpe comme quelque chose d'inutile, d'idiot en réalité, et était prêt à replier le drapeau (qui paraissait également idiot) et à retourner à Fort Sedgewick quand il avait aperçu le monticule et l'arbre solitaire.

Sa ceinture était neuve et trop raide, aussi, utilisant le couteau de la femme, il coupa une bande dans le drapeau qu'il lui noua en haut de la cuisse. Le flot de sang diminua immédiatement, mais il lui fallait encore une compresse. Il ôta son uniforme, s'extirpa de son caleçon long et coupa le sous-vêtement en deux. Puis il fit un tampon du haut et le pressa contre la profonde entaille.

Pendant dix terribles minutes, le Lieutenant Dunbar resta agenouillé près d'elle, nu dans l'herbe, appuyant fermement des deux mains sur la compresse. À un moment, il crut qu'elle était morte. Il posa une oreille timide contre sa poitrine et écouta. Son cœur battait toujours.

Œuvrer là tout seul, sans savoir qui était la femme, sans savoir si elle allait vivre ou mourir, était difficile et éprouvant pour les nerfs. Il faisait chaud dans l'herbe au pied de la pente et, chaque fois qu'il essuyait la sueur gouttant dans ses yeux, il laissait une traînée de sang sur son visage. De temps à autre il soulevait la compresse pour jeter un coup d'œil. Et chaque fois il fixait avec frustration le sang qui refusait de s'arrêter. Puis il replaçait la compresse.

Mais il s'entêta.

Finalement, quand le sang eut ralenti jusqu'à ne plus être qu'un mince filet, il passa à l'action. La blessure de la cuisse nécessitait qu'on la recouse, mais c'était impossible. Il coupa une jambe de son caleçon, la plia en un pansement et la posa à plat sur la blessure. Puis, travaillant aussi vite qu'il le pouvait, il coupa une autre bande dans le drapeau et la noua solidement autour du bandage. Il répéta le processus avec les blessures moins graves du bras.

Tandis qu'il officiait, Celle Qui Se Dresse Avec Un Poing Fermé se mit à gémir. Elle ouvrit les yeux à plusieurs reprises mais était trop faible pour protester, même quand il prit sa gourde et le força à avaler une ou deux gorgées d'eau.

Après avoir accompli ce qui était en son pouvoir en tant que docteur, Dunbar remit son uniforme, se demandant ce qu'il devait faire tandis qu'il boutonnait son pantalon et sa tunique.

Il vit le poney dans la prairie et songea à l'attraper. Mais quand il regarda la jeune femme dans l'herbe, cela lui sembla absurde. Elle était peut-être en état de monter à cheval, mais elle aurait besoin d'aide.

Dunbar regarda le ciel à l'ouest. Le nuage de fumée avait presque disparu. Il n'en restait que quelques filets. S'il se hâtait, il pourrait aller dans cette direction avant qu'il se soit totalement évanoui.

Il glissa ses bras sous Celle Qui Se Dresse Avec Un Poing Fermé, la souleva et l'installa aussi doucement que possible sur le dos de Cisco, dans l'intention de marcher à côté du cheval tandis qu'elle chevaucherait. Mais la fille était à demi inconsciente et commença à basculer dès qu'elle fut en selle.

Avec une main pour la maintenir en place, il réussit à sauter derrière elle. Puis il la fit tourner, et, comme un père soutenant sa fille blessée, Dunbar fit avancer son cheval dans la direction du nuage de fumée.

Alors que Cisco les transportait à travers la prairie, le lieutenant songea à ses plans pour impressionner les sauvages Indiens. Il n'avait pas l'air très sage ni très officiel à présent. Du sang maculait sa tunique et ses mains. La fille était bandée avec son caleçon et un drapeau des États-Unis d'Amérique.

C'était sans doute mieux ainsi. Quand il pensait à ce qu'il avait fait, cabriolant bêtement à travers la prairie avec des bottes brillantes et une stupide écharpe rouge, et, par-dessus tout, un drapeau flottant à son côté, le lieutenant souriait avec une légère honte.

Je dois être idiot, songea-t-il.

Il regarda les cheveux roux sous son menton et se demanda ce que cette pauvre femme pouvait avoir pensé en le voyant dans sa tenue de dandy.

Celle Qui Se Dresse Avec Un Poing Fermé ne pensait rien. Elle était dans une zone intermédiaire. Elle n'était que sensations. Elle sentait le cheval onduler sous elle, elle sentait le bras dans son dos, elle sentait l'étrange tissu contre son visage. Plus que tout, Celle Qui Se Dresse Avec Un Poing Fermé se sentait en sécurité, et pendant tout le chemin du retour elle garda les yeux fermés, de peur, si elle les ouvrait, que tout ne disparaisse.

CHAPITRE XIII

1

Souris Beaucoup n'était pas un garçon sur qui l'on pouvait compter.

Personne n'aurait dit de lui que c'était un fauteur de troubles, mais Souris Beaucoup détestait le travail, et contrairement à la plupart des garçons indiens, l'idée d'endosser des responsabilités le laissait froid.

C'était un rêveur, et comme le font souvent les rêveurs, Souris Beaucoup avait appris qu'un des meilleurs stratagèmes pour éviter l'ennui du travail était de rester seul.

Il s'ensuivait donc que ce garçon paresseux passait autant de temps que possible avec l'importante horde de poneys. Il accomplissait cette tâche régulièrement, en partie parce qu'il était toujours prêt à y aller, et aussi parce que, à l'âge de douze ans, il était devenu un expert en chevaux.

Souris Beaucoup pouvait prédire à quelques heures près le moment où les juments mettraient bas. Il avait un don pour maîtriser les étalons rétifs. Et quand il s'agissait de soigner, il en savait autant sinon plus en matière de maladies chez les chevaux que n'importe quel adulte de la tribu. Les chevaux semblaient se porter mieux dès qu'il était dans les environs.

Tout cela était une seconde nature pour Souris Beaucoup... seconde nature et secondaire. Ce qu'il aimait le plus quand il était avec les chevaux, c'était qu'ils paissaient loin du campement, quelquefois à près de deux kilomètres. Ainsi, il échappait à l'œil omnipotent de son père, aux petits frères et sœurs dont il fallait s'occuper et aux travaux d'entretien du campement qui n'en finissaient jamais.

En général, d'autres garçons et filles traînaient autour du troupeau, mais à moins que quelque chose de spécial ne surgisse, Souris Beaucoup se joignait rarement à leurs jeux et discussions.

Il préférait monter sur le dos de quelque calme hongre, s'étirer sur l'épine dorsale du cheval et rêver, quelquefois pendant des heures, tandis que le ciel toujours changeant dérivait au-dessus de lui.

Il avait rêvé ainsi pendant la plus grande partie de l'après-midi, heureux d'être éloigné du village, qui chancelait encore sous le coup du tragique retour de l'expédition envoyée contre les Utes. Souris Beaucoup savait, bien qu'il éprouvât peu d'intérêt pour le combat, qu'il lui faudrait tôt ou tard partir sur le sentier de la guerre, et il avait déjà pris mentalement note d'éviter les expéditions contre les Utes.

La dernière heure, il avait savouré le luxe rare d'être seul avec le troupeau. Les autres enfants avaient été rappelés pour une raison ou une autre, mais nul n'était venu chercher Souris Beaucoup, et cela faisait de lui le plus heureux des rêveurs. Avec un peu de chance, il n'aurait pas à rentrer avant la nuit, et le soleil ne se coucherait pas avant encore plusieurs heures.

Il était au beau milieu du troupeau, rêvant tout éveillé à la possibilité de posséder son propre troupeau, un qui serait comme une grande assemblée de guerriers que nul n'oserait défier, quand il remarqua un mouvement sur le sol.

C'était un gros serpent buffle de couleur jaune. Il avait réussi à se perdre au milieu de toutes ces pattes mouvantes et se glissait avec désespoir sur le rebord d'un sabot, cherchant une issue.

Souris Beaucoup aimait les serpents, et celui-ci était sûrement assez gros et assez vieux pour être un grand-père. Un grand-père dans les ennuis. Il sauta de sa monture avec l'idée d'attraper le vieillard et de le porter hors de cet endroit dangereux.

Le gros serpent n'était pas facile à saisir. Il avançait vite, et Souris Beaucoup était constamment bousculé par les poneys étroitement pressés les uns contre les autres. Le garçon ne cessait de plonger sous des cous et des ventres, et ce ne fut que grâce à sa détermination obstinée de bon Samaritain qu'il fut capable de garder en vue le corps jaune qui ondulait.

Cela se termina bien. Près de la bordure du troupeau le gros serpent trouva finalement un trou où se glisser, et la seule chose que Souris Beaucoup saisit fut une dernière vision de la queue qui disparaissait sous terre.

Alors, tandis qu'il se tenait au-dessus du trou, plusieurs des chevaux hennirent et Souris Beaucoup vit leurs oreilles se dresser et toutes les têtes autour de lui se tendre soudain dans la même direction.

Ils avaient vu venir quelque chose.

Un frisson parcourut le corps du garçon, et l'euphorie d'être seul le quitta d'un seul coup. Il avait peur, mais il s'avança furtivement, restant courbé entre les poneys, espérant voir avant d'être vu.

Quand il distingua des étendues de prairie déserte devant lui, Souris Beaucoup s'accroupit et marcha à croupetons entre les jambes des chevaux. Ils n'avaient pas paniqué et cela le faisait se sentir un peu moins effrayé. Mais ils regardaient avec toujours autant de curiosité, et le garçon prit soin de ne pas faire le moindre bruit.

Il s'arrêta quand les chevaux s'égaillèrent, à vingt ou trente mètres de là. Il ne pouvait pas avoir une bonne vue parce que sa vision était bloquée, mais il était certain d'avoir distingué également des jambes.

Lentement il se leva et risqua un œil par-dessus le dos d'un poney. Chacun des cheveux sur sa tête le picota. Un vacarme énorme explosa sous son crâne comme des abeilles vrombissantes. La bouche du garçon se figea, de même que ses yeux. Il ne cilla pas. Il n'en avait jamais rencontré auparavant, mais il savait exactement ce qu'il voyait.

C'était un homme blanc. Un soldat blanc avec du sang sur le visage.

Et il tenait quelqu'un. Il tenait cette femme étrange, Celle Qui Se Dresse Avec Un Poing Fermé.

Elle paraissait blessée. Ses bras et ses jambes étaient enveloppés d'un vêtement bizarre. Peut-être était-elle morte.

Le cheval du soldat blanc se mit au trot quand il passa. Ils se dirigeaient droit vers le village. Il était trop tard

pour galoper en avant et donner l'alarme. Souris Beaucoup recula vers le milieu du troupeau. Il aurait des ennuis pour ça. Que pouvait-il faire ?

Le garçon n'arrivait pas à penser clairement ; tout se
mélangeait dans sa tête, comme des graines dans un ho-
chet. S'il avait été un peu plus calme, il aurait vu au visage du soldat blanc qu'il n'était pas animé d'intentions
hostiles. Rien dans son attitude ne le dénotait. Mais les
seuls mots qui résonnaient dans le cerveau de Souris
Beaucoup étaient : « Soldat blanc, soldat blanc. »

Peut-être y en a-t-il d'autres, songea-t-il soudain. Peut-
être qu'il y a une armée de bouches poilues dans la prairie. Peut-être qu'ils sont tout proches.

Pensant seulement à compenser son manque de vigi-
lance, Souris Beaucoup décrocha la bride jaune qu'il portait autour du cou, la glissa sur la tête d'un poney à l'aspect solide, et le conduisit aussi doucement que possible
hors du troupeau.

Puis il lui sauta sur le dos et le fouetta pour le lancer
au galop, courant dans la direction opposée au village,
scrutant anxieusement l'horizon à la recherche de signes
indiquant la présence de soldats blancs.

2

L'adrénaline pulsait dans les veines du Lieutenant
Dunbar. Ce troupeau de poneys... Tout d'abord il avait
cru que la prairie elle-même bougeait. Il n'avait jamais vu
de chevaux en si grand nombre. Ils étaient peut-être six
ou sept cents. C'était tellement impressionnant qu'il avait
été tenté de s'arrêter pour regarder. Mais bien sûr ce
n'était pas possible.

Il y avait une femme entre ses bras.

Elle avait bien tenu le coup. Son souffle était régulier
et elle n'avait pas beaucoup saigné. Elle était demeurée
très tranquille également mais, malgré sa petite taille,
elle lui brisait le dos. Il l'avait portée pendant plus d'une
heure, et, à présent qu'il approchait, le lieutenant avait

plus que jamais envie d'être arrivé. Son destin se décide-
rait très prochainement, et cela activait son adrénaline,
mais, plus qu'à toute autre chose, il pensait à la monstrueuse douleur entre ses omoplates. Elle le tuait.

Le terrain devant lui descendait et, quand il s'en approcha, il distingua des morceaux de la rivière tranchant
dans la prairie, puis des sommets ; et, alors qu'il arrivait
en haut de la pente, le campement s'imposa à sa vue, se
levant devant lui comme la lune l'avait fait la nuit précédente.

Inconsciemment, le lieutenant tira sur les rênes. Il lui
fallait s'arrêter. Il emmagasinait une vision pour l'éternité.

Il y avait cinquante ou soixante tentes de peau coniques dressées au bord de la rivière. Elles paraissaient
agréables et paisibles sous le soleil de cette fin d'après-
midi, mais les ombres qu'elles projetaient les faisaient
également paraître plus grandes que nature, comme des
monuments antiques mais toujours vivants.

Il pouvait voir des gens travailler autour des tentes. Il
pouvait entendre leurs voix tandis qu'ils arpentaient les
allées de terre battue. Il entendit des rires, et cela le surprit. Il y avait encore plus de monde le long de la rivière.
Certains se trouvaient dans l'eau.

Le lieutenant s'assit sur Cisco, tenant la femme qu'il
avait trouvée, fasciné par le tableau sans âge qui s'étalait
devant lui comme une toile vivante. Une civilisation an-
tique, complètement immaculée.

Et il était là.

Cela dépassait son imagination, et en même temps il
savait que c'était pour cela qu'il était venu, c'était la base
de son désir d'être affecté sur la frontière. Cela, sans
qu'il l'ait su auparavant, était ce qu'il avait été avide de
voir.

Ces moments fugaces ne se reproduiraient jamais au
cours de sa vie mortelle. Pendant ces instants fugitifs, il
cessa d'être un lieutenant ou un homme pour devenir un
pur esprit, planant dans l'espace vide et intemporel de
l'univers. Pendant ces quelques précieuses secondes, il
sut ce qu'était l'éternité.

La femme toussa. Elle s'étira contre sa poitrine et Dunbar lui tapota tendrement l'arrière du crâne.

Il produisit un petit bruit de baiser avec ses lèvres, et Cisco commença à descendre la pente. Il n'avait pas fait deux mètres quand il aperçut une femme et deux enfants sortir des buissons près de la rivière.

Et ils le virent.

3

La femme hurla en laissant tomber l'eau qu'elle portait, rassembla ses enfants et courut vers le village en criant « soldat blanc, soldat blanc » à pleins poumons. Des bandes de chiens indiens se mirent à aboyer, les femmes appelèrent leur progéniture à grands cris perçants, et les chevaux bronchèrent autour des tentes, hennissant sauvagement. C'était un vrai pandémonium.

Toute la tribu se crut attaquée.

En approchant du village, le Lieutenant Dunbar put voir des hommes s'enfuir en tous sens. Ceux qui avaient mis la main sur leurs armes couraient à leurs chevaux avec des hurlements qui lui rappelaient des oiseaux paniqués par les chasseurs. Le village bouleversé était tout aussi impressionnant qu'au repos. C'était comme un grand essaim d'hommes-abeilles dans lequel on aurait agité un bâton.

Les hommes qui avaient atteint leurs chevaux s'agglutinaient en une force qui s'élancerait bientôt à sa rencontre, peut-être pour le tuer. Il ne s'était pas attendu à créer un tel chambardement ni à découvrir des gens aussi primitifs. Mais il y avait quelque chose d'autre qui pesait sur lui tandis qu'il approchait du village, quelque chose qui effaçait tout le reste. Pour la première fois dans sa vie, le Lieutenant Dunbar savait ce que c'était que de se sentir un envahisseur. C'était une sensation qu'il n'aimait pas, et elle influa beaucoup sur ce qu'il fit ensuite. Il ne voulait surtout pas qu'on le considère comme un intrus, et en atteignant le sol nu d'une étendue déserte à l'entrée du village, quand il fut suffisamment près pour voir à travers le rideau de poussière soulevée par le tumulte et distinguer les yeux des gens à l'intérieur, il tira sur les rênes une nouvelle fois et s'arrêta.

Puis il descendit de cheval, prenant la femme dans ses bras, et fit un pas ou deux devant sa monture. Il se tint là, immobile, les yeux clos, tenant la blessée comme un voyageur bizarre portant un étrange cadeau.

Le lieutenant écouta avec intensité tandis que le village, par paliers qui ne duraient chacun que quelques secondes, devenait étrangement calme. Le rideau de poussière commença à retomber, et Dunbar devina que la masse humaine qui avait poussé tant de cris de terreur quelques instants plus tôt s'approchait à présent de lui. Dans le silence inquiétant il entendit occasionnellement le son de harnais que l'on heurtait, le froissement de pieds sur le sol, le bruit d'un cheval bronchant en frappant impatiemment du sabot.

Il ouvrit les yeux pour découvrir que toute la tribu s'était rassemblée à l'entrée du village, guerriers et jeunes hommes devant, femmes et enfants derrière eux. C'était un rêve de sauvages, vêtus de peaux de bêtes et de tissus bariolés, une race d'humains totalement à part le regardant en retenant leur souffle à moins de cent mètres.

La fille pesait lourdement sur ses bras, et quand Dunbar changea de position, un murmure monta et mourut dans la foule. Mais personne n'avança à sa rencontre.

Un groupe d'hommes plus âgés, apparemment importants, tint un conciliabule à voix basse tandis que leurs compagnons attendaient, murmurant entre eux d'une voix gutturale si étrangère aux oreilles du lieutenant qu'ils ne semblaient pas vraiment parler.

Il laissa son attention dériver durant cette accalmie, et, au milieu d'un groupe d'une dizaine de cavaliers, ses yeux tombèrent sur un visage familier. C'était le même homme, le guerrier qui avait si férocement aboyé dans sa direction le jour du raid à Fort Sedgewick. Vent Dans Les Cheveux le fixa à son tour avec une telle intensité que Dunbar faillit se retourner pour voir si quelqu'un se tenait derrière lui.

Ses bras étaient si lourds qu'il n'était pas certain de pouvoir les mouvoir encore, mais avec le guerrier qui le fixait toujours, Dunbar leva la femme un peu plus haut, comme pour dire : « Tenez... s'il vous plaît, prenez-la. »

Surpris par ce geste inattendu et soudain, le guerrier hésita, ses yeux courant sur la foule, se demandant à l'évidence si cet échange silencieux avait été remarqué par quelqu'un d'autre. Quand il regarda à nouveau le lieutenant, les yeux de celui-ci étaient toujours fixés sur lui et le geste n'avait pas été démenti.

Avec un soupir de soulagement intérieur le Lieutenant Dunbar vit Vent Dans Les Cheveux sauter de son poney et s'engager dans l'espace vide, une massue de guerre en pierre se balançant librement dans sa main. Il avançait, et si le guerrier éprouvait la moindre peur, elle était bien dissimulée, car son visage ne laissait rien paraître et il ne semblait nullement concerné, décidé, apparemment, à accomplir une punition.

L'assemblée fit silence tandis que l'espace entre l'immobile Lieutenant Dunbar et le rapide Vent Dans Les Cheveux se réduisait inexorablement. Il était trop tard pour empêcher ce qui allait se produire. Tous restaient immobiles et attendaient.

Face à celui qui venait vers lui, le Lieutenant Dunbar n'aurait pu se montrer plus brave. Il resta sur place sans ciller, et s'il n'y avait nulle douleur sur son visage, on n'y trouvait non plus nulle trace de peur.

– Elle est blessée, dit-il d'une voix claire quand Vent Dans Les Cheveux fut à moins de deux mètres de lui.

Il leva légèrement son fardeau quand le guerrier regarda le visage de la femme, et Dunbar put voir qu'il la reconnaissait. En fait, le choc éprouvé par Vent Dans Les Cheveux était si évident que, pendant un moment, l'horrible idée qu'elle pouvait être morte lui traversa l'esprit. Le Lieutenant baissa les yeux à son tour pour l'examiner.

Et à ce moment elle lui fut arrachée des bras. D'un mouvement puissant et sûr elle fut soustraite à son emprise, et avant que Dunbar ait eu le temps de réagir, le guerrier repartit vers le village, portant Celle Qui Se Dresse Avec Un Poing Fermé sans ménagement, comme un chien l'aurait fait d'un chiot. Tout en marchant il cria quelque chose qui provoqua une exclamation de surprise collective de la part des Comanches. Ils se précipitèrent à sa rencontre.

Le lieutenant demeura immobile devant son cheval et, tandis que le village tourbillonnait autour de Celle Qui Se Dresse Avec Un Poing Fermé, il sentit toute énergie le quitter. Ces gens n'étaient pas son peuple. Il ne les connaîtrait jamais. Il aurait pu tout aussi bien se trouver à deux mille kilomètres de là. Il aurait voulu être tout petit, suffisamment petit pour ramper et se cacher dans le plus minuscule, le plus sombre des trous.

Qu'avait-il attendu de ces gens? Avait-il pensé qu'ils accourraient pour l'embrasser, qu'ils parleraient sa langue, qu'ils l'inviteraient à souper et riraient de ses plaisanteries, sans même un comment-ça-va? Comme il devait se sentir seul, comme il était pitoyable, pour entretenir de telles illusions, s'agrippant à des fétus de paille, comptant sur des espoirs tellement lointains qu'il ne pouvait pas avoir été honnête avec lui-même. Il avait réussi à se mentir sur tout, se persuadant qu'il était quelqu'un alors qu'il n'était rien.

Ces terribles pensées fusaient dans sa tête comme des étincelles incohérentes, et l'endroit où il se trouvait à présent, face à ce village primitif, n'avait aucune importance. Le Lieutenant Dunbar oscillait sous l'emprise d'une morbide crise personnelle. Comme de la craie effacée sur un tableau d'un seul coup, son entrain l'avait subitement déserté. Quelque part au plus profond de lui-même, un interrupteur avait été poussé et l'enthousiasme du Lieutenant Dunbar s'était éteint.

Oubliant tout sauf le vide qu'il ressentait, le lieutenant malheureux grimpa sur Cisco, le fit pivoter et repartit par où il était venu en un trot rapide. Cela se produisit avec si peu d'éclat que les Comanches occupés par ailleurs ne réalisèrent pas qu'il s'en allait avant qu'il ait couvert une certaine distance.

Deux adolescents se lancèrent derrière lui mais furent arrêtés par les quelques hommes avisés qui entouraient Dix Ours. Ils étaient suffisamment sages pour savoir qu'une bonne action avait été accomplie, que le soldat blanc leur avait ramené une des leurs et qu'il n'y aurait rien à gagner en lui donnant la chasse.

4

La chevauchée du retour fut la plus longue et la plus
éprouvante que le Lieutenant Dunbar eût faite de toute
sa vie. Pendant plusieurs kilomètres il avança dans un
brouillard, son esprit rabâchant des milliers de pensées
négatives. Il résista à la tentation de pleurer comme on
résiste à la nausée, mais l'auto-apitoiement pesait sur lui
sans relâche, vague après vague, et finalement il abdi-
qua.

Il s'affaissa en avant, laissant tout d'abord ses épaules
se voûter, et ses larmes coulèrent sans bruit. Mais quand
il se mit à renifler les digues s'effondrèrent. Son visage
se tordit en une grimace grotesque et il commença à gémir comme un hystérique. Au milieu de ces premières
convulsions il abandonna la conduite à Cisco et, tandis
que les kilomètres s'accumulaient sans qu'il en ait conscience, il laissa son cœur s'épancher librement, sanglo-
tant aussi pitoyablement qu'un enfant inconsolable.

5

Il ne vit pas le fort. Quand Cisco s'immobilisa, le lieutenant leva les yeux et constata qu'ils s'étaient arrêtés devant ses quartiers. Toute force l'avait quitté, et pendant
quelques secondes tout ce qu'il put faire fut de rester assis dans un état comateux sur le dos de son cheval.
Quand il redressa enfin la tête, il vit Deux Bottes, installé
à sa place habituelle sur la butte de l'autre côté de la rivière. La vue du loup, assis patiemment, comme un chien
de chasse royal, son visage si doucement inquisiteur,
amena une nouvelle poussée de chagrin dans la gorge de
Dunbar. Mais il avait usé toutes ses larmes.

Il se laissa glisser à terre, débarrassa Cisco de son
mors, et entra en titubant. Laissant tomber la bride sur le

plancher, il s'abattit sur son grabat, tira une couverture sur sa tête et se roula en boule.

Épuisé comme il l'était, le lieutenant ne parvint pas à dormir. Pour quelque obscure raison il ne cessait de penser à Deux Bottes, attendant là si patiemment. Avec un effort surhumain, il se tira du lit, vacilla dans le crépuscule et scruta l'autre rive de la rivière.

Le vieux loup était toujours assis au même endroit, aussi le lieutenant se rendit-il, à demi endormi, jusqu'à l'entrepôt où il tailla un large morceau de bacon. Il porta la viande jusqu'à l'escarpement et, sous le regard attentif de Deux Bottes, le lança sur l'herbe près du sommet de la butte.

Puis, n'ayant plus en tête que le sommeil à chacun de ses pas, il jeta un peu de fourrage à Cisco et revint à ses quartiers. Comme un soldat se jetant au sol, il se laissa tomber sur le grabat, tira la couverture et cacha ses yeux.

Un visage de femme lui apparut, un visage issu du passé et qu'il connaissait bien. Il y avait un sourire timide sur ses lèvres et ses yeux brillaient d'une lueur qui ne peut venir que du cœur. En période de troubles, il avait toujours évoqué ce visage, et il était toujours venu le réconforter. Il y avait bien plus derrière ce visage, une longue histoire avec une fin malheureuse, mais le Lieutenant Dunbar n'alla pas jusque-là. Le visage et son merveilleux regard étaient tout ce dont il souhaitait se souvenir, et il s'y accrocha avec ténacité. Il l'utilisa comme une drogue. C'était le plus puissant analgésique qu'il connût. Il ne pensait pas souvent à cette femme, mais il gardait le visage avec lui, l'utilisant seulement quand il était près de toucher le fond.

Il resta immobile sur le lit, comme un fumeur d'opium, et finalement l'image qu'il conservait dans son esprit finit par faire effet. Il ronflait déjà quand Vénus apparut, entraînant derrière elle une longue parade d'étoiles dans le ciel infini de la prairie.

CHAPITRE XIV

1

Quelques minutes après le départ de l'homme blanc, Dix Ours convoqua un nouveau conseil. Contrairement aux récentes réunions, qui avaient commencé et s'étaient terminées dans la confusion, Dix Ours savait à présent exactement ce qu'il voulait faire. Il avait décidé d'un plan avant même que le dernier des hommes se soit assis dans sa tente.

Le soldat blanc avec du sang sur le visage avait ramené Celle Qui Se Dresse Avec Un Poing Fermé, et Dix Ours était convaincu que cette surprise était un heureux présage, un présage qu'il convenait de suivre. Le problème de la race blanche avait troublé ses pensées depuis trop longtemps. Pendant des années il n'avait rien vu de bon dans leur arrivée, bien qu'il le désirât ardemment. Aujourd'hui enfin il avait perçu quelque chose de bon, et à présent il était déterminé à ne pas laisser passer ce qu'il considérait comme une opportunité en or.

Le soldat blanc avait fait preuve d'une bravoure extrême en venant seul à leur camp. Et à l'évidence il ne l'avait fait que dans une seule intention... pas pour voler ou mentir ou se battre, mais pour rapporter ce qu'il avait trouvé, et qui leur appartenait. Ces histoires de dieu étaient probablement fausses, mais une chose était claire pour Dix Ours. Pour le bien de tous, il fallait se renseigner sur ce soldat. Un homme qui se comportait ainsi devait être haut placé chez les Blancs. Il était possible qu'il ait déjà un grand poids et une grande influence. Un homme comme celui-là était quelqu'un avec qui une entente pouvait être conclue. Et sans entente, la guerre et la souffrance étaient inévitables.

Dix Ours était donc encouragé. L'ouverture dont il avait été témoin cet après-midi, bien qu'il ne se soit agi que d'un événement isolé, lui apparaissait comme une lumière dans la nuit et, tandis que les hommes emplissaient la tente, il réfléchissait au meilleur moyen de mettre son plan à exécution.

Tout en écoutant les préliminaires, jetant à l'occasion un commentaire qui lui était propre, Dix Ours examinait mentalement une liste d'hommes sur qui l'on pût compter, essayant de décider qui conviendrait le mieux à son idée.

Ce ne fut pas avant l'arrivée d'Oiseau Frappeur, après qu'il eut été retenu par les soins à prodiguer à Celle Qui Se Dresse Avec Un Poing Fermé, que le vieil homme réalisa qu'il ne pouvait s'agir de l'action d'un seul. Il devait envoyer deux hommes. Une fois cela décidé, les individus furent rapidement trouvés. Il enverrait Oiseau Frappeur pour ses facultés d'observation et Vent Dans Les Cheveux pour sa nature agressive. Le caractère de chacun d'eux était représentatif de Dix Ours et de son peuple, et ils se complétaient à la perfection.

Dix Ours abrégea le conseil. Il ne voulait pas du genre de discussions traînant en longueur qui pourrait mener à l'indécision. Quand le moment fut venu, il fit un discours éloquent et brillamment raisonné, rappelant les nombreuses histoires traitant de la supériorité numérique et de la richesse des Blancs, spécialement en matière de fusils et de chevaux. Il conclut sur le fait que l'homme du fort était certainement un émissaire et que sa bonne action devrait susciter la discussion, pas le combat.

Il y eut un long silence à la fin de son discours. Tout le monde savait qu'il avait raison.

Puis Vent Dans Les Cheveux parla :

– Je ne pense pas qu'il soit bon pour toi d'aller voir cet homme blanc, dit-il. Ce n'est pas un dieu, ce n'est qu'un simple homme blanc qui a perdu son chemin.

Un léger scintillement brilla dans les yeux du vieil homme quand il répondit :

– Je n'irai pas. Mais des braves iront. Des hommes qui peuvent montrer ce qu'est un Comanche.

Là il s'arrêta, fermant les yeux dans le but d'obtenir un effet dramatique. Une minute passa, et certains pensèrent qu'il s'était peut-être endormi. Mais à la dernière seconde il les ouvrit suffisamment longtemps pour dire à Vent Dans Les Cheveux :

– Tu dois y aller. Toi et Oiseau Frappeur.

Puis il ferma à nouveau les yeux et s'assoupit, terminant le conseil juste au bon moment.

2

Le premier gros orage de la saison survint cette nuit-là, un front de deux kilomètres marchant au son creux du tonnerre et sous l'éclairage brillant d'éclairs fourchus. La pluie qu'il apporta s'abattit sur la prairie en grands rideaux roulants, chassant tout ce qui vivait vers les abris.

Il éveilla Celle Qui Se Dresse Avec Un Poing Fermé.

La pluie résonnait contre la paroi de peau de la tente comme le son assourdi d'un millier de fusils, et pendant quelques instants elle ne sut pas où elle se trouvait. Il y avait de la lumière, et elle se tourna lentement sur le côté pour voir le petit feu qui craquait toujours au centre de la tente. Ce faisant, une de ses mains glissa sur la blessure à sa cuisse et frôla accidentellement quelque chose d'étranger. Elle le toucha avec prudence et découvrit que sa jambe avait été recousue.

Alors, tout lui revint.

Elle jeta un regard endormi dans la tente, se demandant qui vivait là. Elle savait que ce n'était pas la sienne.

Sa bouche était sèche comme du coton, aussi glissat-elle une main hors des couvertures pour explorer du bout des doigts. Le premier objet qu'elle rencontra fut un petit bol à demi empli d'eau. Elle se dressa sur un coude, prit plusieurs gorgées et se rallongea.

Il y avait des choses qu'elle voulait savoir, mais penser était difficile pour le moment. Il faisait aussi chaud qu'en plein été sous la couverture. Les ombres du feu dansaient joyeusement au-dessus de sa tête, la pluie chantait sa puissante berceuse dans ses oreilles, et elle était très affaiblie.

Peut-être suis-je en train de mourir, songea-t-elle alors que ses paupières commençaient à s'abaisser, éteignant les dernières lueurs du feu. Ce n'est pas si mal, se dit-elle juste avant de sombrer dans le sommeil.

Mais Celle Qui Se Dresse Avec Un Poing Fermé n'était pas en train de mourir. Elle était en train de guérir, et ce qu'elle avait souffert, une fois rétablie, la rendrait plus forte que jamais.

Du mal, il sortirait du bien. En fait, le bien avait déjà commencé. Elle était étendue dans un bon endroit, un endroit qui deviendrait sa demeure pendant longtemps.

Elle se trouvait dans la tente d'Oiseau Frappeur.

3

Le Lieutenant Dunbar dormit comme une souche, n'ayant que vaguement conscience de l'impressionnant spectacle dans le ciel au-dessus de sa tête. La pluie s'abattit sur la petite cabane de torchis pendant des heures, mais il était bien au chaud dans son lit et tellement en sûreté sous la pile de couvertures de l'armée que la fin du monde aurait pu survenir et s'achever sans qu'il s'en rendît compte.

Il ne frémit pas une seule fois, et ce ne fut pas avant que le soleil se soit levé, longtemps après que l'orage fut passé, que le chant insouciant et tenace d'une alouette l'éveilla finalement. La pluie avait rafraîchi chaque centimètre carré de la prairie, et la douceur de son odeur lui chatouillait le nez avant qu'il ait pu ouvrir les yeux. Au premier clignement qu'il réalisa qu'il était étendu sur le dos, et quand ses paupières se soulevèrent, il regarda directement par-dessus ses orteils en direction de l'entrée du baraquement.

Il y eut un mouvement rapide quand quelque chose de bas et de poilu bondit loin de la porte. Le lieutenant s'assit et se frotta les yeux. Un instant plus tard les couvertures furent rejetées sur le côté et sur la pointe des pieds il alla d'une démarche peu assurée jusqu'à l'entrée. Demeurant à l'intérieur, il risqua un œil au-delà du chambranle.

Deux Bottes avait trotté jusqu'à sortir de sous l'auvent

et se tournait pour s'installer au soleil dans la cour. Il vit le lieutenant et se raidit. Ils s'observèrent mutuellement pendant quelques secondes. Puis le lieutenant se frotta les yeux pour en chasser le sommeil, et quand il laissa retomber ses mains, Deux Bottes s'étira sur le ventre, son museau reposant sur le sol entre ses pattes tendues, comme un chien fidèle attendant son maître.

Cisco hennit soudain d'un ton aigu dans le corral, et la tête du lieutenant pivota brusquement dans cette direction. Il saisit simultanément un mouvement vif du coin de l'œil et se retourna juste à temps pour voir Deux Bottes galoper hors de vue par-dessus la butte. Puis, comme ses yeux revenaient vers le corral, il les vit.

Ils étaient assis sur des poneys, à moins de cent mètres de lui. Il ne les compta pas, mais ils étaient huit.

Deux hommes vinrent soudain vers lui. Dunbar ne bougea pas, mais, contrairement aux précédentes rencontres, il garda sa position sans être tendu. C'était dû à la façon dont ils approchaient. Les têtes des poneys étaient penchées tandis qu'ils arrivaient d'un pas pesant, tranquilles comme des travailleurs rentrant chez eux après une longue journée sans éclat.

Le lieutenant était anxieux, mais son anxiété avait peu de rapport avec la vie ou la mort.

Il se demandait ce qu'il allait dire et comment il pourrait trouver le moyen de communiquer ses premiers mots.

4

Oiseau Frappeur et Vent Dans Les Cheveux se posaient exactement la même question. Le soldat blanc leur était plus étranger que tout ce qu'ils avaient rencontré jusqu'à présent, et aucun des deux ne savait comment tout cela allait finir. Voir que le sang maculait toujours le visage du soldat blanc ne les rassurait guère quant à la rencontre qui se préparait. Cela dit, chacun des deux hommes jouait un rôle différent. Vent Dans Les Cheveux allait comme un guerrier, un Comanche combattant. Oiseau

Frappeur était plutôt un négociateur. C'était un moment important dans sa vie, dans la vie du groupe et dans celle de la tribu. Pour Oiseau Frappeur un futur tout neuf s'ouvrait, et il s'installait dans l'histoire.

5

Quand ils furent suffisamment près pour que Dunbar distingue leurs visages, il reconnut immédiatement le guerrier qui lui avait pris la femme des bras. Il y avait quelque chose de familier chez l'autre également, mais il n'arrivait pas à le situer. Il n'en eut pas le temps.

Ils s'étaient arrêtés à quatre mètres de lui.

Ils paraissaient illuminés, ils resplendissaient dans l'étincelant soleil. Vent Dans Les Cheveux portait un pectoral en os, et un large disque de métal était pendu au cou d'Oiseau Frappeur. Ces choses brillaient sous la lumière. Il y avait même une lueur venant de leurs yeux, et la coiffure noire et lustrée de chacun chatoyait sous les reflets du soleil.

En dépit du fait qu'il venait juste de s'éveiller, il y avait un certain chatoiement chez le Lieutenant Dunbar également, bien qu'il fût plus subtil que celui de ses visiteurs.

Sa crise de conscience était passée, le laissant comme l'orage de la nuit précédente avait laissé la prairie : frais et plein de vigueur.

Le Lieutenant Dunbar s'inclina légèrement en une ébauche de courbette et porta la main au côté de son crâne en un salut lent et délibéré.

Un instant plus tard Oiseau Frappeur lui rendit son salut avec un étrange mouvement de la main, la faisant pivoter, du dos à la paume.

Le lieutenant ne savait pas ce que cela signifiait, mais il l'interpréta correctement comme un geste amical. Il regarda autour de lui comme pour s'assurer que l'endroit était toujours là, et dit :

– Bienvenue à Fort Sedgewick.

Le sens de ces mots était un mystère absolu pour Oiseau Frappeur, mais comme l'avait fait le Lieutenant Dunbar, il prit cela pour un signe de bienvenue.

– Nous sommes venus du camp de Dix Ours pour parler pacifiquement, dit-il.

Ce qui lui attira un regard d'incompréhension du lieutenant.

Étant donné qu'il était à présent établi qu'aucune des deux parties ne serait capable de parler la langue de l'autre, le silence tomba. Vent Dans Les Cheveux en profita pour étudier les détails de l'habitation de l'homme blanc. Il scruta longtemps l'auvent, qui commençait à présent à onduler sous la brise.

Oiseau Frappeur restait assis impassiblement sur son cheval tandis que les secondes s'égrenaient. Dunbar tapota du bout du pied sur le sol et se frotta le menton. Avec le temps qui passait il devenait nerveux, et sa nervosité lui rappela le café du matin qu'il n'avait pas pris et à quel point il avait envie d'en boire une tasse. Il voulait également une cigarette.

– Café ? demanda-t-il à Oiseau Frappeur.

L'homme-médecine pencha la tête avec curiosité.

– Café ? répéta le lieutenant.

Il referma sa main autour d'une tasse imaginaire et fit semblant de boire.

– Café ? demanda-t-il à nouveau. Boire ?

Oiseau Frappeur se contenta de regarder fixement le lieutenant. Vent Dans Les Cheveux posa une question et Oiseau Frappeur répondit. Puis ils regardèrent tous deux leur hôte. Après ce qui parut une éternité à Dunbar, Oiseau Frappeur hocha finalement la tête pour marquer son accord.

– Bien, bien, dit le lieutenant en tapotant le côté de son pantalon. Venez, alors.

Il leur fit signe de descendre de leurs chevaux et de le suivre sous l'auvent.

Les Comanches s'avancèrent avec prudence. Tout ce sur quoi tombaient leurs yeux avait un air de mystère, et le lieutenant avait quelque chose de grotesque, se trémoussant comme quelqu'un dont les invités sont arrivés avec une heure d'avance.

Il n'y avait pas de flammes dans la cheminée, mais par chance il avait rentré suffisamment de bois sec pour faire le café. Il s'accroupit près de la pile de petit bois et commença à préparer le feu.

– Asseyez-vous, dit-il. Je vous en prie.

Mais les Indiens ne comprenaient pas et il dut se répéter, mimant l'acte de s'asseoir tout en parlant.

Quand ils furent installés il se précipita à l'entrepôt et en revint tout aussi vite en portant un sac de cinq kilos de café, ainsi qu'un moulin. Une fois le feu bien parti, le Lieutenant Dunbar versa des grains dans le moulin et se mit à en tourner la manivelle.

Comme les grains commençaient à disparaître dans le cône du broyeur, il s'aperçut qu'Oiseau Frappeur et Vent Dans Les Cheveux se penchaient en avant avec curiosité. Il n'avait pas réalisé qu'un acte aussi ordinaire que de moudre du café pouvait prendre un aspect magique. Mais c'était de la magie pour eux. Aucun des deux n'avait jamais vu un moulin à café.

Le Lieutenant Dunbar était excité de se retrouver avec des gens après tout ce temps et désirait ardemment que ses invités restent un moment, aussi tira-t-il tout ce qu'il put de l'opération de broyage. S'arrêtant brusquement, il approcha la machine cinquante centimètres plus près des Indiens, leur donnant une vue claire du processus. Il tournait la manivelle lentement, leur laissant voir les grains qui descendaient. Quand il n'y en eut plus que quelques-uns il finit en beauté, tournant la manivelle avec une inspiration sauvage et théâtrale. Puis il s'arrêta avec l'effet dramatique d'un magicien, laissant à son audience le temps de réagir.

Oiseau Frappeur était intrigué par la machine elle-même. Il promena doucement ses doigts sur l'un des côtés de bois poli du moulin. Fidèle à lui-même, Vent Dans Les Cheveux trouva le mécanisme du moulin très à son goût. Il enfonça l'un de ses doigts longs et sombres dans l'entonnoir et toucha le petit trou au fond, espérant découvrir ce qu'il était advenu des grains.

Il était temps pour le finale, et Dunbar interrompit ces inspections en levant une main. Faisant tourner la machine, il saisit la base de la petite poignée entre ses doigts. Les Indiens penchèrent la tête, plus curieux que jamais.

Le plus tard possible et de la même façon qu'on pourrait dévoiler un joyau fabuleux, les yeux du Lieutenant Dunbar s'écarquillèrent, un large sourire se répandit sur son visage, et le tiroir sortit, empli de petits grains noirs et frais.

Les deux Comanches furent fortement impressionnés. Chacun prit une pincée de poudre pour la renifler. Puis ils restèrent assis tranquillement tandis que leur hôte suspendait son pot au-dessus du feu pour faire bouillir l'eau, attendant la suite.

Dunbar servit le café, tendant à chacun de ses invités une tasse noire fumante. Les hommes laissèrent l'arôme monter à leur visage et échangèrent des regards de connivence. Cela sentait comme du bon café, bien meilleur que celui qu'ils avaient volé aux Mexicains, quelques années plus tôt. Bien plus fort.

Dunbar regarda avec anxiété tandis qu'ils commençaient à boire et fut surpris quand ils firent la grimace. Quelque chose n'allait pas. Ils prononcèrent tous deux quelques mots en même temps, une question, apparemment.

Le lieutenant secoua la tête.

– Je ne comprends pas, dit-il en haussant les épaules.

Les Indiens tinrent un bref conciliabule qui ne déboucha sur rien. Puis Oiseau Frappeur eut une idée. Il ferma son poing, le tint au-dessus de la tasse et ouvrit la main, comme s'il laissait quelque chose tomber dans le café. Après quoi il fit semblant d'agiter ce qu'il avait lâché avec une brindille.

Le Lieutenant Dunbar dit des mots qu'il ne comprit pas et Oiseau Frappeur le vit bondir sur ses pieds et se rendre à la maison de terre mal construite, puis revenir avec un autre sac qu'il leur tendit.

Oiseau Frappeur regarda à l'intérieur, grognant quand il vit les cristaux bruns.

Le Lieutenant Dunbar vit un sourire apparaître fugitivement sur le visage de l'Indien et sut qu'il avait deviné. Ils voulaient du sucre.

Oiseau Frappeur se sentit encouragé par l'enthousiasme du soldat blanc. Il voulait parler, et, quand ils se présentèrent, Loo Ten Nant demanda plusieurs fois les noms, jusqu'à ce qu'il puisse les prononcer correctement. L'homme blanc avait l'air bizarre et il faisait des choses curieuses, mais il voulait écouter et semblait avoir d'énormes réserves d'énergie. Peut-être était-ce parce que lui-même penchait tant pour la paix qu'Oiseau Frappeur appréciait grandement la force de l'énergie chez les autres.

Il parlait plus que n'y était habitué Oiseau Frappeur. Quand il y repensait, il semblait que l'homme blanc n'avait pas cessé de parler.

Mais il était amusant. Il faisait d'étranges danses et d'étranges signes avec ses mains et son visage. Il avait même exécuté quelques imitations qui avaient fait rire Vent Dans Les Cheveux. Et ça, c'était difficile à obtenir.

En plus de son impression générale, Oiseau Frappeur découvrit d'autres choses. Loo Ten Nant ne pouvait pas être un dieu. Il était trop humain. Et il était seul. Personne d'autre ne vivait là. Mais il n'apprit pas pourquoi il était seul. Il n'apprit pas non plus si d'autres hommes blancs devaient venir et ce que pourraient être leurs plans. Oiseau Frappeur était anxieux de connaître les réponses à ces questions.

Vent Dans Les Cheveux était juste devant lui. Ils chevauchaient l'un derrière l'autre le long d'une piste entre les troncs des peupliers bordant la rivière. Il n'y avait que le bruit humide des sabots des poneys dans le sable mouillé, et il se demanda ce que pensait Vent Dans Les Cheveux. Ils n'avaient pas encore comparé leurs réflexions sur la rencontre. Cela l'inquiétait un peu.

Oiseau Frappeur n'avait pas à s'inquiéter, car Vent Dans Les Cheveux était favorablement impressionné. Cela en dépit du fait que tuer le soldat blanc lui était venu plusieurs fois à l'esprit. Il avait longtemps pensé que les hommes blancs n'étaient rien de plus que des démangeaisons inutiles, des coyotes se rassemblant autour de la viande. Mais à plus d'une reprise ce soldat blanc avait montré de la bravoure. Il était amical, également. Et il était drôle. Très drôle.

Oiseau Frappeur regarda les deux sacs, le café et le sucre, qui ballottaient contre les flancs de son cheval, et l'idée lui vint qu'en fait il aimait bien le soldat blanc. C'était une idée étrange et il lui fallait y réfléchir.

Et quand bien même ? se dit finalement l'homme-médecine.

Il entendit le son étouffé d'un rire. Cela semblait provenir de Vent Dans Les Cheveux. Il y eut de nouveau un rire fort et le sévère guerrier se tourna sur son poney, parlant par-dessus son épaule.

– C'était drôle, bredouilla-t-il, quand l'homme blanc est devenu un bison.

Sans attendre de réponse, il se retourna pour faire face à la piste. Mais Oiseau Frappeur voyait les épaules de Vent Dans Les Cheveux tressauter sous l'effet de gloussements contenus.

C'était drôle. Loo Ten Nant marchant sur les genoux, ses mains sur la tête pour imiter des cornes. Et cette couverture, cette couverture roulée sous sa chemise pour simuler une bosse.

Non, sourit intérieurement Oiseau Frappeur, il n'y a rien de plus étrange qu'un homme blanc.

7

Le Lieutenant Dunbar étala l'épaisse couverture sur son lit et s'en émerveilla.

Je n'ai jamais vu un bison, pensa-t-il avec fierté, et j'ai déjà une couverture en bison.

Puis il s'assit presque avec déférence au bord du lit, se laissa tomber sur le dos et promena ses mains sur la peau douce et épaisse. Il leva un des bords qui pendait dans le vide et inspecta le tannage. Il pressa son visage contre la fourrure et en savoura l'odeur sauvage.

Comme les choses changent vite ! Quelques heures auparavant, il avait été arraché de ses racines, et à présent il était à nouveau à flot.

Il fronça légèrement les sourcils. Certains de ses excès, cette histoire de bison par exemple, pouvaient être allés un peu loin. Et il paraissait avoir fait l'essentiel de la conversation, peut-être trop. Mais ces doutes n'étaient que mineurs. Tandis qu'il ruminait sur la grande couverture, il ne put s'empêcher d'être encouragé par sa première véritable rencontre.

Il aimait les deux Indiens. Il préférait celui aux manières douces et dignes. Il y avait quelque chose de fort en lui, quelque chose dans ses façons pacifiques et patientes qui était attirant. Il était calme mais viril. L'autre, celui au sang chaud qui lui avait pris la fille des bras, n'était certainement pas quelqu'un avec qui il fallait plaisanter. Mais il était fascinant.

Et la couverture. Ils la lui avaient donnée. La couverture, c'était vraiment quelque chose.

Le lieutenant évoqua d'autres souvenirs tout en se détendant sur son magnifique cadeau. Avec toutes ces pensées neuves volant dans sa tête il n'y avait ni la place ni le désir de réfléchir sur la véritable source de son euphorie. Il avait fait bon usage du temps qu'il avait passé seul et qu'il n'avait partagé qu'avec un cheval et un loup. Il avait fait du bon travail avec le fort. Tout cela plaidait en sa faveur. Mais l'attente et l'inquiétude lui avaient collé à la peau comme de la graisse dans un tuyau, et le poids de ce fardeau avait été considérable.

À présent il se sentait rasséréné, grâce à deux hommes primitifs dont il ne parlait pas la langue, dont il n'avait pas vu les semblables, qui lui étaient fondamentalement étrangers.

Sans le savoir ils lui avaient rendu un grand service en venant. Les racines de l'euphorie du Lieutenant Dunbar pouvaient se trouver dans sa délivrance. La délivrance de lui-même.

Il n'était plus seul.

CHAPITRE XV

1

17 mai 1863

Je n'ai rien écrit dans ce journal depuis de nombreux jours. Tant de choses sont arrivées que je ne sais par où commencer.

Les Indiens sont venus en visite à trois reprises et je ne doute pas qu'ils reviendront. Toujours les deux mêmes avec leur escorte de six ou sept autres guerriers. (Je suis surpris de voir que tous ces gens sont des guerriers. Je n'ai pas encore vu un homme jusqu'à présent qui n'en soit un.)

Nos rencontres ont été très amicales, bien que fortement entravées par la barrière de la langue. Ce que j'ai appris jusqu'à présent n'est que peu de chose comparé à ce que je pourrais savoir. Je ne sais toujours pas de quel type d'Indiens il s'agit mais je les soupçonne d'être des Comanches. Je crois avoir entendu un mot qui sonne comme Comanche à plus d'une reprise.

Je sais les noms de mes visiteurs mais ne puis encore les épeler. Je les trouve agréables et intéressants. Ils sont aussi différents que le jour et la nuit. L'un est excessivement fier et est sans aucun doute un chef parmi les guerriers. Son physique (qui est une chose qui mérite d'être vue) et son humeur morose et méfiante doivent en faire un combattant formidable. J'espère sincèrement ne jamais avoir à l'affronter, car si je devais en arriver là j'aurais beaucoup de mal à m'en sortir. Ce garçon, dont les yeux sont assez rapprochés mais qui mérite néanmoins le qualificatif de beau, convoite à l'évidence mon cheval et ne manque jamais une occasion d'engager la conversation sur Cisco.

123

Nous conversons par signes, une espèce de pantomime que les deux Indiens commencent à saisir. Mais c'est très lent, et la plus grande partie de notre terrain commun a été établie sur la base d'échecs plutôt que de succès dans la communication.

Le plus féroce met d'énormes quantités de sucre dans son café. Il ne faudra pas longtemps avant que le stock soit épuisé. Par chance, je ne prends pas de sucre. Ha ! Le féroce (ainsi que je l'appelle) mérite qu'on l'aime en dépit de ses manières taciturnes, un peu comme un dur des rues qui, par la vertu de ses prouesses physiques, inspire le respect. Ayant moi-même passé un certain temps dans les rues, je le respecte de cette façon.

Par-dessus tout, il a une honnêteté crue et une absence de dissimulation dans les intentions qui me plaisent.

C'est un type direct.

J'appelle l'autre le tranquille et je l'aime immensément. Contrairement au féroce, il est patient et curieux.

Je pense qu'il est aussi frustré que moi par les difficultés de la langue. Il m'a enseigné quelques mots de leur langage, et j'ai fait de même pour lui. Je connais les mots comanches pour tête, main, cheval, feu, café, maison et plusieurs autres, comme bonjour et au revoir. Je n'en sais pas encore suffisamment pour faire une phrase. Il faut longtemps avant de prononcer correctement les sons. Je ne doute pas que ce soit aussi difficile pour lui que ça l'est pour moi.

Le tranquille m'appelle Loo Ten Nant et pour quelque raison il n'utilise pas Dunbar. Je suis sûr qu'il ne s'agit pas d'un oubli (je le lui ai rappelé à plusieurs reprises), il doit donc y avoir une autre raison. En tout cas, ça a certainement un son distinct... Loo Ten Nant.

Il me paraît doté d'une intelligence de premier plan. Il écoute soigneusement et paraît tout remarquer. Chaque changement dans le vent, chaque cri d'oiseau est aussi susceptible d'attirer son attention que quelque chose de plus dramatique. Sans le langage j'en suis réduit à lire ses réactions avec mes sens, mais selon toute apparence il est favorablement disposé à mon égard.

Il y a eu un incident à ce sujet concernant Deux Bottes qui illustre parfaitement ce point. Il est survenu à la fin de leur dernière visite. Nous avions bu de grandes quantités de café et je venais juste de faire découvrir à mes invités les merveilles du bacon en tranches. Le tranquille remarqua soudain Deux Bottes sur la butte de l'autre côté de la rivière. Il dit quelques mots au féroce et tous deux regardèrent le loup. Anxieux de leur montrer que je connaissais Deux Bottes, je pris couteau et bacon en main et allai au bord de l'escarpement sur notre côté de la rivière.

Le féroce était occupé à sucrer son café et à goûter le bacon, et regarda depuis l'endroit où il était assis. Mais le tranquille se leva et me suivit. En général je laisse des restes pour Deux Bottes de mon côté de la rivière, mais après que j'eus coupé sa part, sans savoir pourquoi, je l'envoyai de l'autre côté du cours d'eau. Ce fut un bon jet, qui atterrit à moins de deux mètres de Deux Bottes. Il resta simplement assis là, malgré tout, et pendant un moment j'ai cru qu'il ne ferait rien. Mais que soit bénie la bonne âme de ce vieillard, il s'est levé et est venu renifler le bacon avant de le prendre. Je ne l'avais jamais vu prendre la viande auparavant, et je devinai une certaine fierté en lui tandis qu'il trottait pour s'éloigner avec son chargement.

Pour moi il s'agit d'un heureux événement, et rien de plus. Mais le tranquille semblait affecté plus que de raison par cette démonstration. Quand je me tournai vers lui, son visage semblait plus empreint de paix que jamais. Il hocha plusieurs fois la tête vers moi, puis avança pour venir poser la main sur mon épaule comme s'il approuvait.

De retour au feu il fit une série de signes que je fus finalement capable de comprendre comme une invitation à visiter sa demeure le lendemain. J'acceptai aussitôt, et ils partirent peu après.

Il serait impossible de raconter par le menu toutes mes impressions du camp comanche. Si tel était le cas j'écrirais pour l'éternité. Mais je vais essayer d'en donner un bref aperçu dans l'espoir que mes observations pourront se révéler utiles à l'avenir pour traiter avec ces gens.

Je fus accueilli à deux kilomètres de là par une petite délégation ayant le tranquille à sa tête. Nous nous rendîmes au village sans délai. Les gens avaient mis leurs plus beaux atours pour nous recevoir. La couleur et la beauté de ces costumes sont un spectacle étonnant. Ils étaient étrangement intimidés et, je dois l'avouer, je l'étais également. Quelques-uns des plus petits enfants quittèrent le groupe pour venir me taper sur les jambes avec leurs mains. Tous les autres demeurèrent en arrière.

Nous sommes descendus de cheval devant l'une de ces habitations coniques et il y eut un bref instant d'incertitude quand un garçon d'une douzaine d'années accourut pour emporter Cisco. Nous avons tiré la bride chacun de notre côté, mais le tranquille est intervenu. Une nouvelle fois il a placé une main sur mon épaule, et son regard me disait que je n'avais rien à craindre. J'ai laissé le garçon emmener Cisco. Il en parut très heureux.

Puis le tranquille me fit entrer dans sa demeure. L'endroit était sombre mais pas inhospitalier. Cela sentait la fumée et la viande. (Tout le village avait une odeur particulière, qui n'est pas dégoûtante. Je dirais que c'est l'odeur d'une vie sauvage.) Il y avait deux femmes et plusieurs enfants à l'intérieur. Le tranquille me fit signe de m'asseoir, et les femmes apportèrent de la nourriture dans des bols. Tout le monde disparut alors, nous laissant seuls.

Nous mangeâmes en silence pendant un moment. Je pensai à demander des nouvelles de la fille que j'avais trouvée dans la prairie. Je ne l'avais pas vue et j'ignorais si elle vivait encore. (Je l'ignore toujours.) Mais cela paraissait un sujet beaucoup trop compliqué étant donné nos limitations de langage, aussi avons-nous parlé du mieux possible de la nourriture (une espèce de viande douce que j'ai trouvée délicieuse).

Quand nous eûmes terminé je roulai une cigarette que je fumai tandis que le tranquille restait assis en face de moi. Son attention était constamment attirée vers l'entrée. J'étais persuadé que nous attendions quelqu'un ou quelque chose. Ma supposition était correcte, car il ne s'écoula pas longtemps avant que le rabat de peau s'ouvre et que deux Indiens apparaissent. Ils dirent quelques mots au tranquille et il se leva immédiatement, me faisant signe de le suivre.

Une foule considérable de badauds nous attendait à l'extérieur, et je fus pressé dans une bousculade humaine tandis que nous nous frayions un chemin entre plusieurs autres habitations avant de nous arrêter devant une qui était décorée d'un grand ours aux couleurs vives. Là je fus doucement poussé à l'intérieur par le tranquille.

126

Il y avait cinq hommes âgés assis en un semblant de cercle autour du foyer, mais mes yeux se portèrent immédiatement sur le plus vieux d'entre eux. C'était un homme puissamment bâti que je supposai avoir dépassé la soixantaine bien qu'il fût encore dans une condition physique remarquable. Sa chemise de cuir était ornée d'un entremêlement de perles d'une grande beauté, formant un dessin précis et coloré. Accrochée à un nœud de ses cheveux grisonnants se trouvait une énorme griffe que, d'après son apparence, je jugeai avoir appartenu jadis à un ours. Des cheveux pendaient à intervalles réguliers le long de ses manches de chemise, et je réalisai un moment plus tard qu'il devait s'agir de scalps. L'un d'eux était d'un brun clair. C'était troublant.

Mais le plus frappant de tout était son visage. Je n'en avais jamais vu de semblable. Ses yeux étaient d'un brillant qui ne pouvait être comparé qu'à la fièvre. Ses pommettes étaient extrêmement hautes et rondes, et son nez était courbé comme un bec. Son menton était très carré. Des lignes couraient en si grand nombre sur la peau de son visage que les appeler des rides ne paraît pas réellement convenir. Elles s'apparentaient plutôt à des crevasses. Un côté de son front portait une bosse distincte, probablement le résultat de quelque blessure récoltée dans une bataille ancienne.

Dans l'ensemble il formait une illustration frappante de la force et de la sagesse que confère l'âge. Mais malgré tout je ne me suis jamais senti menacé durant mon court séjour.

Il paraissait clair que j'étais la raison de cette conférence. J'étais certain d'avoir été amené dans le seul but de permettre au vieil homme de me voir de près.

Une pipe apparut et les hommes commencèrent à fumer. Elle avait un long tuyau, et pour autant que j'aie pu en juger, car je fus le seul à ne pas y avoir droit, le tabac était un mélange local particulièrement fort.

J'étais anxieux de produire une bonne impression, et ayant moi-même envie d'une cigarette, je sortis mon matériel et l'offris au vieillard. Le tranquille lui dit quelque chose, et le chef tendit une de ses mains noueuses pour prendre la blague et le papier. Il examina soigneusement mes affaires. Puis il me fixa de ses yeux à l'aspect cruel sous des paupières lourdes et me les restitua. Ne sachant pas si mon offre avait été acceptée, je roulai une cigarette malgré tout. Le vieil homme parut intéressé par ce que je faisais.

Je tendis la cigarette et il la prit. Le tranquille dit à nouveau quelque chose et le vieil homme me la rendit. Par signes, le tranquille me demanda de fumer et j'accédai à sa requête.

Tandis qu'ils regardaient tous, je l'allumai, j'inhalai et je soufflai la fumée. Avant que j'aie pu tirer une nouvelle bouffée, le vieux tendit la main. Je la lui donnai. Il la regarda tout d'abord avec une certaine méfiance, puis inhala comme je l'avais fait. Et comme je l'avais fait il exhala un flot de fumée. Puis il approcha la cigarette de son visage.

À mon grand désespoir, il commença à rouler rapidement ses doigts d'avant en arrière. La braise tomba et le tabac se répandit. Il fit une boule du papier vide et la jeta négligemment dans le feu.

Lentement, il se mit à sourire, et très vite tous les hommes autour du feu rirent.

Peut-être avais-je été insulté, mais leur bonne humeur était telle que je fus emporté par sa contagion.

Après cela on me reconduisit à mon cheval et on m'escorta sur près de deux kilomètres à l'extérieur du village, où le tranquille me dit rapidement au revoir.

Voilà l'essentiel de ma première visite au campement indien. Je ne sais pas ce qu'ils pensent à présent.

Ce fut bon de revoir Fort Sedgewick. C'est chez moi. Et pourtant, j'attends avec impatience une autre visite chez mes « voisins ».

Quand je regarde l'horizon à l'est, je manque rarement de me demander si une colonne peut se trouver là. Je ne peux qu'espérer que ma veille ici et mes « négociations » avec le peuple sauvage des plaines porteront leurs fruits avec le temps.

Lt. John J. Dunbar, USA.

CHAPITRE XVI

1

Quelques heures après la première visite du Lieutenant Dunbar au village, Oiseau Frappeur et Dix Ours tinrent un conciliabule de haut niveau. Il fut bref et précis.

Le Lieutenant Dunbar plaisait à Dix Ours. Ce dernier aimait son regard, et Dix Ours accordait une grande valeur à ce qu'il voyait dans les yeux d'une personne. Il aimait également les manières du lieutenant. Il était humble et courtois, et Dix Ours pensait qu'il s'agissait de traits de caractère d'une importance considérable. L'histoire de la cigarette était amusante. Que quelqu'un puisse produire de la fumée avec une chose ayant aussi peu de substance défiait la logique, mais il n'en voulait pas pour autant au Lieutenant Dunbar et reconnaissait avec Oiseau Frappeur que, comme source d'information, l'homme blanc méritait d'être connu.

Le vieux chef approuva tacitement l'idée d'Oiseau Frappeur selon laquelle il fallait briser la barrière de la langue. Mais il y avait des conditions. Oiseau Frappeur devrait organiser ses actions de façon non officielle. Loo Ten Nant serait sous sa responsabilité, et sous la sienne uniquement. Il courait déjà des bruits selon lesquels l'homme blanc pourrait être la cause d'une façon ou d'une autre du manque de gibier. Personne ne savait comment les gens réagiraient en face de lui s'il effectuait des visites répétées au village. Ils pourraient se retourner contre lui. Il était tout à fait possible que quelqu'un le tuât.

Oiseau Frappeur accepta les conditions, assurant Dix Ours qu'il ferait tout ce qui était en son pouvoir pour que le plan s'accomplisse sans remous.

Cela établi, ils passèrent à un sujet bien plus important.

Les bisons auraient dû être là depuis longtemps.

Des éclaireurs avaient été envoyés dans toutes les directions depuis plusieurs jours, mais jusqu'à présent ils n'en avaient vu qu'un seul. C'était un vieux mâle solitaire dont une importante horde de loups se disputait la carcasse. Elle avait à peine mérité d'être rapportée.

Le moral du groupe diminuait avec ses maigres réserves de nourriture, et il ne s'écoulerait pas beaucoup de jours avant que la pénurie devînt critique. Ils avaient vécu sur la viande des cerfs que l'on trouvait dans la région, mais cette source se tarissait rapidement. Si les bisons ne venaient pas bientôt, les promesses d'un été abondant seraient brisées par le bruit des enfants en pleurs.

Les deux hommes décidèrent qu'en plus de l'envoi d'éclaireurs supplémentaires, il convenait d'organiser rapidement une danse. Elle devrait avoir lieu dans moins d'une semaine.

Oiseau Frappeur aurait la direction des préparatifs.

2

Ce fut une étrange semaine, une semaine pendant laquelle le temps se brouilla pour l'homme-médecine. Quand il avait besoin de temps, les heures volaient, et quand il aurait voulu que le temps passe vite, celui-ci rampait, minute après minute. Essayer de tout coordonner était un véritable combat.

Il y avait des myriades de détails importants à prendre en considération pour organiser la danse. Ce devait être une invocation, extrêmement sacrée, et toute la tribu y participerait. L'organisation et la délégation de responsabilités diverses pour un événement de cette taille étaient un travail à temps complet.

De plus, il y avait les devoirs courants incombant à un époux ayant deux femmes, un père de quatre enfants et un guide pour sa nouvelle fille adoptive. À cela il fallait ajouter les problèmes habituels et les surprises qui surgissaient chaque jour : visites aux malades, discussions impromptues avec des visiteurs inattendus, et la préparation de ses remèdes.

Oiseau Frappeur était le plus occupé des hommes.

Et il y avait autre chose, quelque chose qui se rappelait constamment à son attention. Comme une migraine diffuse mais persistante. Le Lieutenant Dunbar lui restait en tête en permanence. Entortillé comme il l'était dans le présent, Loo Ten Nant représentait le futur, et Oiseau Frappeur ne pouvait résister à son appel. Le présent et le futur occupaient le même espace dans la journée de l'homme-médecine. C'était une période chargée.

Avoir Celle Qui Se Dresse Avec Un Poing Fermé dans les parages ne lui facilitait pas la vie. Elle était la clé de ses plans, et Oiseau Frappeur ne pouvait la regarder sans penser à Loo Ten Nant, ce qui l'envoyait inévitablement errer sur les pistes des spéculations. Mais il devait garder un œil sur elle. Il était important d'aborder le sujet au bon moment et au bon endroit.

Elle guérissait vite, se déplaçait sans problème à présent, et s'était adaptée au rythme de la vie sous sa tente. Déjà adorée par les enfants, elle travaillait aussi longtemps et aussi durement que n'importe qui dans le camp. Quand elle était seule, elle se repliait sur elle-même, mais c'était compréhensible. En fait, cela avait toujours été dans sa nature.

Quelquefois, après l'avoir observée un moment, Oiseau Frappeur poussait un soupir de lassitude. Alors il abordait timidement des questions, dont la principale était de savoir si Celle Qui Se Dresse Avec Un Poing Fermé faisait ou non réellement partie de la tribu. Mais il ne pouvait prétendre avoir une réponse à cette question, et une réponse ne l'aurait pas aidé de toute façon. Il n'y avait que deux choses qui importaient. Elle était là, et il avait besoin d'elle.

Le jour de la danse, il n'avait toujours pas trouvé l'occasion de lui parler. Ce matin-là il s'éveilla en comprenant que lui, Oiseau Frappeur, devrait mettre son plan en application s'il voulait qu'il se réalise un jour.

Il envoya trois jeunes hommes à Fort Sedgewick. Il

était trop occupé pour y aller lui-même, et en leur absence il trouverait un moyen de parler à Celle Qui Se Dresse Avec Un Poing Fermé.

L'occasion se présenta à lui quand toute sa famille partit en expédition à la rivière en milieu de matinée, laissant Celle Qui Se Dresse Avec Un Poing Fermé dépouiller une biche fraîchement tuée.

Oiseau Frappeur l'observa de l'intérieur de la tente. Elle ne relevait pas les yeux tandis que le couteau voletait dans sa main, pelant la fourrure avec une aisance comparable à celle avec laquelle la viande fraîche se détache de l'os. Il attendit qu'elle s'interrompe, prenant quelques instants pour regarder un groupe d'enfants qui jouaient à chat devant une tente de l'autre côté de l'allée.

– Celle Qui Se Dresse Avec Un Poing Fermé, dit-il doucement en se penchant par l'entrée de la tente.

Elle le dévisagea de ses grands yeux mais ne dit rien.

– Je dois te parler, dit-il en disparaissant dans l'obscurité de la tente.

Elle le suivit.

3

À l'intérieur, l'atmosphère était tendue. Oiseau Frappeur allait dire des choses qu'elle ne voulait probablement pas entendre, et cela le rendait mal à l'aise.

Tandis qu'elle se tenait devant lui, Celle Qui Se Dresse Avec Un Poing Fermé ressentit le genre de pressentiment que l'on éprouve avant d'être interrogé. Elle n'avait rien fait de mal, mais elle vivait au jour le jour. Elle ne savait pas ce qui allait lui arriver ensuite, et, depuis la mort de son mari, elle n'avait pas eu le cœur à relever les défis. Elle trouvait une certaine consolation chez l'homme qui lui faisait face. Il était respecté de tous et l'avait accueillie chez lui comme si elle faisait partie de sa famille. S'il y avait quelqu'un en qui elle pouvait avoir confiance, c'était bien Oiseau Frappeur.

Mais il paraissait nerveux.

– Assieds-toi, dit-il, et ils se laissèrent tous deux tomber sur le sol.

– Comment va ta blessure ? commença-t-il.

– Elle guérit, répondit-elle.

Les yeux de la jeune femme rencontrèrent à peine les siens.

– La douleur est partie ?

– Oui.

– Tu as retrouvé ta force.

– Je suis plus forte à présent. Je travaille bien.

Elle joua avec un peu de terre à ses pieds, la rassemblant en un petit tas tandis qu'Oiseau Frappeur essayait de trouver les mots appropriés. Il n'aimait pas se précipiter, mais il ne désirait pas non plus être interrompu, et quelqu'un pouvait arriver à n'importe quel moment.

Elle le regarda soudain, et Oiseau Frappeur fut surpris par la tristesse sur son visage.

– Tu n'es pas heureuse ici, dit-il.

– Non.

Elle secoua la tête.

– Je suis reconnaissante.

Elle joua avec la terre sans entrain, l'effleurant du bout des doigts.

– Je suis triste sans mon époux.

Oiseau Frappeur réfléchit un moment, et elle entreprit d'assembler un nouveau monticule de terre.

– Il est parti à présent, dit l'homme-médecine, mais pas toi. Le temps avance et tu avances avec lui, même si tu le fais sans être heureuse. Des choses vont se produire.

– Oui, dit-elle en faisant la moue. Mais je ne suis pas intéressée par ce qui va se produire.

De sa place face à l'entrée Oiseau Frappeur vit plusieurs ombres passer devant le rabat de la tente avant de s'éloigner.

– Les Blancs arrivent, dit-il soudain. Ils seront de plus en plus nombreux à venir chaque année sur nos terres.

Un frisson parcourut la colonne vertébrale de Celle Qui Se Dresse Avec Un Poing Fermé. Il se répandit sur ses épaules. Ses yeux se durcirent et ses mains se replièrent involontairement pour former des poings.

– Je n'irai pas avec eux, dit-elle.

Oiseau Frappeur sourit.

– Non, dit-il, tu n'iras pas. Il n'y a pas un guerrier parmi nous qui ne se battrait pour t'empêcher de partir.

Entendant ces mots de réconfort, la femme aux cheveux couleur de cerise sombre se pencha légèrement en avant, curieuse à présent.

– Mais ils viendront, continua-t-il. Ils forment une race étrange par leurs habitudes et leurs croyances. Il est difficile de dire ce que nous devons faire. On prétend qu'ils sont nombreux, et cela me trouble. S'ils arrivent comme une inondation, nous devrons les arrêter. Alors nous perdrons beaucoup de nos braves, des braves comme ton époux. Il y aura beaucoup d'autres veuves aux visages longs.

Tandis qu'Oiseau Frappeur se rapprochait de son sujet, Celle Qui Se Dresse Avec Un Poing Fermé baissa la tête, pesant les mots.

– Cet homme blanc, celui qui t'a ramenée. Je l'ai vu. Je suis allé à sa demeure au bas de la rivière et j'ai bu son café et j'ai parlé avec lui. Il est étrange à sa façon. Mais je l'ai observé et je crois que son cœur est bon...

Elle leva la tête et jeta un bref regard à Oiseau Frappeur.

– Cet homme blanc est un soldat. Il s'agit peut-être d'une personne influente parmi les Blancs...

Oiseau Frappeur s'interrompit. Un moineau avait pénétré par l'entrée de la tente et voletait à l'intérieur. Sachant qu'il s'était pris au piège, l'oisillon battait frénétiquement des ailes en rebondissant d'une peau à l'autre. Oiseau Frappeur observa le moineau qui grimpait pour se rapprocher du trou d'évacuation de la fumée et disparaissait soudain vers la liberté.

Il regarda alors Celle Qui Se Dresse Avec Un Poing Fermé. Elle avait ignoré l'intrusion et fixait ses mains nouées sur ses cuisses. L'homme-médecine réfléchit, essayant de reprendre le fil de son monologue. Avant qu'il puisse commencer, cependant, il entendit à nouveau le léger ronflement de petites ailes.

Levant la tête, il aperçut le moineau, qui planait juste à l'intérieur de la cheminée. Il suivit son vol et le vit plonger délibérément vers le sol puis se redresser en une courbe gracieuse pour se poser doucement sur la tête couleur de cerise. La jeune femme ne bougea pas, et l'oiseau se mit à lisser ses plumes, aussi à l'aise que s'il s'était trouvé dans les branches d'un grand arbre. Elle passa une main distraite sur sa tête et, comme un enfant sautant à la corde, le moineau bondit de trente centimètres, plana tandis que la main glissait sous ses pattes, et se posa à nouveau. Celle Qui Se Dresse Avec Un Poing Fermé resta assise sans plus s'en occuper alors que le minuscule visiteur hérissait ses plumes, gonflait la poitrine et partait comme une flèche, filant droit sur l'entrée. Il eut disparu en un clignement d'yeux.

Avec le temps Oiseau Frappeur tirerait certaines conclusions à propos de l'importance et de la signification de l'arrivée du moineau et du rôle de Celle Qui Se Dresse Avec Un Poing Fermé dans sa démonstration. Il n'avait pas le temps d'aller marcher pour y réfléchir, mais malgré tout Oiseau Frappeur se sentit rassuré par ce qu'il avait vu.

Avant qu'il puisse parler à nouveau, elle redressa la tête.

– Qu'attends-tu de moi ? demanda-t-elle.

– Je veux entendre les mots du soldat, mais mes oreilles ne peuvent pas les comprendre.

À présent c'était fait. Le visage de Celle Qui Se Dresse Avec Un Poing Fermé s'abaissa.

– J'ai peur de lui, dit-elle.

– Une centaine de soldats blancs venant sur une centaine de chevaux avec une centaine de fusils... voilà quelque chose que l'on peut craindre. Mais il ne s'agit que d'un seul homme. Nous sommes nombreux et ceci est notre terre.

Elle savait qu'il avait raison, mais cela ne la rassurait pas pour autant.

– Je ne me souviens pas de la langue des Blancs, dit-elle sans entrain. Je suis une Comanche.

Oiseau Frappeur hocha la tête.

– Oui, tu es une Comanche. Je ne te demande pas de devenir autre chose. Je te demande de placer tes craintes de côté et ton peuple en avant. Rencontre l'homme blanc. Essaie de retrouver la langue des Blancs avec lui, et quand tu l'auras fait, nous trois nous parlerons et cela servira à tous. J'ai réfléchi à cela pendant longtemps.

Il plongea dans le silence et la tente tout entière fut tranquille.

Elle regarda autour d'elle, laissant ses yeux se poser çà et là, comme s'il devait s'écouler un long moment avant qu'elle revoie cet endroit. Elle n'allait nulle part, mais dans son esprit Celle Qui Se Dresse Avec Un Poing Fermé faisait un autre pas vers l'abandon de cette vie qu'elle aimait tant.

– Quand le verrai-je ? demanda-t-elle.

L'immobilité emplit à nouveau la tente.

Oiseau Frappeur se remit sur pied.

– Va dans un endroit tranquille, lui conseilla-t-il, à l'écart du camp. Assieds-toi un moment et essaie de repenser aux mots de ton ancienne langue.

Elle avait le menton penché sur sa poitrine quand il la reconduisit à l'entrée.

– Oublie tes craintes et ce sera une bonne chose, dit-il tandis qu'elle se courbait pour sortir.

Il ne savait pas si elle avait entendu ce dernier avis. Elle ne s'était pas retournée vers lui, et à présent elle s'éloignait.

4

Celle Qui Se Dresse Avec Un Poing Fermé fit ce qu'on lui avait demandé.

Une cruche vide appuyée sur la hanche, elle descendit la voie principale menant à la rivière. Il était presque midi, et le trafic matinal, porteurs d'eau, chevaux, femmes ayant du linge à laver et enfants rayonnants, s'était réduit. Elle avançait lentement, regardant de chaque côté de la piste en quête d'un chemin rarement emprunté qui la conduirait à un endroit solitaire. Son cœur s'accéléra quand elle découvrit un sentier perdu sous la végétation qui s'écartait de la voie principale pour s'enfoncer entre les trouées à une centaine de mètres de la rivière.

Il n'y avait personne, mais elle écouta soigneusement, au cas où quelqu'un serait venu. N'entendant rien, elle dissimula la cruche encombrante sous un buisson et se glissa sous l'épaisse végétation recouvrant l'ancien sentier au moment même où des voix s'élevaient au bord de l'eau.

Elle se précipita dans l'enchevêtrement dissimulant la piste et fut soulagée quand, après seulement quelques mètres, celle-ci s'évasa en un véritable chemin. À présent elle se déplaçait facilement, et les voix sur l'allée principale s'éteignirent rapidement.

La matinée était belle. Une légère brise courbait les saules comme des danseurs se balançant, les morceaux de ciel au-dessus d'elle étaient d'un bleu lumineux, et les seuls sons étaient ceux d'un lapin ou d'un lézard occasionnels, effrayés par le bruit de ses pas. C'était une journée faite pour se réjouir, mais il n'y avait nulle joie dans le cœur de Celle Qui Se Dresse Avec Un Poing Fermé. Il était marbré de longues veines d'amertume, et, ralentissant son allure, la fille blanche des Comanches s'abandonna à la haine.

Une partie était dirigée contre le soldat blanc. Elle le haïssait d'être venu dans leur pays, d'être un soldat, d'être né. Elle haïssait aussi Oiseau Frappeur pour lui avoir demandé de faire ça et pour avoir su qu'elle ne pouvait pas le lui refuser. Enfin, elle haïssait le Grand Esprit pour être si cruel. Le Grand Esprit lui avait brisé le cœur. Mais ce n'était pas assez que de tuer le cœur de quelqu'un.

Pourquoi continues-tu de me faire souffrir? demanda-t-elle. Je suis déjà morte.

Graduellement, sa tête commença à se refroidir. Mais son amertume ne diminua pas; elle durcit jusqu'à devenir quelque chose de glacé et de fragile.

«Retrouve ta langue des Blancs. Retrouve ta langue des Blancs.»

Il lui vint à l'esprit qu'elle était lasse d'être une victime, et cela la mit en colère.

Tu veux la langue des Blancs, pensa-t-elle en comanche. Tu vois quelque valeur en moi pour ça? Je la trouverai, alors. Et si pour cela je dois devenir quelqu'un qui n'existe pas, je serai la plus grande de celles qui n'existent pas. Je serai quelqu'un qui n'existe pas dont on se souviendra.

Tandis que ses mocassins raclaient doucement le sol moucheté d'herbe du sentier, elle se mit à réfléchir au passé, essayant de trouver un endroit d'où partir, un endroit où elle pourrait commencer à se souvenir des mots.

Mais tout était vide. Peu importait à quel point elle se concentrait, rien ne lui venait à l'esprit, et pendant plusieurs minutes elle souffrit de la terrible frustration d'avoir un langage complet sur le bout de la langue. Au lieu de se lever, la brume de son passé s'était refermée comme un brouillard.

Elle était épuisée quand elle atteignit une petite clairière s'ouvrant sur la rivière à près de deux kilomètres en amont du village. C'était un endroit d'une rare beauté, un porche luxuriant ombragé par des peupliers resplendissants et clos de trois côtés par des écrans naturels. La rivière était large et peu profonde, marquée de bancs de sable que couronnaient des roseaux. Dans le passé elle aurait été ravie de découvrir un tel endroit. Celle Qui Se Dresse Avec Un Poing Fermé avait toujours aimé la beauté.

Mais aujourd'hui, elle la remarqua à peine. Ne voulant que se reposer, elle s'assit lourdement devant un peuplier contre le tronc duquel elle s'appuya. Elle croisa les jambes à l'indienne et remonta les genoux pour laisser l'air frais de la rivière jouer autour de ses cuisses. Finalement elle ferma les yeux et décida de se souvenir.

Mais elle n'y parvenait toujours pas. Celle Qui Se Dresse Avec Un Poing Fermé serra les dents. Elle leva les mains et appuya ses paumes sur ses yeux fatigués.

Ce fut en les frottant que l'image survint.

Cela la frappa comme un brillant éclaboussement de couleurs.

5

Des images lui étaient venues l'été précédent, quand on avait découvert que des soldats blancs se trouvaient à proximité. Un matin, alors qu'elle était encore couchée, sa poupée était apparue sur la paroi. Au milieu d'une danse elle avait vu sa mère. Mais les deux images étaient floues.

Celles qu'elle voyait à présent étaient vivantes et bougeaient comme dans un rêve. C'était le langage des Blancs tout au long. Et elle comprenait chaque mot.

Ce qui apparut en premier la surprit par sa clarté. C'était la bordure déchirée d'une robe en coton bleu. Il y avait une main sur la bordure, jouant avec la frange. Derrière l'écran de ses yeux fermés, l'image s'élargit. La main appartenait à une fillette d'une dizaine d'années. Elle était debout dans une pièce au sol de terre battue, meublée seulement d'un petit lit à l'aspect inconfortable, un bouquet encadré accroché près de l'unique fenêtre, et une commode au-dessus de laquelle était pendu un miroir largement ébréché sur un bord.

La fillette ne regardait pas dans sa direction, son visage que l'on ne voyait pas était penché vers la main qui tenait l'ourlet déchiré.

Pour procéder à l'inspection, la robe avait été relevée suffisamment haut pour exposer les jambes courtes et maigres de la fillette.

Une voix de femme appela soudain de l'extérieur de la pièce.

– Christine...

La tête de la fillette pivota et, dans un brusque accès de compréhension, Celle Qui Se Dresse Avec Un Poing Fermé reconnut la personne qu'elle était autrefois. Son ancien visage écouta, puis son ancienne bouche prononça les mots : « J'arrive, mère. »

Celle Qui Se Dresse Avec Un Poing Fermé ouvrit alors les yeux. Elle était effrayée par ce qu'elle avait vu mais, comme un enfant fasciné par l'histoire qu'on lui raconte, elle en voulait encore.

Elle ferma à nouveau les yeux et depuis la branche d'un chêne s'ouvrit une scène à travers une masse de feuillage bruissant. Une longue maison de torchis, ombragée par une paire de peupliers, était construite sur la rive d'un cours d'eau. Une table grossière en planches se trouvait devant la maison. Et assis à la table il y avait quatre adultes, deux hommes et deux femmes. Tous quatre bavardaient, et Celle Qui Se Dresse Avec Un Poing Fermé comprenait chaque mot.

Trois enfants jouaient à colin-maillard plus loin dans le champ, et les femmes gardaient un œil sur eux tout en parlant de la fièvre dont venait récemment de sortir le plus jeune.

Les hommes fumaient la pipe. Sur la table étaient éparpillés les reliefs d'un repas de dimanche après-midi ; un saladier de pommes de terre bouillies, plusieurs plats de légumes verts, une pile de noisettes décortiquées, une carcasse de dindon et une cruche de lait à moitié pleine. Les hommes évoquaient la probabilité d'une pluie prochaine.

Elle reconnut l'un d'eux. Il était grand et mince. Ses joues étaient creuses et ses pommettes hautes. Ses cheveux étaient coiffés en arrière. Une courte barbe drue s'accrochait à sa mâchoire. C'était son père.

Plus haut elle distinguait les formes de deux personnes allongées dans les hautes herbes poussant sur le toit de la maison. Tout d'abord elle ne sut pas de qui il s'agissait, mais soudain elle fut plus proche et put les voir clairement.

Elle se trouvait avec un garçon de son âge. Il s'appelait Willy. Il était maigre et pâle. Allongés côte à côte sur le dos, ils se tenaient la main en regardant une ligne de grands nuages s'étirer à travers un ciel spectaculaire.

Ils parlaient du jour où ils se marieraient.

– Je préférerais qu'il n'y ait personne, dit Christine d'un ton rêveur. J'aimerais que tu viennes à ma fenêtre une nuit et que tu m'enlèves.

Elle lui pressa la main, mais Willy ne lui retourna pas sa pression. Il contemplait les nuages avec intensité.

– Je ne suis pas trop sûr de ça, dit-il.

– Comment ça, pas sûr ?

– On pourrait avoir des ennuis.

– De la part de qui ? demanda-t-elle avec impatience.

– De nos parents.

Christine tourna le visage vers lui et sourit en voyant son inquiétude.

– Mais nous serions mariés. Ce serait à nous de nous occuper de nos propres affaires, pas à quelqu'un d'autre.

– Je suppose, dit-il, les sourcils toujours froncés.

Il n'ajouta rien, et Christine se remit à admirer le ciel avec lui.

Finalement le garçon soupira. Il l'observa du coin de l'œil, et elle fit de même.

– Je pense que peu importent les problèmes que ça peut soulever, tant qu'on est mariés, dit-il.

– Moi aussi, répondit-elle.

Sans s'être enlacés, leurs visages furent soudain plus proches, leurs lèvres prêtes à un baiser. Christine changea d'avis au dernier moment.

– On ne peut pas, murmura-t-elle.

Le regard du garçon se voila.

– Ils vont nous voir, chuchota-t-elle à nouveau. Filons.

Willy souriait en la voyant glisser un peu plus bas le long de la pente arrière du toit. Avant de la suivre il jeta un regard sur les personnes qui se trouvaient dans la cour en dessous.

Des Indiens arrivaient de la prairie. Ils étaient une douzaine, tous à cheval. Leurs cheveux étaient coupés en brosse et leurs visages peints en noir.

– Christine, souffla-t-il en l'agrippant.

Ils se rapprochèrent du bord du toit en rampant pour avoir la meilleure vue possible. Willy prit sa petite carabine tandis qu'ils se démontaient le cou.

Les femmes et les enfants devaient déjà être rentrés, parce que son père et son ami étaient seuls dehors. Trois Indiens avaient fait tout le chemin. Les autres attendaient à distance respectueuse.

Le père de Christine commença à converser par signes avec l'un des trois émissaires, un grand Pawnee avec une expression contrariée sur le visage. Elle vit tout de suite que la discussion n'était pas facile. L'Indien faisait continuellement des gestes en direction de la maison, simulant l'acte de boire. Le père de Christine ne cessait de secouer négativement la tête.

Des Indiens étaient déjà venus auparavant, et le père de Christine avait toujours partagé ce qu'il avait à sa disposition. Ces Pawnees voulaient quelque chose qu'il n'avait pas... ou dont il ne voulait pas se séparer.

– Ils ont l'air en colère... Peut-être qu'ils veulent du whisky ?

C'était possible. Son père n'approuvait pas les boissons fortes, sous quelque forme que ce soit. Il était visible qu'il perdait patience. Et la patience était pourtant l'un de ses traits caractéristiques.

Il fit signe aux Indiens de partir, mais ils ne bougèrent pas. Alors il leva brusquement les bras en l'air, et les poneys bronchèrent. Les Indiens ne bougèrent toujours pas, et à présent tous les trois étaient menaçants.

Le père de Christine dit quelque chose à son ami et, tournant le dos, ils repartirent vers la maison.

Personne n'eut le temps de crier un avertissement. La hachette du grand Pawnee décrivit un arc de cercle descendant avant que le père de Christine eût fini de se tourner. Elle s'enfonça profondément dans son épaule, sur toute la longueur de la lame. Il grogna comme s'il avait eu le souffle coupé et bondit de côté dans la cour. À peine avait-il fait quelques pas que le grand Pawnee était sur lui, le tailladant furieusement et le faisant tomber au sol.

L'autre homme blanc essaya de courir, mais des flèches sifflantes le plaquèrent au sol avant qu'il soit arrivé à mi-chemin de la porte de la cabane de torchis.

Des sons terribles noyèrent les oreilles de Christine. Des cris de désespoir venant de l'intérieur de la maison, et les Indiens qui étaient restés en arrière ululaient comme des fous en se lançant au galop. Quelqu'un lui hurlait au visage. C'était Willy.

– Cours, Christine... cours !

Willy lui planta une de ses bottes dans le dos et l'envoya rouler jusqu'à l'endroit où le toit s'achevait et où la prairie commençait. Elle regarda en arrière et vit le garçon décharné qui se tenait debout au bord du toit, son petit fusil pointé sur la cour. Willy tira, et pendant un instant il resta immobile. Puis il fit pivoter l'arme, la tint comme une massue, sauta doucement dans le vide et disparut.

Elle courut alors, folle de terreur, ses jambes maigres de quatorze ans remuant la terre détrempée de la rive derrière la maison comme les pattes d'un animal affolé.

Elle avait la lumière oblique du soleil dans les yeux et tomba à plusieurs reprises, s'écorchant la peau des genoux. Mais elle fut debout en un éclair à chaque fois, la peur de mourir la poussant au-delà de la douleur. Si un mur de brique s'était soudain dressé sur la rive, elle aurait couru droit dedans.

Elle savait qu'elle ne pourrait conserver cette allure et, même si elle l'avait pu, ils viendraient à cheval; aussi, quand la rive commença à s'incurver et que ses flancs se firent plus élevés, chercha-t-elle un endroit où se dissimuler.

Sa quête frénétique n'avait rien donné et la douleur dans ses poumons commençait à la poignarder quand elle découvrit une brèche sombre partiellement cachée par une épaisse touffe d'herbe à mi-pente sur sa gauche.

Grognant et pleurant, elle escalada la rive caillouteuse et, comme une souris plongeant dans son trou, se jeta dans la faille. Sa tête passait, mais pas ses épaules. L'ouverture était trop petite. Elle se dégagea sur les genoux et en frappa les bords de ses poings fermés. La terre était molle. Elle commença à s'écrouler. Christine creusa furieusement et, après quelques instants, il y eut suffisamment de place pour qu'elle se tortille à l'intérieur.

C'était tout juste. Elle était repliée en une boule fœtale et, presque immédiatement, eut la sensation écœurante qu'elle s'était en quelque sorte enfoncée dans une jarre. Son œil droit pouvait voir par-dessus le bord de l'ouverture sur plusieurs centaines de mètres le long de la rivière. Personne ne venait. Mais de la fumée noire montait de la direction de la maison. Ses mains étaient relevées contre sa gorge, et l'une d'elles découvrit le minuscule crucifix qu'elle avait toujours porté, d'aussi loin qu'elle se souvienne. Elle le tint serré et attendit.

6

Quand le soleil déclina derrière elle, les espoirs de la jeune fille augmentèrent. Elle avait peur que l'un d'eux ne l'ait vue courir, mais avec chaque heure qui passait ses chances s'amélioraient. Elle pria pour que vienne la nuit. Il leur serait alors pratiquement impossible de la trouver.

Une heure après le coucher du soleil elle retint sa respiration quand des chevaux passèrent sur la rive sous elle. La nuit était sans lune et elle ne put distinguer aucune forme. Elle crut entendre un enfant pleurer. Le bruit des sabots mourut lentement dans le lointain et ne revint pas.

Sa bouche était sèche, déglutir lui faisait mal, et l'élancement provenant de ses genoux écorchés paraissait se répandre dans tout son corps. Elle aurait donné n'importe quoi pour s'étirer. Mais elle ne pouvait pas bouger de plus de quelques centimètres dans quelque direction que ce soit. Elle ne pouvait pas se retourner et son côté gauche, sur lequel elle était appuyée, était engourdi.

Au fur et à mesure que se déroulait la plus longue nuit de la jeune fille, son inconfort s'accroissait comme une fièvre et elle dut lutter contre de soudains accès de panique. Elle aurait pu mourir du choc si elle s'était abandonnée, mais chaque fois Christine trouva le moyen de combattre ces poussées d'hystérie. La seule chose positive dans son malheur, ce fut qu'elle ne pensa pas à ce qui était arrivé à sa famille et à ses amis. De temps à autre elle réentendait le grondement d'agonie de son père, celui qu'il avait poussé quand la hachette du Pawnee s'était enfoncée dans son dos. Mais chaque fois qu'elle entendait ce grognement elle arrivait à s'arrêter là, fermant son esprit à la suite. Elle avait toujours été connue comme une petite fille dure, et la dureté fut ce qui la sauva.

Vers minuit elle sombra dans le sommeil pour s'éveiller seulement quelques minutes plus tard dans un accès de claustrophobie frénétique. Comme avec un nœud coulant sur une corde, plus elle se débattait, plus elle se coinçait.

Ses hurlements pitoyables résonnèrent en amont et en aval sur la rivière.

Finalement elle ne put plus crier et plongea dans de longs sanglots réparateurs. Quand les larmes furent taries, elle était calme, épuisée comme un animal qui a passé des heures dans un piège.

Renonçant à s'évader de ce trou, elle se concentra sur une série de petites activités destinées à améliorer son confort. Elle bougea ses pieds d'avant en arrière, comptant chacun de ses orteils quand elle fut en mesure de les agiter et de les séparer des autres. Ses mains étaient relativement libres et elle pressa les extrémités de ses doigts les unes contre les autres jusqu'à ce qu'elle ait essayé toutes les combinaisons auxquelles elle pouvait penser. Elle compta ses dents. Elle récita la Prière du Seigneur, en épelant chaque mot. Elle composa une longue chanson sur le fait d'être dans le trou. Puis elle la chanta.

7

Quand apparut la première lueur, elle pleura à nouveau, sachant qu'elle ne survivrait pas à la journée qui venait. Elle en avait assez. Et quand elle entendit des chevaux sur la rive, la perspective de mourir des mains de quelqu'un semblait nettement préférable à celle de mourir dans le trou.

– À l'aide, cria-t-elle. À moi !

Elle entendit le bruit des sabots s'arrêter brusquement. Des gens escaladaient la pente, se bousculant sur les rochers. Le bruit de bousculade cessa et un visage indien indistinct apparut devant le trou. Elle ne pouvait supporter cette vue, mais il lui était impossible de tourner la tête. Elle ferma les yeux devant le Comanche perplexe.

– S'il vous plaît, murmura-t-elle, faites-moi sortir.

Avant qu'elle s'en soit rendu compte, deux mains puissantes la tiraient au soleil. Tout d'abord elle ne tint pas debout, et tandis qu'elle s'asseyait sur le sol, détendant centimètre par centimètre ses jambes gonflées, les Indiens conféraient entre eux.

Ils étaient d'avis partagés. La majorité ne voyait aucun avantage à l'emmener. Ils disaient qu'elle était maigre, petite et faible. Et s'ils prenaient ce petit paquet de misère, ils pourraient être blâmés pour ce qu'avaient fait les Pawnees aux Blancs dans la maison de terre.

Leur chef était d'un avis contraire et le fit savoir. Il était peu probable que les gens de la maison de terre, si éloignés des autres Blancs, fussent découverts rapidement. Ils auraient alors quitté la région. La tribu n'avait que deux captives pour le moment, toutes deux mexicaines, et les captives avaient toujours de la valeur. Si celle-ci mourait au cours du long voyage de retour sur leurs terres, ils l'abandonneraient au bord du chemin et cela ne coûterait rien à personne. Si elle survivait, elle serait utile en tant que travailleuse ou comme monnaie d'échange si le besoin s'en faisait sentir. Et le chef rappela aux autres qu'il y avait une tradition de captifs devenant de bons Comanches, et que l'on avait toujours besoin de bons Comanches.

La question fut rapidement tranchée. Ceux qui étaient d'avis de la tuer sur place avaient peut-être de meilleurs arguments, mais l'homme qui prenait parti pour elle était un jeune guerrier promis à un brillant avenir et personne n'avait envie de se dresser contre lui.

8

Elle survécut à toutes les difficultés, en grande partie grâce à la bienveillance du jeune guerrier ambitieux dont le nom, finit-elle par apprendre, était Oiseau Frappeur.

Avec le temps elle comprit que ce peuple était le sien et qu'ils étaient très différents de ceux qui avaient massacré sa famille et ses amis. Les Comanches devinrent son monde et elle les aima autant qu'elle haïssait les Pawnees. Mais tandis que demeurait la haine des tueurs, le souvenir de sa famille sombrait inexorablement, comme une chose prise dans les sables mouvants, pour finalement disparaître totalement.

Jusqu'à ce jour, le jour où elle avait déterré son passé.

Pour aussi vivants qu'aient été ses souvenirs, Celle Qui Se Dresse Avec Un Poing Fermé n'y pensait plus en se relevant sous le peuplier pour aller patauger dans la rivière. Quand elle s'accroupit dans l'eau pour s'en asperger le visage, elle ne pensait ni à sa mère ni à son père. Ils étaient morts depuis longtemps, et cultiver leur souvenir était inutile.

146

Tandis que ses yeux scrutaient la rive opposée, elle ne pensait qu'aux Pawnees, se demandant s'ils entreprendraient des expéditions en territoire comanche cet été.

Elle espérait secrètement qu'ils le feraient. Elle voulait une autre occasion de se venger.

Il y avait eu une opportunité plusieurs étés auparavant, et elle en avait profité au maximum. Elle s'était présentée sous la forme d'un guerrier arrogant qu'on avait pris vivant afin d'en tirer une rançon.

Celle Qui Se Dresse Avec Un Poing Fermé et une délégation de femmes avaient rencontré les hommes qui le ramenaient à la lisière du campement. Elle avait mené elle-même la charge féroce que l'expédition guerrière de retour n'avait pu endiguer. Elles l'avaient arraché de son cheval et l'avaient taillé en pièces sur place. Celle Qui Se Dresse Avec Un Poing Fermé avait été la première à plonger son couteau, et elle s'était acharnée jusqu'à ce qu'il ne reste plus de lui que des lambeaux. Se venger enfin avait été profondément satisfaisant, mais pas suffisamment pour qu'elle ne rêve régulièrement d'une autre chance.

Évoquer son passé fut un tonique, et elle se sentit plus comanche que jamais en remontant le sentier peu fréquenté. Sa tête était levée et son cœur battait très fort.

Le soldat blanc ne paraissait plus à présent qu'une chose sans importance. Elle décida que si elle devait lui parler ce ne serait que dans la mesure où ça plairait à Celle Qui Se Dresse Avec Un Poing Fermé.

CHAPITRE XVII

1

L'apparition de trois étranges jeunes hommes sur des poneys fut une surprise. Timides et respectueux, ils avaient l'apparence de messagers, mais le Lieutenant Dunbar se tint sur ses gardes. Il n'avait pas encore appris à discerner les différences tribales, et à ses yeux inexpérimentés il aurait pu s'agir de n'importe qui.

Avec le fusil posé sur son épaule, il parcourut à pied une centaine de mètres derrière l'entrepôt pour aller à leur rencontre. Quand l'un des jeunes hommes fit le signe de salutation utilisé par le tranquille, Dunbar répondit par sa petite courbette habituelle.

La discussion par gestes fut courte et simple. Ils lui demandaient de venir avec eux au village, et le lieutenant accepta. Ils restèrent à côté de lui tandis qu'il harnachait Cisco, parlant à voix basse du petit cheval bai, mais le Lieutenant Dunbar ne leur prêta guère d'attention.

Il était anxieux de découvrir ce qui se passait et fut heureux quand ils quittèrent le fort au galop.

2

C'était la même femme, et bien qu'elle ait été assise à l'écart, au fond de la tente, les yeux du lieutenant ne cessaient de vagabonder dans sa direction. La robe en peau de daim était tirée sur ses genoux, et il ne pouvait dire si la mauvaise blessure de sa jambe avait guéri.

Physiquement elle paraissait bien, mais il ne parvenait

pas à lire le moindre indice sur son visage. Elle semblait légèrement maussade mais avant tout elle était inexpressive. Les yeux du lieutenant ne cessaient d'aller à elle parce qu'il était sûr à présent qu'elle était la cause de sa convocation au village. Il aurait voulu qu'on en vienne rapidement au fait, mais son expérience limitée des Indiens lui avait déjà appris qu'il fallait être patient.

Il attendit donc tandis que l'homme-médecine bourrait méticuleusement sa pipe. Le lieutenant regarda à nouveau Celle Qui Se Dresse Avec Un Poing Fermé. Pendant une fraction de seconde leurs yeux se croisèrent et il lui revint en mémoire à quel point ils étaient pâles en comparaison des yeux brun sombre des autres. Puis il se souvint qu'elle avait dit « non », ce jour-là dans la prairie. Les cheveux couleur de cerise parurent soudain bondir vers lui avec une signification nouvelle, et il ressentit un picotement à la base de la nuque.

Ô mon Dieu, songea-t-il, cette femme est une Blanche.

Dunbar devinait qu'Oiseau Frappeur était plus que simplement conscient de la présence de la femme dans l'ombre. Quand, pour la première fois, il offrit sa pipe à son visiteur inhabituel, il le fit avec un regard en biais dans sa direction.

Le Lieutenant Dunbar eut besoin d'aide pour fumer, et Oiseau Frappeur la lui apporta poliment, lui montrant où placer ses mains sur le long tuyau lisse et en ajustant l'inclinaison. Le tabac était aussi âpre que son odeur l'avait laissé supposer, mais il le trouva plein d'arôme. C'était très bon. La pipe elle-même était fascinante. Lourde à soulever, elle paraissait extraordinairement légère une fois qu'il eut commencé à fumer, comme si elle avait pu s'éloigner en flottant dans l'air s'il relâchait sa prise.

Ils tirèrent plusieurs bouffées en se la repassant mutuellement pendant quelques minutes. Puis Oiseau Frappeur posa soigneusement la pipe à son côté. Il regarda franchement Celle Qui Se Dresse Avec Un Poing Fermé et fit un petit geste du poignet, lui faisant signe d'approcher.

Elle hésita un instant, puis posa une main sur le sol et voulut se mettre debout. Le Lieutenant Dunbar, toujours galant, bondit immédiatement sur ses pieds et, ce faisant, déclencha une sauvage réaction.

Cela se produisit en un éclair violent. Dunbar ne vit pas le couteau avant qu'elle ait couvert la moitié de la distance les séparant. L'instant suivant, l'avant-bras d'Oiseau Frappeur le frappait à la poitrine et il tombait en arrière. En basculant, il vit la femme arriver en s'accroupissant, ponctuant les mots qu'elle sifflait avec de méchants gestes pour poignarder.

Oiseau Frappeur fut sur elle tout aussi vite, lui tordant le poignet d'une main pour détourner le couteau tandis qu'il la plaquait au sol de l'autre. Quand le lieutenant se rassit, Oiseau Frappeur se tourna vers lui. Il y avait un éclat redoutable sur le visage de l'homme-médecine.

Désespérant de désamorcer cette horrible situation, Dunbar bondit. Il agita les mains d'avant en arrière tout en répétant «non» à plusieurs reprises. Puis il fit une de ces petites courbettes qu'il utilisait pour saluer quand les Indiens venaient à Fort Sedgewick. Il désigna la femme sur le sol et s'inclina à nouveau.

Oiseau Frappeur comprit alors. L'homme blanc essayait simplement d'être poli. Il n'avait pas voulu faire de mal. Il dit quelques mots à Celle Qui Se Dresse Avec Un Poing Fermé et elle se remit debout. Elle garda les yeux rivés au sol, évitant tout contact avec le soldat blanc.

Pendant un moment, chacun des membres du trio dans la tente resta totalement immobile.

Le Lieutenant Dunbar attendit et observa tandis qu'Oiseau Frappeur se caressait lentement le côté du nez avec un long doigt sombre, réfléchissant à ce qui venait de se passer. Puis il grommela doucement quelque chose à Celle Qui Se Dresse Avec Un Poing Fermé et la femme leva les yeux. Ils paraissaient plus pâles qu'auparavant. Et plus vides. À présent ils plongeaient droit dans ceux de Dunbar.

Par signes, Oiseau Frappeur demanda au lieutenant de se rasseoir. Ils prirent place comme ils étaient auparavant, se faisant face. D'autres mots apaisants furent adressés à Celle Qui Se Dresse Avec Un Poing Fermé et elle s'avança, s'installant aussi légèrement qu'une plume à moins de cinquante centimètres de Dunbar.

Oiseau Frappeur les regarda tous deux, attendant. Il mit ses doigts sur ses lèvres, aiguillonnant le lieutenant avec ce geste jusqu'à ce que Dunbar comprenne qu'on lui demandait de parler, de dire quelque chose à la femme assise à côté de lui.

Le lieutenant tourna la tête dans cette direction, jusqu'à ce qu'il capte partiellement son regard.

– Bonjour, dit-il.

Elle cligna des yeux.

– Bonjour, répéta-t-il.

Celle Qui Se Dresse Avec Un Poing Fermé se souvenait du mot. Mais sa langue de Blanche était rouillée comme une vieille charnière. Elle avait peur de ce qui pourrait sortir, et son subconscient résistait encore à la simple idée de cette discussion. Elle fit plusieurs tentatives silencieuses avant que cela vienne.

– Bonjoor, répondit-elle en baissant vivement le menton.

Le plaisir d'Oiseau Frappeur fut tel que, contrairement à son habitude, il se tapa sur la cuisse. Il se pencha en avant et tapota le dos de la main de Dunbar, le pressant de continuer.

– Parler? demanda le lieutenant, mêlant ses mots avec le signe dont avait usé Oiseau Frappeur. Parler anglais?

Celle Qui Se Dresse Avec Un Poing Fermé se tapota la tempe et hocha la tête, essayant de lui dire que les mots se trouvaient sous son crâne. Elle plaça deux doigts devant ses lèvres et secoua la tête, en une tentative pour lui faire comprendre le problème que posait sa langue.

Le lieutenant ne saisit pas totalement. L'expression de la jeune femme était toujours franchement hostile, mais il y avait une aisance dans ses mouvements qui lui donnait à présent le sentiment qu'elle désirait communiquer.

– Je m'appelle, commença-t-il en touchant sa tunique d'un doigt, je m'appelle John. Je suis John.

Ses yeux suivaient ses lèvres.

– Je m'appelle John, répéta-t-il.

Celle Qui Se Dresse Avec Un Poing Fermé remua silencieusement les lèvres, répétant le mot. Quand enfin elle le dit à haute voix, le mot résonna avec une clarté parfaite. Cela la choqua. Cela choqua le Lieutenant Dunbar.

Elle dit :

– Willie.

Oiseau Frappeur comprit qu'il y avait eu un raté en voyant l'expression stupéfaite du lieutenant. Il regarda, impuissant, Celle Qui Se Dresse Avec Un Poing Fermé qui entamait une série de mouvements embrouillés. Elle se couvrit les yeux et se frotta le visage. Elle se couvrit le nez comme pour éloigner une odeur et secoua sauvagement la tête. Finalement elle plaça ses mains à plat, paumes sur le sol, et soupira profondément, formant à nouveau silencieusement des mots avec sa petite bouche. À ce moment, Oiseau Frappeur sentit son cœur chavirer. Peut-être avait-il trop demandé en organisant cette expérience.

Le Lieutenant Dunbar ne savait que faire d'elle non plus. Il était possible que la longue captivité de la pauvre fille l'ait rendue folle.

Mais l'expérimentation d'Oiseau Frappeur, bien que terriblement difficile, n'était pas impossible. Et Celle Qui Se Dresse Avec Un Poing Fermé n'était pas folle. Les mots du soldat blanc, ses propres souvenirs et la confusion de sa langue se mélangeaient. Faire un tri dans cet enchevêtrement était comme d'essayer de dessiner les yeux fermés. Elle luttait pour le maîtriser tout en regardant fixement dans le vide.

Oiseau Frappeur commença à dire quelque chose, mais elle le coupa sèchement avec une tirade en comanche.

Elle garda les yeux fermés quelques secondes de plus. Quand elle les ouvrit à nouveau, elle regarda le Lieutenant Dunbar à travers ses cheveux emmêlés et il vit qu'elle s'était adoucie. Avec un calme geste d'invite, elle lui demanda en comanche de parler à nouveau.

Dunbar s'éclaircit la gorge.

– Je m'appelle John, dit-il en articulant soigneusement.

– John... John.

Une nouvelle fois ses lèvres formèrent le mot, et une nouvelle fois elle essaya de le prononcer.

– Joun.

– Oui.

Dunbar hochait la tête avec extase.

– John.

– Joun, répéta-t-elle.

Le Lieutenant Dunbar pencha la tête en arrière. Ce son lui était doux à l'oreille, le son de son propre prénom. Il ne l'avait pas entendu depuis des mois.

Celle Qui Se Dresse Avec Un Poing Fermé sourit malgré elle. Sa vie récente avait été si morose. Il était bon
d'avoir un motif, si mince fût-il, pour sourire.

Ensemble, ils regardèrent Oiseau Frappeur.

Il n'y avait pas de sourire sur ses lèvres. Mais dans ses
yeux, bien que très faible, on voyait une lueur joyeuse.

3

Les progrès furent lents cet après-midi-là sous la
tente d'Oiseau Frappeur. Le temps fut absorbé par les
efforts douloureux que Celle Qui Se Dresse Avec Un
Poing Fermé faisait pour répéter les mots et les phrases
simples du Lieutenant Dunbar. Quelquefois il fallait
plus d'une douzaine de répétitions, toutes extrêmement
fastidieuses, pour produire un seul mot d'une syllabe.
Et même alors la prononciation était loin d'être parfaite. Ce n'était pas vraiment ce que l'on pouvait appeler
parler.

Mais Oiseau Frappeur était grandement encouragé.
Celle Qui Se Dresse Avec Un Poing Fermé lui avait dit
qu'elle se souvenait bien des mots blancs. Elle avait seulement des difficultés avec sa langue. L'homme-médecine
savait que la pratique ramènerait le langage rouillé, et
son esprit galopait vers les heureuses perspectives du
temps où la conversation entre eux serait libre et riche
d'informations.

Il ressentit une bouffée d'irritation quand un de ses assistants vint l'informer que l'on aurait bientôt besoin de
lui pour superviser les derniers préparatifs de la danse du
soir.

Mais Oiseau Frappeur sourit en prenant la main de
l'homme blanc et lui dit au revoir avec les mots des
bouches poilues :

– Bonjoor Joun.

C'était difficile à comprendre. La réunion s'était terminée si brusquement, alors que tout se passait bien, du moins pour autant qu'il ait pu en juger. Un événement nouveau avait dû se produire…

Dunbar resta debout à l'extérieur de la tente d'Oiseau Frappeur et regarda le semblant d'avenue. Des gens paraissaient se réunir dans un espace découvert au bout de la rue, à proximité de la tente qui portait la marque de l'ours. Il voulait rester, pour voir ce qui allait arriver.

Mais le tranquille s'était déjà fondu dans la foule qui grossissait régulièrement. Il repéra la femme, minuscule parmi les Indiens déjà petits de nature, marchant entre deux autres femmes. Elle ne se retourna pas pour le regarder mais, tandis que les yeux du lieutenant suivaient sa silhouette qui s'éloignait, il vit les deux personnalités dans sa démarche : la blanche et l'indienne.

Cisco venait vers lui, et Dunbar fut surpris de voir que le garçon avec le sourire permanent se trouvait sur son cheval. Le gamin pivota, roula pour descendre, tapota le cou de Cisco et débita quelque chose que le lieutenant interpréta correctement comme l'éloge des vertus du cheval.

Des gens se répandaient à présent dans l'espace dégagé sans guère prêter attention à l'homme en uniforme. Le lieutenant songea à nouveau à rester mais, bien qu'il l'ait fortement désiré, il savait que sans une invitation formelle il ne serait pas le bienvenu. Et il n'y avait pas eu d'invitation.

Le soleil avait entrepris sa descente et son estomac commençait à gronder. S'il voulait être rentré chez lui avant l'obscurité et éviter ainsi beaucoup de tâtonnements dans la préparation de son dîner, il lui fallait se hâter. Il pivota, fit tourner Cisco et prit la direction de la sortie du village en un trot léger.

Passant devant les dernières tentes, il tomba par hasard sur une étrange assemblée. Il y avait là peut-être une douzaine d'hommes réunis derrière une des habitations. Ils étaient enveloppés de toutes sortes de fanfreluches et leurs corps étaient peints de dessins criards. La tête de chaque homme était recouverte d'un crâne complet de bison, avec le poil bouclé et les cornes. Seuls les yeux sombres et le nez proéminent étaient visibles sous ces étranges casques.

Dunbar leva la main en passant. Certains regardèrent dans sa direction, mais personne ne lui rendit son salut, et le lieutenant poursuivit son chemin.

5

Les visites de Deux Bottes n'étaient plus réservées aux fins d'après-midi ou aux débuts de matinée. Il pouvait à présent surgir n'importe quand, et, lorsqu'il le faisait, le vieux loup s'installait comme chez lui, furetant dans les limites du monde du Lieutenant Dunbar comme s'il était un chien de cantonnement. La distance qu'il conservait autrefois avait diminué au fur et à mesure que croissait sa familiarité. La plupart du temps, il était à six ou huit mètres à peine du lieutenant quand celui-ci vaquait à ses occupations. Quand il remplissait son journal, Deux Bottes en profitait généralement pour s'étirer et s'allonger, ses yeux jaunes clignant avec curiosité tandis qu'il regardait le lieutenant noircir les pages.

La chevauchée du retour avait été solitaire. La fin impromptue de sa rencontre avec la femme à la double personnalité et la mystérieuse excitation qui régnait sur le village (et dont il était exclu) donnaient à nouveau à Dunbar le sentiment morose d'être laissé à l'écart. Toute sa vie il avait désiré participer, et comme pour tout autre être humain la solitude était une chose qu'il lui fallait affronter en permanence. Dans le cas du lieutenant la solitude était devenue le trait dominant de sa vie, aussi fut-il rassurant pour lui de voir la silhouette fauve de Deux Bottes se dresser sous l'auvent quand il arriva au crépuscule.

Le loup trotta dans la cour et s'assit pour le regarder glisser du cheval.

Dunbar remarqua immédiatement qu'il y avait quelque chose d'autre sous l'auvent. C'était une grosse poule de prairie, étendue morte sur le sol, et quand il s'arrêta pour l'examiner il s'aperçut que l'oiseau avait été fraîchement tué. Le sang sur son cou était encore collant. Mais, hormis les marques de crocs autour de sa gorge, la volaille n'avait pas été touchée. Il n'y avait pratiquement pas une plume de dérangée. Voilà une devinette pour laquelle il n'y avait qu'une solution, et le lieutenant regarda Deux Bottes.

– C'est à toi ? demanda-t-il à voix haute.

Le loup leva le regard et cligna des paupières tandis que le lieutenant Dunbar étudiait l'oiseau un peu plus longtemps.

– Bien, en ce cas, dit-il en haussant les épaules, je suppose que c'est à nous.

6

Deux Bottes se tint sur le côté, ses yeux étroits suivant Dunbar quand la volaille fut plumée, vidée et rôtie sur le feu de camp. Pendant qu'elle se trouvait sur la broche, il accompagna le lieutenant jusqu'au corral et patienta tandis que la ration de fourrage de Cisco lui était allouée. Puis retour devant le feu pour attendre le festin.

C'était un bon oiseau, tendre et dodu. Le lieutenant mangea lentement, arrachant des lambeaux de chair rebondie et en lançant un à Deux Bottes de temps à autre. Quand il fut rassasié, il jeta la carcasse dans la cour et le vieux loup l'emporta dans la nuit.

Le Lieutenant Dunbar s'assit sur l'une des chaises pliantes et fuma, laissant les sons de la nuit le distraire. En y repensant il n'arrivait pas à croire au chemin qu'il avait parcouru en si peu de temps. Il n'y avait pas si longtemps, ces mêmes sons lui portaient sur les nerfs. Ils lui avaient dérobé son sommeil. À présent ils étaient si familiers qu'ils en devenaient rassurants.

Il revit la journée et décida qu'elle avait été bonne. Tandis que le feu achevait de se consumer en même temps que sa seconde cigarette, il réalisa à quel point c'était une chose unique que de le voir traiter directement et seul avec les Indiens. Il s'octroya mentalement une tape dans le dos, estimant qu'il avait accompli un travail sérieux jusqu'à présent en tant que représentant des États-Unis d'Amérique. Et sans aucun manuel, en plus.

Soudain il pensa à la Grande Guerre. Peut-être n'était-il plus un représentant des États-Unis. Peut-être la guerre était-elle terminée. Les États confédérés d'Amérique... Il ne pouvait imaginer une telle chose. Mais c'était possible. Il n'avait pas eu d'informations depuis très longtemps.

Ces songeries le conduisirent à sa propre carrière, et il admit intérieurement qu'il avait de moins en moins pensé à l'armée. Le fait qu'il se trouvât au cœur d'une aventure si prodigieuse avait beaucoup à voir avec ces oublis, mais, tandis qu'il restait assis près du feu déclinant à écouter les aboiements des coyotes le long de la rivière, il lui vint à l'esprit qu'il avait peut-être découvert une vie meilleure. Dans cette vie il n'avait besoin que de peu de choses. Cisco et Deux Bottes n'étaient pas humains, mais ils étaient plus loyaux que bien des hommes. Il était heureux avec eux.

Et bien sûr il y avait les Indiens. Il éprouvait pour eux une attirance certaine. Du moins faisaient-ils d'excellents voisins, bien élevés, ouverts, accueillants. Bien qu'il ait été beaucoup trop blanc pour vivre comme un aborigène, il se sentait à l'aise avec eux. Il y avait de la sagesse en eux. Peut-être était-ce ce qui l'avait attiré dès le début. Le lieutenant n'avait jamais été un grand adepte de la réflexion. Il était plutôt du genre à agir, quelquefois jusqu'à commettre une erreur. Mais il sentait que cette facette de sa personnalité commençait à disparaître.

Oui, songea-t-il, c'est ça. Il y a quelque chose à apprendre d'eux. Ils savent des choses. Si l'armée ne vient jamais, je ne pense pas que la perte soit bien grande.

Dunbar se sentit soudain fatigué. Bâillant, il balança d'une chiquenaude sa cigarette dans les braises luisant à ses pieds et étira ses bras très haut au-dessus de sa tête.

– Dormir, dit-il. Je vais dormir comme un mort jusqu'à ce que la nuit s'achève.

7

Le Lieutenant Dunbar s'éveilla en sursaut dans l'obscurité du petit matin. Sa baraque de torchis tremblait. La terre tremblait, elle aussi, et l'air était empli d'un grondement sonore.

Il sauta hors du lit et écouta. Le grondement venait de tout près, quelque part le long de la rivière.

Enfilant son pantalon et ses bottes, le lieutenant se glissa dehors. Le son y était encore plus fort, emplissant la nuit comme un grand écho qui se réverbérait sur la prairie et au sein duquel il se sentait minuscule.

Le son ne se dirigeait pas vers lui, et sans savoir précisément pourquoi, il écarta l'idée qu'un phénomène naturel, tremblement de terre ou inondation, soit à l'origine de cette énergie énorme. Quelque chose de vivant produisait ce son. Quelque chose de vivant faisait trembler la terre, et il devait savoir ce que c'était.

La lueur de sa lampe paraissait infime tandis qu'il avançait vers le déferlement de bruit devant lui. Il n'avait pas parcouru cent mètres le long de l'escarpement que la faible lumière qu'il portait accrocha quelque chose. C'était de la poussière : un grand nuage ondoyant se dressait dans la nuit.

Le lieutenant ralentit jusqu'à presque s'immobiliser totalement. Tout à coup il sut que le bruit de tonnerre était provoqué par des sabots et que la poussière était soulevée par le mouvement de bêtes si grosses qu'il ne l'aurait pas cru possible s'il ne l'avait vu de ses propres yeux.

Les bisons.

L'un d'eux s'écarta du nuage de poussière. Et un autre. Et un autre encore. Il n'en eut qu'un aperçu tandis qu'ils filaient devant lui, mais ils formaient un spectacle si ma-

158

gnifique qu'ils se figèrent pour l'éternité dans la mémoire du Lieutenant Dunbar.

En cet instant, seul avec sa lanterne, il sut ce qu'ils signifiaient pour le monde où ils vivaient. Ils étaient ce que l'océan signifiait pour les poissons, ce que le ciel représentait pour les oiseaux, ce que l'air donnait à une paire de poumons humains.

Ils étaient la vie de la prairie.

Et ils étaient des milliers à déferler sur la berge pour plonger dans la rivière qu'ils traversaient sans plus s'en préoccuper qu'un train ne le ferait d'une flaque d'eau. Puis ils escaladèrent le versant opposé et passèrent dans les herbes hautes, grondant vers une destination connue d'eux seuls, un torrent de sabots, de cornes et de viande coupant à travers le paysage avec une force défiant l'imagination.

Dunbar lâcha la lampe à l'endroit où il se trouvait et se mit à courir. Il ne s'arrêta que pour empoigner la bride de Cisco, sans même enfiler une chemise. Puis il sauta sur le dos du cheval qu'il talonna pour lui faire prendre le galop. Il pencha son torse nu près du cou du petit bai et lança l'animal dans la bonne direction.

8

Des feux éclairaient le village comme en plein jour quand le Lieutenant Dunbar plongea dans la dépression où les tentes étaient dressées pour marteler l'avenue principale du campement.

À présent il voyait les flammes du plus gros des foyers et la foule qui s'était assemblée autour. Il distinguait les danseurs aux têtes de bisons et il entendait le martèlement régulier des tambours. Des chants profonds et rythmés lui parvenaient.

Mais il avait à peine conscience du spectacle qui se déroulait devant lui, tout comme il avait à peine eu conscience de la chevauchée qu'il venait de faire, tranchant dans la prairie à pleine vitesse sur plusieurs kilomètres. Il n'avait pas non plus conscience de la sueur qui couvrait Cisco de la tête à la queue. Il n'avait qu'une seule chose à l'esprit quand il précipita son cheval dans l'avenue... le mot comanche pour bison. Il le tournait et le retournait, essayant de se souvenir de la prononciation exacte.

À présent il criait le mot. Mais avec les tambours et les chants, ils n'avaient pas encore entendu son approche. Comme il arrivait sur les feux, il tenta de freiner Cisco, mais le cheval au grand galop ne répondit pas au mors.

Il chargea droit au centre même de la danse, éparpillant les Comanches dans toutes les directions. D'un suprême effort le lieutenant fit se cabrer Cisco, mais tandis que l'arrière-train de celui-ci frottait contre le sol, sa tête et ses pattes avant se dressèrent verticalement. Ses sabots griffèrent follement le vide. Dunbar ne put demeurer assis. Il glissa du dos écumant et s'écroula sur le sol avec un bruit mat.

Avant qu'il ait pu bouger, une demi-douzaine de guerriers furieux lui bondirent dessus. Un des hommes avait une massue avec laquelle il aurait pu l'assommer, mais tous les six étaient si emmêlés les uns dans les autres qu'aucun ne pouvait aisément frapper le lieutenant.

Ils roulèrent sur le sol en une boule chaotique. Dunbar hurlait « bison » tout en luttant contre les coups de poing et les coups de pied. Mais personne ne pouvait comprendre ce qu'il disait, et certains des coups commençaient à atteindre leur cible.

Puis il eut vaguement conscience d'un allégement de la masse qui pesait sur lui. Quelqu'un criait par-dessus le tumulte, et la voix paraissait familière.

Soudain il n'y eut plus personne sur lui. Il était étendu seul sur le sol, fixant de ses yeux à demi hébétés une multitude de visages indiens. Un des visages se pencha un peu plus près.

Oiseau Frappeur.

– Bison, dit le lieutenant.

Son corps se gonflait à la recherche d'air, et sa voix n'avait été qu'un murmure.

Le visage d'Oiseau Frappeur se rapprocha.

– Bison, hoqueta le lieutenant.

Oiseau Frappeur grogna et secoua la tête. Il colla son oreille contre la bouche de Dunbar et le lieutenant dit le mot une nouvelle fois, luttant de toute sa volonté pour y mettre l'accent correct.

– Bison.

Les yeux d'Oiseau Frappeur étaient revenus se planter dans ceux du Lieutenant Dunbar.

– Bison ?

– Oui, dit Dunbar, un pâle sourire sur le visage. Oui... bison... bison.

Épuisé, il ferma les yeux un moment et entendit la voix profonde d'Oiseau Frappeur mugir à travers le silence tandis qu'il hurlait le mot.

Il fut accueilli par une éruption de joie provenant de la gorge de chaque Comanche, et pendant une fraction de seconde le lieutenant eut l'impression que sa puissance l'emportait. Clignant des yeux pour chasser le voile qui leur tombait dessus, il réalisa que de puissants bras indiens le remettaient sur pied.

Quand cet homme qui avait autrefois été un lieutenant regarda à nouveau, il fut accueilli par des dizaines de visages rayonnants. Ils se pressaient autour de lui.

CHAPITRE XVIII

1

Tout le monde y alla.

Le camp près de la rivière fut laissé pratiquement désert quand la grande caravane partit à l'aube.

Des éclaireurs furent envoyés dans toutes les directions pour protéger les flancs. Le gros des guerriers chevauchait à l'avant. Puis venaient les femmes et les enfants. Ceux qui étaient à pied marchaient à côté de poneys tirant des travois chargés d'ustensiles. Certains des plus anciens voyageaient sur des traîneaux. Le grand troupeau de poneys formait l'arrière.

Il y avait largement de quoi être émerveillé. La seule taille de la colonne, la vitesse à laquelle elle voyageait, le bruit incroyable que cela faisait, la merveille de l'organisation qui donnait à chacun une place et une tâche.

Mais ce que le Lieutenant Dunbar trouvait le plus extraordinaire, c'était la façon dont il était traité. En une nuit, il était littéralement passé du statut de quelqu'un que la tribu considérait avec suspicion ou indifférence à celui d'une personne ayant véritablement de l'importance. Les femmes lui souriaient ouvertement et les guerriers allaient jusqu'à plaisanter avec lui. Les enfants, qui étaient particulièrement nombreux, cherchaient constamment sa compagnie, en devenant parfois même gênants.

En le traitant de la sorte, les Comanches dévoilaient une nouvelle facette de leur personnalité, à contre-pied de l'apparence stoïque et réservée qu'ils lui avaient présentée dans le passé. À présent il s'agissait de gens d'humeur égale, constamment joyeux, et par voie de conséquence le Lieutenant Dunbar était comme eux.

L'arrivée des bisons aurait apaisé l'esprit des Comanches de toute façon, mais le lieutenant savait, en regardant la colonne s'enfoncer dans la prairie, que sa présence ajoutait un certain lustre à l'entreprise, et il se redressa un peu plus sur son cheval à cette pensée.

Longtemps avant qu'ils atteignent Fort Sedgewick, des éclaireurs apportèrent la nouvelle qu'une large piste avait été trouvée là où le lieutenant avait dit qu'elle serait, et d'autres hommes furent immédiatement envoyés pour localiser le pâturage du gros du troupeau.

Chaque éclaireur emmena plusieurs montures. Ils chevaucheraient jusqu'à ce qu'ils découvrent le troupeau, puis reviendraient à la colonne pour indiquer sa taille et dire à quelle distance il se trouvait. Ils signaleraient également la présence d'ennemis qui pourraient rôder autour des territoires de chasse des Comanches.

Tandis que passait la colonne, le Lieutenant Dunbar s'arrêta brièvement à Fort Sedgewick. Il fit des provisions de tabac, prit son revolver et son fusil, une tunique, une ration de fourrage pour Cisco, et fut de retour au côté d'Oiseau Frappeur et de ses assistants en quelques minutes.

Après qu'ils eurent traversé la rivière, Oiseau Frappeur lui fit signe de s'approcher et les deux hommes chevauchèrent juste derrière la tête de la colonne. Ce fut alors que Dunbar vit pour la première fois la trace laissée par les bisons : un gigantesque andain de terre retournée large d'un kilomètre, se répandant dans la prairie comme une piste immense maculée de bouses.

Oiseau Frappeur décrivait par signes quelque chose que le lieutenant ne parvenait pas à saisir quand deux nuages de poussière apparurent à l'horizon. Les tourbillons de poussière devinrent graduellement des cavaliers. Deux éclaireurs qui rentraient.

Conduisant leurs montures de rechange, ils arrivèrent au galop et s'arrêtèrent directement devant l'entourage de Dix Ours pour faire leur rapport.

Oiseau Frappeur avança pour participer à la discussion, et Dunbar, ne sachant pas ce qui était dit, observa soigneusement l'homme-médecine, espérant le deviner à son expression.

Ce qu'il vit ne l'aida pas beaucoup. S'il avait compris la

langue, il aurait entendu que le troupeau s'était arrêté pour paître dans une grande vallée à une vingtaine de kilomètres au sud de l'endroit où se trouvait actuellement la colonne, un emplacement qu'ils pouvaient aisément atteindre à la tombée de la nuit.

La conversation devint soudain plus animée et en un réflexe le lieutenant se pencha en avant comme pour entendre. Les éclaireurs balayaient l'horizon d'amples mouvements du bras, d'abord au sud, puis à l'est. Les visages de ceux qui écoutaient s'assombrirent notablement, et après avoir questionné les éclaireurs pendant encore quelques instants Dix Ours tint une réunion à dos de cheval avec ses plus proches conseillers.

Très vite, deux cavaliers quittèrent l'assemblée pour galoper à l'arrière de la colonne. Pendant qu'ils étaient partis, Oiseau Frappeur regarda une fois le lieutenant, et Dunbar connaissait son visage suffisamment bien pour savoir que cette expression signifiait que tout n'allait pas comme il l'aurait souhaité.

Un bruit de sabots résonna derrière lui, et le lieutenant se retourna pour voir une douzaine de guerriers charger en direction de la tête de ligne. Le féroce les conduisait.

Ils s'arrêtèrent à côté du groupe de Dix Ours, tinrent un bref conciliabule, et, emmenant un des éclaireurs avec eux, filèrent en direction de l'est.

La colonne se remit en mouvement, et quand Oiseau Frappeur regagna sa place près du soldat blanc, il vit que les yeux du lieutenant étaient emplis de questions. Il n'était pas possible de lui expliquer ce qui se passait, ce mauvais présage.

Des ennemis avaient été découverts dans les environs, des ennemis mystérieux venant d'un autre monde. Par leurs méfaits ils avaient démontré qu'ils étaient des gens sans valeur et sans âme, des tueurs sans retenue n'ayant aucune considération pour les droits des Comanches. Il était important de les punir.

Aussi Oiseau Frappeur évita-t-il les yeux inquisiteurs du lieutenant. Au lieu de ça, il fixa la poussière dans le sillage du groupe de Vent Dans Les Cheveux qui s'éloignait vers l'est et dit une prière silencieuse pour le succès de leur mission.

2

Dès qu'il vit les petites bosses de couleur rose se dresser dans le lointain, il sut qu'il allait découvrir quelque chose de laid. Il y avait des taches noires sur les bosses roses et, au fur et à mesure que la colonne approchait, il vit qu'elles bougeaient. Même l'air paraissait soudain plus lourd et le lieutenant dégrafa un autre bouton de sa tunique.

Oiseau Frappeur l'avait mené à l'avant du groupe pour une raison précise. Mais son intention n'était pas de punir. Elle était d'éduquer, et l'éducation était mieux servie par la vue que par un discours. L'impact serait plus important devant le spectacle. Il serait plus important pour tous les deux. Oiseau Frappeur n'avait jamais vu cela auparavant non plus.

Comme du mercure dans un thermomètre, un mélange bilieux de répulsion et de chagrin montait régulièrement dans la gorge du Lieutenant Dunbar. Il devait déglutir en permanence pour l'empêcher de sortir tandis qu'en compagnie d'Oiseau Frappeur il conduisait la colonne au centre de la tuerie.

Il compta vingt-sept bisons. Et bien qu'il n'ait pu les dénombrer, il estima qu'il y avait autant de corbeaux grouillant sur chaque cadavre. Dans certains cas les têtes des bisons étaient recouvertes par les noirs oiseaux batailleurs, criant, se convulsant et s'affrontant des ailes en se battant pour les globes oculaires. Ceux dont les yeux avaient déjà été dévorés accueillaient les plus larges essaims, qui picoraient avidement en parcourant les carcasses d'avant en arrière, déféquant souvent, comme pour accentuer la richesse de leur festin.

Des loups surgissaient de toutes les directions. Ils seraient accroupis contre les épaules, les hanches et les ventres dès que la colonne serait passée.

Mais il y en aurait plus qu'assez pour tous les loups et tous les oiseaux vivant à des kilomètres à la ronde. Le lieutenant calcula grossièrement et parvint à un chiffre de quinze cents. Quinze cents livres de viande morte se décomposant dans la chaleur de l'après-midi.

Tout cela condamné à pourrir, songea-t-il en se demandant si quelque ennemi ancestral de ses amis indiens avait laissé ceci comme un macabre avertissement.

Vingt-sept peaux avaient été arrachées du cou au postérieur, et en passant à côté d'un animal particulièrement gros il vit que sa gueule ouverte ne renfermait plus de langue. D'autres avaient été dépouillés de leur langue également. Mais c'était tout. Tout le reste avait été laissé.

Le Lieutenant Dunbar repensa soudain à l'homme mort dans l'allée. Comme ces bisons, l'homme avait été couché sur le flanc. La balle qui lui avait été tirée à la base du crâne avait emporté le côté de sa mâchoire en ressortant.

Il n'était que John Dunbar alors, un garçon de quatorze ans. Dans les années qui avaient suivi, il avait vu des dizaines de morts : avec tout le visage manquant, la cervelle coulant sur le sol comme de la bouillie renversée. Mais le premier homme était celui dont il se souvenait le mieux. Principalement à cause des doigts.

Il se trouvait juste derrière le shérif quand on avait découvert que deux doigts du mort avaient été tranchés. Le shérif avait regardé autour de lui et dit, ne s'adressant à personne en particulier :

– Ce type a été tué pour ses bagues.

Et à présent ces bisons étendus morts sur le sol, les entrailles répandues à travers toute la prairie simplement parce que quelqu'un avait voulu leurs langues et leurs peaux. Cela frappa Dunbar comme un véritable crime.

Quand il vit un veau mort-né, pendant à demi hors de l'abdomen ouvert de sa mère, le même mot qu'il avait entendu ce soir-là dans l'allée lui vint à l'esprit comme un signe lumineux.

Meurtre.

Il jeta un coup d'œil à Oiseau Frappeur. L'homme-médecine regardait le gâchis du veau tué avant de naître, son visage semblable à un long masque indéchiffrable.

Le Lieutenant Dunbar se détourna alors et examina la colonne. Toute la tribu se frayait un chemin à travers le carnage. Affamés comme ils l'étaient après des semaines de privations, aucun ne s'était arrêté pour se servir dans le butin répandu autour d'eux. Les voix qui avaient été si sonores pendant toute la matinée étaient à présent calmées, et il pouvait voir sur les visages la mélancolie qui vient en découvrant qu'une bonne piste est soudain devenue mauvaise.

3

Les chevaux projetaient des ombres géantes quand ils arrivèrent aux territoires de chasse. Pendant que les femmes et les enfants rassemblaient de quoi faire quelques feux à l'abri d'une longue crête, la plupart des hommes partirent en avant pour reconnaître le troupeau avant la tombée de la nuit.

Le Lieutenant Dunbar alla avec eux.

À environ deux kilomètres du nouveau camp, ils rejoignirent trois éclaireurs qui avaient installé leur propre petit campement à une centaine de mètres de l'embouchure d'une large crevasse.

Laissant leurs chevaux en bas, soixante guerriers comanches et un homme blanc partirent lentement sur la longue pente à l'ouest qui menait hors du ravin. En s'approchant de la crête, tous se baissèrent et c'est en rampant qu'ils parcoururent les derniers mètres.

Le lieutenant lança un regard intrigué à Oiseau Frappeur et rencontra un sourire superficiel. L'homme-médecine fit un geste pour montrer ce qui se trouvait devant eux et posa un doigt en travers de ses lèvres. Dunbar sut qu'ils étaient arrivés.

À moins d'un mètre devant lui la terre disparaissait et il n'y avait plus rien que le ciel. Il réalisa alors qu'ils avaient escaladé l'arrière d'un escarpement. La brise fraîche de la prairie lui mordit le visage quand il leva la tête pour regarder dans une grande dépression à une trentaine de mètres en contrebas.

C'était une magnifique vallée en forme de disque, de huit ou dix kilomètres de large sur une vingtaine de long. Une herbe des plus luxuriantes ondulait partout.

Mais le lieutenant remarqua à peine l'herbe ou la vallée et ses dimensions. Même le ciel dans lequel s'accumulaient à présent les nuages et le soleil plongeant vers la terre, avec son déploiement de rayons qui donnait au paysage des allures de cathédrale, ne pouvait se comparer à la grande couverture vivante composée de bisons qui tapissait le fond de la vallée.

Que tant de créatures puissent exister, sans parler du fait qu'elles occupent le même espace, faisait tournoyer dans l'esprit du lieutenant des chiffres incalculables. Cinquante, soixante-dix, cent mille? Pouvait-il y en avoir plus? Son cerveau reculait devant l'énormité de la chose.

Il ne cria pas, ne sauta pas, ne murmura pas pour lui-même sous le coup de l'émerveillement. Être témoin de cela mettait tout ce qui n'était pas ce spectacle en suspens. Il ne sentait plus les petits cailloux aux formes étranges lui pincer le corps. Quand une guêpe bleue atterrit à la pointe de sa mâchoire ballante, il ne la chassa pas. Tout ce qu'il pouvait faire, c'était cligner des yeux devant le manteau miraculeux qui l'éblouissait.

Il assistait à un miracle.

Quand Oiseau Frappeur lui tapa sur l'épaule, il réalisa que sa bouche était demeurée ouverte pendant tout ce temps. Elle se desséchait sous le vent de la prairie.

Il secoua lourdement la tête et regarda derrière lui le long de la pente.

Les Indiens avaient commencé à redescendre.

4

Ils chevauchaient dans l'obscurité depuis une demi-heure quand les feux apparurent, comme autant de points lointains. L'étrangeté de tout cela ressemblait à un rêve.

Chez nous, songea-t-il. C'est chez nous.

Comment était-ce possible? Un campement temporaire composé de feux sur une plaine distante, peuplé de deux cents aborigènes dont la peau était différente de la sienne, dont le langage était un entremêlement de grognements et de cris, dont les croyances étaient encore pour lui un mystère et le demeureraient sans doute toujours.

Mais ce soir il était très fatigué. Cela lui promettait pour la nuit à venir le confort d'une maison natale. C'était chez lui et il était content d'y revenir.

Les autres, les dizaines d'hommes à demi nus avec lesquels il avait chevauché ces derniers kilomètres, étaient également heureux de rentrer. Ils s'étaient remis à parler. Les chevaux pouvaient le sentir. Ils marchaient à longues foulées à présent, essayant de se mettre au trot.

Il regretta de ne pouvoir distinguer Oiseau Frappeur parmi les vagues silhouettes qui l'entouraient. L'homme-médecine en disait long avec son regard, et là, dans cette obscurité, si intimement serré contre ces hommes primitifs qui regagnaient leur campement sauvage, il se sentait désarmé sans les yeux expressifs d'Oiseau Frappeur.

À un kilomètre de distance il entendit les voix et le battement des tambours. Un bourdonnement parcourut le groupe de ses compagnons de chevauchée et soudain les chevaux se mirent au galop. Ils étaient si étroitement serrés les uns contre les autres et allaient à une si bonne allure que, pendant un moment, le Lieutenant Dunbar eut conscience de faire partie d'une force que rien ne pourrait arrêter, une vague déferlante composée d'hommes et de chevaux à laquelle nul n'oserait s'opposer.

Les hommes poussaient des hurlements, hauts et aigus, comme des coyotes, et Dunbar, emporté comme il l'était par l'excitation, poussa quelques aboiements de son cru.

Il distinguait les flammes des foyers et les silhouettes des gens qui se déplaçaient dans le camp. Ils avaient conscience du retour des cavaliers à présent et certains couraient à leur rencontre à travers la prairie.

Il avait un sentiment bizarre à propos du camp, un sentiment qui lui disait qu'il était anormalement agité, qu'un événement inhabituel s'était produit durant leur absence. Ses yeux s'agrandirent quand ils approchèrent, essayant de saisir quelques indices qui lui diraient ce qu'il y avait de différent.

Puis il vit le chariot, parqué à côté du plus grand des feux, aussi peu à sa place qu'une calèche flottant sur la mer.

Il y avait des Blancs dans le camp.

Il tira durement sur les rênes de Cisco, laissant les autres cavaliers filer devant lui et demeura en arrière pour rassembler ses idées.

Le chariot lui paraissait grossier et très laid. Tandis que Cisco dansait nerveusement sous lui, le lieutenant fut surpris par ses propres pensées. Quand il imagina les voix de ces hommes, il ne voulut pas les entendre. Il ne voulait pas voir ces visages qui seraient si avides de voir le sien. Il ne voulait pas répondre à leurs questions. Il ne voulait pas entendre les nouvelles qu'il avait manquées.

Mais il savait qu'il n'avait pas le choix. Il n'y avait nulle part ailleurs où aller. Il relâcha un peu la bride à Cisco et ils avancèrent lentement.

Il s'arrêta quand il fut à moins de cinquante mètres. Les Indiens dansaient avec exubérance tandis que les hommes qui étaient allés repérer le troupeau sautaient de leurs montures. Il attendit que les poneys s'écartent, puis il examina tous les visages dans son champ de vision.

Il n'y en avait aucun de blanc.

Ils se rapprochèrent et à nouveau Dunbar s'arrêta, son regard fouillant soigneusement le camp.

Pas de Blancs.

Il repéra le féroce et les hommes de la petite troupe qui les avait quittés dans l'après-midi. Ils paraissaient être le centre de l'attention. Il s'agissait véritablement de quelque chose de plus que de souhaits de bienvenue. C'était une espèce de célébration. Ils se passaient et se repassaient de longs bâtons. Ils poussaient des hurlements. Les villageois qui s'étaient assemblés pour les regarder hurlaient, eux aussi.

Dunbar et Cisco se rapprochèrent encore et le lieutenant vit immédiatement ce qui n'allait pas. Ils ne se passaient pas des bâtons. Ils se passaient des lances. L'une d'elles revint à Vent Dans Les Cheveux et Dunbar le vit la brandir haut en l'air. Il ne souriait pas, mais il paraissait vraiment heureux. Pendant qu'il poussait un long hurlement modulé, Dunbar eut un aperçu des cheveux attachés près de la pointe de la lance.

Au même instant il réalisa qu'il s'agissait d'un scalp. Un scalp frais. Les cheveux étaient noirs et bouclés.

Il jeta un coup d'œil aux autres lances. Il y en avait deux de plus qui portaient des scalps ; l'un d'un brun clair et l'autre jaune, presque blond. Il regarda rapidement le chariot et vit ce qui lui avait échappé auparavant. Un chargement de peaux de bisons débordait entre les montants.

Soudain ce fut aussi clair qu'une journée sans nuages.

Les peaux appartenaient aux bisons massacrés et les scalps à ceux qui les avaient tués, des hommes qui étaient encore vivants cet après-midi même. Des hommes blancs. Le lieutenant était engourdi de confusion. Il ne pouvait pas participer à cela, pas même en tant que spectateur. Il devait partir.

Alors qu'il se tournait, il aperçut Oiseau Frappeur. L'homme-médecine souriait largement, mais quand il vit le Lieutenant Dunbar dans l'ombre juste au-delà de la lueur du feu, son sourire s'évanouit. Puis, comme s'il voulait éviter de gêner le lieutenant, il lui tourna le dos.

Dunbar voulait croire que le cœur d'Oiseau Frappeur était avec lui, que d'une certaine façon il partageait sa confusion. Mais il ne pouvait pas penser pour le moment. Il devait partir pour se retrouver seul.

Longeant le camp, il retrouva ses affaires sur le côté opposé et partit dans la prairie avec Cisco. Il continua jusqu'à ce qu'il ne puisse plus voir les feux. Alors il étendit sa couverture sur le sol et resta allongé à regarder les étoiles, essayant de croire que les hommes qui avaient été tués étaient de mauvais hommes qui avaient mérité de mourir. Mais cela ne servait à rien. Il ne pouvait pas en être certain, et même si cela avait été le cas... eh bien, ce n'était pas à lui de juger. Il essaya de se persuader que Vent Dans Les Cheveux, Oiseau Frappeur et tous ceux qui avaient pris part à la tuerie n'étaient pas si heureux de l'avoir fait. Mais ils l'étaient.

Par-dessus tout, il refusait son statut actuel. Il préférait s'imaginer qu'il flottait vers les étoiles. Mais ce n'était pas le cas.

Il entendit Cisco s'étendre dans l'herbe en poussant un profond soupir. Après quoi le cheval se tint tranquille et les pensées de Dunbar se tournèrent vers l'intérieur, vers lui-même. Ou plutôt vers son absence de personnalité. Il n'était pas indien. Il ne faisait plus partie des Blancs. Et le temps n'était pas venu pour lui de rejoindre les étoiles.

Il faisait partie de ce qui l'entourait à présent. Et nulle part il n'avait sa place.

Un sanglot monta dans sa gorge. Il dut hoqueter pour le contenir. Mais les sanglots continuaient de venir et il cessa bientôt de se demander pourquoi il devait les contenir.

5

Il sentit une légère pression dans son dos. En se réveillant, il crut avoir rêvé. La couverture était lourde et humide de rosée. Il devait l'avoir tirée sur sa tête durant la nuit.

Il en souleva le bord et jeta un regard dans la lueur brumeuse du petit matin. Cisco se tenait debout dans l'herbe, seul à un ou deux mètres de lui. Ses oreilles étaient dressées.

À nouveau, quelque chose lui tapa doucement dans le dos. Le Lieutenant Dunbar rejeta la couverture et regarda le visage de l'homme qui se tenait debout au-dessus de lui.

C'était Vent Dans Les Cheveux. Son visage sévère était peint de barres ocre et il tenait un fusil tout neuf à la main. Il remua l'arme et le lieutenant retint sa respiration. Son heure était peut-être venue. Il imagina ses cheveux pendant à la lance du féroce.

Mais Vent Dans Les Cheveux sourit en levant le fusil un peu plus haut. Il poussa doucement les côtes du lieutenant du bout de l'orteil et dit quelques mots en comanche. Le Lieutenant Dunbar resta sans bouger tandis que Vent Dans Les Cheveux pointait son fusil sur un gibier imaginaire. Puis il fit mine d'enfoncer un morceau de nourriture dans sa bouche, et, tel un ami qui en bouscule amicalement un autre, il tapota à nouveau les côtes de Dunbar de la pointe de son mocassin.

Ils vinrent sous le vent, tous les hommes valides de la tribu avançant en une large formation qui évoquait une corne, un croissant mouvant large d'un kilomètre. Ils chevauchaient en silence, prenant soin de ne pas alarmer les bisons jusqu'au dernier moment possible, jusqu'à ce qu'il soit temps de courir.

Novice parmi des experts, le Lieutenant Dunbar s'efforçait de comprendre la stratégie de la chasse. De sa position proche du centre de la formation, il pouvait voir qu'ils cherchaient à isoler une petite portion du gigantesque troupeau. Les cavaliers composant la partie droite de la corne mouvante avaient presque réussi à détacher le petit groupe tandis que le milieu repoussait l'arrière. Sur sa gauche, les cavaliers se déployaient en une ligne de plus en plus droite.

C'était un encerclement.

Il était suffisamment proche pour entendre des bruits : le braillement irrégulier des veaux, le meuglement des mères, un éternuement occasionnel provenant de l'un des mâles massifs. Plusieurs milliers de bêtes se trouvaient droit devant eux.

Le lieutenant regarda à sa droite. Vent Dans Les Cheveux le suivait et il était tout yeux tandis qu'ils se rapprochaient du troupeau. Il ne paraissait pas avoir conscience du cheval bougeant sous lui ni du fusil tanguant dans sa main. Ses yeux perçants étaient partout à la fois : sur les chasseurs, sur le gibier et sur le sol qui diminuait entre eux. Si l'air avait été visible, il en aurait noté les variations les plus subtiles. Il était comme un homme écoutant le compte à rebours de quelque horloge invisible.

Même le Lieutenant Dunbar, qui pourtant manquait de pratique en la matière, pouvait sentir la tension monter autour de lui. L'air s'était figé. Aucun son ne portait. Il ne pouvait plus entendre les sabots des poneys des chasseurs. Même le troupeau devant eux était devenu soudainement silencieux. La mort s'installait sur la prairie avec l'assurance d'un nuage descendant.

Quand il fut à moins d'une centaine de mètres, une poignée des animaux poilus se tourna comme un seul être et lui fit face. Ils levèrent leurs grosses têtes, humant l'air pour tenter de déterminer ce que leurs oreilles avaient entendu mais que leurs yeux déficients étaient encore incapables d'identifier. Les queues se dressèrent, se recourbant au-dessus des croupes comme de petits drapeaux. Le plus gros frappa du sabot dans l'herbe, secoua la tête et renifla d'un ton bourru, défiant l'intrusion des cavaliers qui approchaient.

Dunbar comprit que pour chaque chasseur, le fait imminent de tuer n'était pas une conclusion inéluctable; ce n'était pas une chose que l'on attendait tranquillement. Pour donner la mort à chacun de ces animaux, chaque homme allait risquer la sienne.

Un ébranlement éclata sur le flanc droit, loin dans la ligne vers la pointe de la corne. Les chasseurs avaient frappé.

Avec une incroyable rapidité, cette première attaque déclencha une réaction en chaîne qui prit Dunbar de la même façon que des brisants peuvent surprendre un baigneur non prévenu.

Les bisons qui lui avaient fait face pivotèrent et se mirent à courir. Au même moment tous les poneys indiens bondirent en avant. Cela arriva si vite que Cisco faillit désarçonner le lieutenant. Il lança la main en arrière pour rattraper son chapeau, qui roula hors de portée. Peu importait. Il n'y avait plus moyen de s'arrêter à présent, même s'il avait usé de toute sa force. Le petit bai filait en avant, avalant le sol comme si des flammes lui chatouillaient les talons, comme si sa vie dépendait de sa course.

Dunbar regarda la ligne de cavaliers à sa droite et à sa gauche et fut étonné de voir qu'il n'y avait personne. Il regarda par-dessus son épaule et les vit, aplatis sur le dos de leurs poneys. Ils allaient aussi vite qu'ils le pouvaient, mais, comparés à Cisco, il s'agissait de traînards, luttant désespérément pour se maintenir au même niveau. Ils perdaient du terrain à chaque seconde, et soudain le lieutenant occupa tout un espace à lui seul. Il se trouvait entre les bisons en fuite et les chasseurs les poursuivant.

Il tira sur les rênes de Cisco, mais si le bai le sentit, il n'y prêta aucune attention. Son cou était tendu, ses oreilles aplaties et ses narines largement écartées, avalant le vent qui le galvanisait, le rapprochait sans cesse du troupeau.

Le Lieutenant Dunbar n'eut pas le temps de réfléchir. La prairie filait sous ses pieds, le ciel roulait au-dessus de sa tête, et entre les deux, étendu en une longue ligne directement devant lui, se trouvait un mur de bisons fuyant en débandade.

Il était suffisamment proche pour voir les muscles de leurs croupes. Il pouvait distinguer le dessous de leurs sabots. Encore quelques secondes et il serait assez près pour les toucher.

Il se précipitait dans un cauchemar mortel, un homme sur une barque filant droit sur la chute. Le lieutenant ne hurla pas. Il ne dit pas une prière ni ne fit le signe de croix. Mais il ferma les yeux. Les visages de son père et de sa mère surgirent dans sa tête. Ils faisaient une chose qu'il ne leur avait jamais vu faire. Ils s'embrassaient passionnément. Il y avait un grondement autour d'eux, un grand roulement de milliers de tambours. Le lieutenant ouvrit les yeux et se trouva dans un paysage de rêve, une vallée emplie de gigantesques monticules bruns et noirs se précipitant dans une même direction.

Ils galopaient avec le troupeau.

Le tonnerre effroyable de dizaines de milliers de sabots fourchus portait le même silence bizarre qu'un déluge, et pendant quelques instants Dunbar se retrouva sereinement à la dérive dans le calme fou de la panique.

S'accrochant à Cisco, il regarda au-delà du massif tapis ambulant dont il faisait à présent partie et imagina que, s'il le voulait, il pouvait glisser du dos de son cheval et parvenir à un terrain sûr en sautant d'une bosse à l'autre, comme un enfant pourrait bondir d'un rocher à un autre au milieu du courant.

Le fusil faillit tomber de ses mains moites, et à ce moment le bison sur sa gauche, à moins de cinquante centimètres de lui, pivota brusquement. D'un coup de sa tête velue, il tenta d'éventrer Cisco. Mais le bai était trop agile. Il fit un brusque écart et la corne lui érafla seulement le cou. Le mouvement déséquilibra le Lieutenant Dunbar. Il aurait dû tomber pour rencontrer sa mort. Mais les bisons étaient si étroitement serrés autour de lui qu'il rebondit contre le dos de l'animal courant de l'autre côté et réussit à se redresser.

Paniqué, le lieutenant abaissa son fusil et tira sur le bison qui avait attaqué Cisco. Ce fut un mauvais tir, mais la balle fit éclater une des pattes avant de l'animal. Ses genoux plièrent et Dunbar entendit le craquement de son cou quand le bison culbuta.

Soudain il y eut un espace découvert autour de lui. Les bisons s'étaient écartés de la détonation. Il tira durement sur les rênes de Cisco et le bai répondit. En quelques instants ils furent arrêtés. Le grondement du troupeau diminua.

Alors que le troupeau s'éloignait devant lui, il s'aperçut que ses compagnons de chasse les avaient rejoints. La vue d'hommes nus à dos de cheval, galopant avec tous ces animaux, comme des bouchons sur une mer houleuse, le pétrifia. Il voyait les arcs se tendre et les nuages de poussière s'élever tandis qu'un à un les bisons s'écroulaient.

Mais il ne s'écoula pas longtemps avant qu'il fasse demi-tour. Il voulait voir sa prise de ses propres yeux. Il voulait confirmer ce qui semblait trop fantastique pour être vrai.

Tout était arrivé en moins de temps qu'il ne lui en fallait pour se raser.

7

Il s'agissait déjà d'un gros animal à l'origine, mais une fois mort, étendu sans bouger et seul dans l'herbe rase, il paraissait plus gros encore.

Comme un visiteur dans une exposition, le Lieutenant Dunbar fit lentement le tour du cadavre. Il s'arrêta devant la tête monstrueuse du bison, prit une des cornes en main et tira dessus. La tête était très lourde. Il fit courir sa main le long du corps : à travers la bosse poilue semblable à de la laine, le long du dos incliné et sur la croupe au poil ras. Il tint la queue touffue entre ses doigts. Elle paraissait ridiculement petite.

Revenant sur ses pas, le lieutenant s'accroupit près de la tête du bison et empoigna la longue barbe noire qui pendait de son menton. Elle lui rappelait la barbiche d'un général et il se demanda si cet individu avait été un membre important du troupeau.

Il se redressa et recula d'un ou deux pas, toujours sous l'emprise de la vision de l'énorme bête. Le simple fait qu'une telle créature puisse exister était un magnifique mystère. Et il y en avait des milliers.

Peut-être sont-ils des millions, songea-t-il.

Il n'était pas fier d'avoir pris la vie du bison, mais cela ne lui causait nul remords non plus. Mis à part un profond sentiment de respect, il n'éprouvait aucune émotion. Seul son corps réagissait : il sentait son estomac faire des bonds, il l'entendait gronder. Sa bouche s'était mise à saliver. Depuis plusieurs jours il n'avait fait que des repas frugaux et à présent, en regardant cette énorme masse de viande, il avait extrêmement conscience de sa faim.

Dix minutes à peine s'étaient écoulées depuis la charge frénétique, et déjà la chasse était terminée. Abandonnant ses morts derrière lui, le troupeau avait disparu. Les chasseurs restaient près de leurs prises, attendant que les femmes, les enfants et les vieillards se déversent dans la plaine, apportant avec eux leurs instruments de boucherie. Les voix résonnaient d'excitation, et Dunbar fut frappé par l'idée qu'une espèce de fête avait commencé.

Vent Dans Les Cheveux se mit soudain à galoper avec deux compères. Enivré par le succès, il souriait largement en faisant bondir son poney haletant. Le lieutenant remarqua une blessure qui n'avait pas belle apparence juste sous le genou du guerrier.

Mais Vent Dans Les Cheveux ne s'en préoccupait pas. Il rayonnait toujours quand il se glissa à côté du lieutenant pour lui allonger une grande claque dans le dos qui, quoique bien intentionnée, envoya Dunbar s'étaler sur le sol.

Riant avec bonhomie, Vent Dans Les Cheveux remit le lieutenant étourdi sur ses pieds et pressa dans sa paume un couteau à la lame épaisse. Il dit quelques mots en comanche et désigna le bison mort.

Dunbar resta de marbre, fixant d'un air penaud le couteau dans sa main. Il sourit avec impuissance et secoua la tête. Il ne savait pas comment faire.

Vent Dans Les Cheveux murmura quelque chose qui fit rire ses amis, tapa le lieutenant sur l'épaule et reprit le couteau. Puis il tomba sur un genou devant le ventre du bison de Dunbar.

Avec l'assurance d'un boucher confirmé, il enfonça profondément le poignard dans la poitrine du bovidé et, usant des deux mains, tira sur la lame pour l'ouvrir. Tandis que les entrailles se répandaient à l'extérieur, Vent Dans Les Cheveux plongea une main dans la cavité, tâtonnant comme un homme qui cherche un objet dans l'obscurité.

Il trouva ce qu'il voulait, fit quelques brusques tractions et se remit sur pied avec un rein si gros qu'il pendait de chaque côté de ses deux mains. Imitant la courbette bien connue du soldat blanc, il offrit sa prise au lieutenant ahuri. Avec précaution, Dunbar accepta l'organe fumant, mais, n'ayant aucune idée de ce qu'il convenait de faire, il opta pour son habituelle courbette et, aussi poliment que possible, rendit le rein.

Normalement, Vent Dans Les Cheveux aurait pu s'en offenser, mais il se rappela que « Joun » était blanc, donc ignorant. Il fit une autre courbette, enfonça une extrémité du rein encore chaud dans sa bouche et en arracha un morceau substantiel.

Le Lieutenant Dunbar regarda sans y croire le guerrier qui passait le rein à ses amis. Ils arrachèrent également à coups de dents des morceaux du rein cru. Ils le mangeaient avec gourmandise, comme s'il s'était agi d'une tarte aux pommes sortant du four.

À présent, une petite troupe s'était assemblée autour du bison de Dunbar. Oiseau Frappeur était là, ainsi que Celle Qui Se Dresse Avec Un Poing Fermé. Elle et une autre femme avaient déjà entrepris de dépouiller l'animal mort.

Une fois de plus, Vent Dans Les Cheveux lui offrit la

viande à demi dévorée, et une fois de plus Dunbar la prit. Il la tint stupidement, guettant sur les visages une expression ou un signe qui le tirerait d'embarras.

Il n'obtint aucune aide. Ils l'observaient en silence, dans l'expectative, et il comprit que le passer à nouveau ne tromperait personne. Même Oiseau Frappeur attendait.

Tout en portant le rein à sa bouche, Dunbar tenta de se convaincre que ce ne serait pas plus difficile que d'avaler une cuillerée de quelque chose qu'il haïssait, comme des pois du Pérou.

Espérant qu'il ne s'étoufferait pas, il mordit dans le rein.

La viande était incroyablement tendre. Elle fondit dans sa bouche. Il regarda l'horizon tout en mâchant, et pendant un instant le Lieutenant Dunbar oublia son auditoire silencieux tandis que ses papilles gustatives envoyaient un message surprenant à son cerveau.

C'était délicieux.

Sans y penser, il prit une nouvelle bouchée. Un sourire spontané apparut sur son visage et il leva triomphalement ce qui restait de la viande au-dessus de sa tête.

Ses camarades de chasse répondirent à son geste par un chœur de hurlements de joie.

CHAPITRE XIX

1

Comme beaucoup de gens, le Lieutenant Dunbar avait passé la plus grande partie de sa vie en retrait, observant plutôt que participant. Les fois où il avait agi, il avait fait preuve d'un individualisme farouche, dans le civil tout comme à la guerre.

Toujours rester à l'écart était frustrant.

Il avait émergé de cette ornière qu'il avait suivie toute sa vie quand il avait levé avec enthousiasme le rein, symbole de sa prise, et entendu les cris d'encouragement de ses compagnons. Alors il avait ressenti la satisfaction d'appartenir à quelque chose dont le tout était plus grand que les parties. C'était une sensation qui avait été fantastique dès le début. Et durant les jours qu'il passa sur le terrain de chasse et les nuits qu'il vécut au campement provisoire, ce sentiment se trouva solidement renforcé.

L'armée avait exalté sans relâche les vertus du service, du sacrifice individuel au nom de Dieu ou de la Patrie ou des deux. Le lieutenant avait fait de son mieux pour adopter cette doctrine, mais le sentiment du service de l'armée s'était implanté principalement dans sa tête. Pas dans son cœur. Il n'avait pas survécu au-delà de la disparition de la rhétorique creuse du patriotisme.

Les Comanches étaient différents.

C'étaient des gens primitifs. Ils vivaient dans un monde gigantesque et désert, un monde étrange que son propre peuple ne considérait que comme des centaines de kilomètres sans intérêt qu'il fallait traverser.

Mais les faits qui composaient leurs vies étaient devenus moins importants pour lui. Ils formaient un groupe qui vivait et prospérait dans l'entraide. Rendre service était leur façon de contrôler la fragile destinée gouvernant leurs vies. On se rendait constamment service, loyalement et sans récrimination ; c'était leur façon de vivre, simple et magnifique, et le Lieutenant Dunbar trouva là une paix qui lui plaisait.

Il ne se fit pas d'illusions. Il ne pensa pas à devenir un Indien. Mais il savait que tant qu'il serait avec eux, il servirait le même esprit.

Cette révélation fit de lui un homme plus heureux.

2

Le dépeçage était une entreprise colossale.

Il y avait peut-être soixante-dix bisons morts, éparpillés comme des morceaux de chocolat sur un grand plancher de terre battue, et auprès de chaque corps les familles œuvraient avec une rapidité et une précision incroyables pour transformer les animaux en produits utilisables.

Le lieutenant n'arrivait pas à croire à tout ce sang. Il imbibait tout le terrain de chasse comme du jus répandu sur une nappe. Il couvrait les bras, les visages et les vêtements des bouchers. Il gouttait des poneys et des travois rapportant la nourriture au camp.

Ils prirent tout : les peaux, la viande, les entrailles, les sabots, les queues, les têtes. En l'espace de quelques heures tout eut disparu, donnant à la prairie l'apparence d'une gigantesque table de banquet récemment débarrassée.

Le Lieutenant Dunbar passa cette période avec les autres guerriers. L'humeur était à la gaieté. Il n'y avait eu que deux hommes blessés, et aucun des deux sérieusement. Un bon poney s'était cassé une jambe, mais c'était peu en comparaison de l'abondance que les chasseurs avaient apportée.

Ils étaient ravis, et cela se voyait sur leurs visages tandis qu'ils s'attroupaient au cours de l'après-midi, pour fumer, manger et échanger des histoires. Dunbar ne comprenait pas les mots, mais les histoires étaient assez simples à saisir. Il s'agissait des récits de ceux qui avaient failli mourir, des histoires d'arcs brisés et de bêtes parvenues à s'enfuir.

Quand le lieutenant fut appelé pour raconter son histoire, il mima son aventure avec une théâtralité qui rendit les guerriers fous de rire. Cela devint le témoignage le plus recherché de la journée, et il fut contraint de le répéter une demi-douzaine de fois. Le résultat fut le même à chaque narration. Quand il en arrivait à la moitié, son auditoire se tenait les côtes, essayant de contenir la douleur d'un rire réprimé.

Peu importait au Lieutenant Dunbar. Il riait, lui aussi. Et peu lui importait le rôle que la chance avait joué dans ses actes, car il savait qu'ils étaient réels. Et il savait qu'à travers eux il avait accompli quelque chose de merveilleux.

Il était devenu « un des gars ».

3

La première chose qu'il vit quand ils retournèrent au camp ce soir-là fut son chapeau. Il se trouvait sur la tête d'un homme d'âge mûr qu'il ne connaissait pas.

Il y eut un bref moment de tension quand le Lieutenant Dunbar alla directement à lui, pointa le doigt sur le chapeau en tissu de l'armée, qui n'allait pas vraiment à l'homme, et dit d'un ton neutre :

– C'est à moi.

Le guerrier le regarda avec curiosité et ôta le chapeau. Il le fit tourner dans ses mains et le remit sur son crâne. Puis il sortit le poignard qu'il portait à la ceinture, le tendit au lieutenant et passa son chemin sans dire un mot.

Dunbar vit son chapeau s'éloigner en tressautant jusqu'à disparaître de sa vue puis examina le couteau qu'il avait en main. Son fourreau orné de perles ressemblait à un trésor, et il partit en quête d'Oiseau Frappeur, estimant qu'il sortait gagnant de l'échange.

Il se déplaçait librement dans le camp, et partout où il allait il était l'objet de salutations joyeuses.

Les hommes hochaient la tête pour le saluer, les femmes souriaient, et des enfants trottaient derrière lui en gloussant. La tribu était en délire à la perspective de la fête qui s'annonçait, et la présence du lieutenant était une source de joie supplémentaire. Sans proclamation formelle ni consensus ils en étaient venus à le considérer comme un porte-bonheur vivant.

Oiseau Frappeur le conduisit à la tente de Dix Ours, où une petite cérémonie de remerciements eut lieu. Le vieil homme était toujours en remarquable condition physique, et la bosse provenant de la bête qu'il avait tuée fut rôtie la première. Quand elle fut prête, Dix Ours lui-même en tailla un morceau, dit quelques mots au Grand Esprit et honora le lieutenant en lui donnant la première part.

Dunbar fit sa petite courbette, prit une bouchée et rendit obligeamment la tranche à Dix Ours, geste qui impressionna grandement le vieil homme. Il alluma sa pipe et honora à nouveau le lieutenant en lui offrant la première bouffée.

Fumer devant la tente de Dix Ours marqua le commencement d'une folle nuit. Tout le monde avait fait un feu, et sur chacun grillait de la viande fraîche : bosses, côtes et un large assortiment d'autres morceaux de choix.

Illuminé comme une petite ville, le village temporaire brilla longtemps dans la nuit, sa fumée traînant dans le ciel un arôme que l'on pouvait sentir à des kilomètres à la ronde.

Les gens mangèrent comme s'il ne devait pas y avoir de lendemain. Une fois rassasiés, ils faisaient de courtes pauses, déambulant en petits groupes pour bavarder ou jouer à des jeux de hasard. Mais le dernier repas à peine digéré, ils retournaient auprès des feux pour se gorger à nouveau.

Avant que la nuit soit très entamée, le Lieutenant Dunbar eut l'impression d'avoir mangé un bison entier. Il avait fait le tour du camp avec Vent Dans Les Cheveux, et à chaque feu tous deux avaient été traités comme des rois.

Ils se dirigeaient vers un nouveau groupe de fêtards quand le lieutenant s'arrêta dans l'ombre derrière une tente et fit comprendre par gestes à Vent Dans Les Cheveux que son estomac était douloureux et qu'il voulait dormir.

Mais à cet instant Vent Dans Les Cheveux n'était pas très attentif. Toute son attention était rivée sur la tunique du lieutenant. Dunbar regarda sa poitrine avec sa rangée de boutons de cuivre, puis à nouveau le visage de son compagnon de chasse. Les yeux du guerrier étaient légèrement vitreux tandis qu'il tendait un doigt pour le poser sur un des boutons.

– Tu veux ça ? demanda le lieutenant, le bruit de ses mots déchirant le voile dans les yeux de Vent Dans Les Cheveux.

Le guerrier ne dit rien. Il inspecta le bout de son doigt pour voir si quelque chose s'était détaché du bouton.

– Si tu la veux, dit le lieutenant, tu peux la prendre.

Il défit les boutons, sortit ses bras des manches et la tendit au guerrier.

Vent Dans Les Cheveux savait qu'elle lui était offerte, mais il ne la prit pas immédiatement. En fait, il commença par décrocher le magnifique pectoral en tuyaux d'os étincelant qui était accroché autour de son cou et sur sa poitrine. Il le présenta à Dunbar quand son autre main brune se referma sur la tunique.

Le lieutenant l'aida avec les boutons, et quand ce fut fait il vit que Vent Dans Les Cheveux était aussi heureux qu'un gamin un soir de Noël.

Dunbar rendit le pectoral et essuya un refus. Vent Dans Les Cheveux secoua violemment la tête et agita les mains. Il fit des gestes qui disaient au soldat blanc de le mettre.

– Je ne peux pas prendre ça, bégaya le lieutenant. Ce n'est pas... cela n'a pas la même valeur... Tu comprends ?

Mais Vent Dans Les Cheveux ne voulait rien entendre. Pour lui c'était plus qu'équitable. Les pectoraux étaient emplis de pouvoir et il fallait beaucoup de temps pour les faire. Mais la tunique était unique en son genre.

Il fit pivoter Dunbar, enveloppa l'armure décorative autour de sa poitrine et attacha les nœuds de façon qu'ils ne bougent pas.

Ainsi fut fait l'échange, et chacun des deux fut heureux. Vent Dans Les Cheveux grogna un au revoir et partit vers le feu le plus proche. Sa nouvelle acquisition était étroite et lui démangeait la peau. Mais cela importait peu. Il était certain que la tunique se révélerait un apport conséquent à sa provision d'amulettes. Avec le temps elle pourrait démontrer qu'elle possédait une forte médecine, particulièrement en ce qui concernait les boutons de cuivre et les barres dorées sur les épaules. C'était une grande prise.

4

Anxieux d'éviter la nourriture dont il savait qu'elle lui serait offerte s'il traversait le camp, le Lieutenant Dunbar partit dans la prairie pour contourner le village provisoire, espérant qu'il pourrait repérer la tente d'Oiseau Frappeur pour se coucher immédiatement.

Au second tour complet du camp, il entrevit la tente marquée d'un ours, et, sachant que le tipi d'Oiseau Frappeur serait planté tout près de là, il pénétra à nouveau dans le camp.

Il n'était pas allé très loin quand un bruit le fit s'immobiliser, et il s'arrêta derrière une tente ne portant aucun signe distinctif. La lumière d'un feu s'étendait sur le sol juste devant lui, et les sons provenaient de là. C'était un chant, haut et répétitif, et distinctement féminin.

Se tenant à la paroi de la tente, le Lieutenant Dunbar jeta un coup d'œil de l'autre côté, comme un voyeur.

Une douzaine de jeunes femmes, leurs tâches accomplies pour le moment, dansaient et chantaient en un cercle étroit autour des flammes. Pour autant qu'il ait pu en juger, il ne s'agissait pas d'un cérémonial. Le chant était ponctué de rires haut perchés, et il supposa que cette danse était improvisée, destinée uniquement à l'amusement.

Ses yeux tombèrent accidentellement sur le pectoral. Il était à présent illuminé par la lueur orangée du feu, et il ne put s'empêcher de laisser une main courir sur la double rangée d'os en forme de tubes qui lui couvraient toute la poitrine et l'estomac. Quelle chose rare que de voir tant de beauté et tant de force réunies au même endroit et en même temps! Cela lui donnait l'impression d'être quelqu'un de spécial.

Je le garderai éternellement, songea-t-il rêveusement.

Quand il releva les yeux, plusieurs des danseuses s'étaient écartées pour former un petit noyau de femmes souriantes et murmurantes dont le sujet de conversation actuel était à l'évidence l'homme blanc arborant le pectoral d'os. Elles le regardaient franchement et, bien qu'il ne l'ait pas remarqué, il y avait une lueur diabolique dans leurs yeux.

Ayant été un constant sujet de discussion pendant de nombreuses semaines, le lieutenant leur était bien connu : comme un dieu potentiel, comme un clown, comme un héros et comme un agent mystérieux. Sans en avoir eu conscience, il était parvenu à un statut rare dans la culture comanche, un statut qui était peut-être plus apprécié par les femmes.

Il était une célébrité.

Et à présent, sa célébrité et sa bonne allure naturelle étaient grandement rehaussées aux yeux des femmes par l'adjonction du magnifique pectoral.

Il fit une ébauche de courbette et s'avança volontairement dans la lueur du feu, dans l'intention de passer son chemin sans plus interrompre leur amusement.

Mais comme il passait devant elles, une des femmes tendit impulsivement le bras et lui prit doucement la main dans les siennes. Le contact l'immobilisa net. Il fixa les femmes, qui gloussaient à présent nerveusement, et se demanda si on n'allait pas lui jouer un tour.

Deux ou trois d'entre elles se mirent à chanter et, tandis que la danse reprenait, plusieurs lui tirèrent sur les bras. Elles lui demandaient de se joindre à elles.

Il n'y avait pas grand monde dans le voisinage. Il n'aurait pas une vaste audience.

Et de plus, se dit-il, un peu d'exercice serait bon pour la digestion.

La danse était lente et simple. Lève un pied, tiens-le en l'air, pose-le. Lève l'autre pied, tiens-le en l'air, pose-le. Il se glissa dans le cercle et essaya les pas. Il les assimila rapidement et en peu de temps il fut capable de suivre la cadence, souriant aussi largement que les danseuses et s'amusant énormément.

Danser lui avait toujours plu. C'était une de ses distractions favorites. Tandis que la musique des voix de femmes l'emportait, il leva les pieds plus haut, les soulevant et les laissant retomber avec une conviction nouvelle. Il commença à agiter ses bras comme des pistons, s'impliquant de plus en plus dans le rythme. Finalement, quand il fut vraiment bien, le lieutenant toujours souriant ferma les yeux, s'immergeant totalement dans l'extase du mouvement.

Ce qui l'empêcha de voir que le cercle s'était rétréci. Ce ne fut que lorsqu'il buta dans la femme en face de lui que le lieutenant réalisa combien la danse s'était resserrée. Il regarda les femmes dans le cercle avec appréhension, mais elles le rassurèrent avec des sourires joyeux. Dunbar continua de danser.

À présent il sentait le contact occasionnel de seins – la douceur était telle qu'il n'y avait pas à s'y tromper – contre son dos. Sa taille entrait régulièrement en contact avec la croupe devant lui. Quand il tentait de l'éviter, les seins le pressaient à nouveau.

C'était plus surprenant qu'excitant. Il n'avait pas senti le contact d'une femme depuis si longtemps que cela semblait totalement nouveau, trop neuf pour savoir quoi faire.

Il n'y avait rien d'évident sur le visage des femmes tandis que le cercle se resserrait davantage encore. Leurs sourires étaient constants. Comme la pression des fesses et des poitrines.

Il ne levait plus les pieds. Ils étaient trop serrés l'un contre l'autre et il en était réduit à monter et à descendre.

Le cercle se rompit et les femmes se précipitèrent contre lui. Leurs mains le touchaient pour s'amuser, jouant avec son dos, son estomac et son postérieur. Soudain elles brossèrent l'emplacement le plus privé, à l'avant de son pantalon.

Une seconde de plus et le lieutenant aurait décampé, mais, avant qu'il ait eu le temps de faire un geste, les femmes s'étaient dispersées.

Il les vit se fondre dans l'obscurité comme des collégiennes embarrassées. Puis il se retourna pour voir ce qui les avait fait fuir.

Il se tenait seul, debout à la limite de la lueur du feu, resplendissant et étrange sous une coiffure imitant une tête de hibou. Oiseau Frappeur lui grogna quelques mots, mais le lieutenant ne put déterminer s'il était en colère ou non.

L'homme-médecine se détourna du feu et, comme un chiot qui pense avoir fait quelque chose de mal et craint d'être puni, le Lieutenant Dunbar le suivit.

5

Il s'avéra qu'il n'y eut pas de répercussions à sa rencontre avec les danseuses. Mais à son grand désespoir, Dunbar trouva le feu devant la tente d'Oiseau Frappeur encombré de célébrants qui faisaient toujours la fête et qui insistèrent pour qu'il prenne la première des côtes rôties qui sortaient juste du feu.

Aussi le lieutenant s'assit-il un moment encore, se laissant gagner par la bonne humeur des gens autour de lui, tandis qu'il enfournait toujours plus de viande dans son estomac gonflé.

Une heure plus tard il pouvait à peine garder les yeux ouverts et, quand ils rencontrèrent ceux d'Oiseau Frappeur, l'homme-médecine se leva de sa place. Il emmena le soldat blanc sous sa tente et le conduisit à une paillasse préparée spécialement pour lui contre une des parois du fond.

Le Lieutenant Dunbar s'abattit sur la couverture et commença à ôter ses bottes. Il était si fatigué qu'il ne pensa pas à dire bonsoir et n'eut qu'un aperçu du dos de l'homme-médecine tandis qu'il quittait la tente.

Dunbar laissa négligemment sa seconde botte tomber sur le sol et roula dans le lit. Il jeta un bras en travers de ses yeux et sombra dans le sommeil. Dans la zone intermédiaire précédant l'inconscience son esprit commença à s'emplir d'un flot régulier d'images chaudes, imprécises et vaguement sexuelles. Des femmes se mouvaient autour de lui. Il ne distinguait pas leurs visages, mais il pouvait entendre le murmure de leurs voix douces. Il pouvait voir leurs formes passer près de lui, ondulant comme les plis d'une robe dansant sous la brise.

Il pouvait les sentir qui l'effleuraient et, tandis qu'il dérivait, il perçut la pression d'une chair nue contre la sienne.

6

Quelqu'un gloussait dans son oreille et il ne parvenait pas à ouvrir les yeux. Ils étaient trop lourds. Mais les gloussements persistaient et bientôt il eut conscience d'une odeur dans ses narines. La couverture de bison. À présent il comprenait que les gloussements n'étaient pas à l'intérieur de son oreille. Ils étaient proches. C'était dans la pièce.

Il força ses yeux à s'ouvrir et tourna la tête vers le son. Il ne pouvait rien voir et se dressa légèrement. La tente était calme et les formes obscures de la famille d'Oiseau Frappeur étaient immobiles. Tout le monde semblait dormir.

Puis il entendit à nouveau le gloussement. Il était haut et doux, émis par une femme, et provenait d'un point directement à l'opposé. Le lieutenant se dressa un peu plus, suffisamment pour que son regard puisse passer par-dessus le feu mourant au centre de la salle.

La femme gloussa une nouvelle fois, et une voix d'homme, basse et gentille, flotta jusqu'à lui. Il pouvait voir l'étrange baluchon qui surmontait en permanence le lit d'Oiseau Frappeur. Les sons venaient de là.

Dunbar ne comprenait pas ce qui se passait et, se frottant rapidement les yeux, il se haussa encore un peu plus.

Il distinguait maintenant les formes de deux personnes ; leurs têtes et leurs épaules émergeaient du lit, et leurs mouvements agités semblaient déplacés à cette heure de la nuit. Le lieutenant plissa les yeux, essayant de percer l'obscurité.

Les corps changèrent soudain de place. L'un se leva au-dessus de l'autre et ils ne formèrent plus qu'un. Il y eut un moment de silence absolu avant qu'un long gémissement bas, comme un soupir exhalé, glisse jusqu'à ses oreilles, et Dunbar réalisa qu'ils faisaient l'amour.

Se sentant idiot, il replongea rapidement sous les couvertures, espérant qu'aucun des deux amants n'avait vu son visage stupide les regarder bouche bée depuis sa place.

Plus éveillé qu'endormi à présent, il resta étendu sur la couverture, écoutant leur bruit régulier et précipité. Ses yeux s'étaient accoutumés à l'obscurité et il pouvait distinguer la forme endormie la plus proche de lui.

La montée et la descente régulière des couvertures lui indiqua qu'il s'agissait d'un sommeil profond. Elle était étendue sur le côté, le dos tourné vers lui. Mais il reconnaissait la forme de sa tête et les cheveux nattés, couleur de cerise.

Celle Qui Se Dresse Avec Un Poing Fermé dormait seule et il commença à se poser des questions à son sujet. Elle était peut-être blanche par le sang, mais pour tout le reste elle faisait partie de ce peuple. Elle parlait son langage, comme s'il s'agissait de sa langue natale. L'anglais lui était étranger. Elle n'agissait pas comme si elle était victime de la moindre contrainte. Il n'y avait rien en elle qui évoquât la captive. Désormais, elle semblait être une égale absolue dans la tribu. Il supposa à juste titre qu'elle avait été capturée jeune.

Il continua de se poser des questions en attendant que le sommeil le reprenne, et celles qui concernaient la femme à la double personnalité disparurent progressivement jusqu'à ce qu'il n'en reste qu'une seule.

Je me demande si elle est heureuse, s'interrogea-t-il.

La question lui resta à l'esprit, se mélangeant paresseusement aux bruits d'Oiseau Frappeur et de sa femme en train de faire l'amour.

Puis, sans le moindre effort, la question commença à tournoyer, entraînant un lent tourbillon qui gagna de la vitesse à chaque tour, jusqu'à ce qu'il ne puisse plus le voir. Et le Lieutenant Dunbar sombra à nouveau dans le sommeil.

CHAPITRE XX

1

Ils passèrent moins de trois jours pleins au camp provisoire, et trois jours ne représentent qu'un temps très court pour subir un profond changement.

Mais ce fut ce qui se produisit.

Le cours de la vie du Lieutenant Dunbar se modifia.

Il n'y eut pas un simple événement éclatant comme une bombe pour causer ce changement. Il n'eut pas une vision mystique. Dieu ne fit pas d'apparition. Il ne fut pas adoubé guerrier comanche.

Il n'y eut pas un moment de vérité, pas une trace évidente sur laquelle quelqu'un aurait pu pointer le doigt en disant si c'était ici ou là, à ce moment ou à celui-là.

Ce fut comme si quelque virus d'éveil mystérieux et beau qui avait incubé pendant longtemps était soudain devenu primordial dans sa vie.

Le matin suivant la chasse le lieutenant s'éveilla avec une clarté d'esprit rare et il se demanda consciemment depuis combien de temps il ne s'était pas éveillé ainsi. Pas depuis son enfance.

Ses pieds étaient collants, aussi ramassa-t-il ses bottes et se glissa-t-il entre les dormeurs de la tente, espérant trouver un endroit où se nettoyer entre les orteils. Il le découvrit dès qu'il fut hors du tipi. La prairie couverte d'herbe était trempée de rosée sur des kilomètres à la ronde.

Laissant ses bottes à côté de la tente, le lieutenant marcha à l'est, sachant que le troupeau de poneys se trouvait quelque part dans cette direction. Il voulait vérifier que Cisco allait bien.

Les premières bandes roses de l'aube avaient percé

l'obscurité et il les regarda avec émerveillement tout en marchant, sans tenir aucun compte de ses jambes de pantalon qui s'imbibaient déjà de rosée.

Chaque jour commence avec un miracle, pensa-t-il soudain.

Les bandes devenaient plus larges, changeant de couleur de seconde en seconde.

Quoi que Dieu puisse être, je Le remercie pour cette journée.

Il aimait tant ces mots qu'il les prononça à voix haute.

– Quoi que Dieu puisse être, je Le remercie pour cette journée.

Les têtes des premiers chevaux apparurent, les oreilles tendues se découpant contre l'aube. Il pouvait voir la tête d'un Indien également. Il s'agissait probablement de ce gamin qui souriait tout le temps.

Il trouva Cisco sans trop de problèmes. Le bai s'ébroua à son approche et le cœur du lieutenant se gonfla légèrement. Son cheval posa la tête contre sa poitrine et tous deux restèrent immobiles pendant un moment, laissant la fraîcheur matinale planer sur eux. Le lieutenant leva doucement la tête de Cisco et lui souffla dans chaque narine.

Dévorés par la curiosité, les autres chevaux commencèrent à se presser autour d'eux, et avant qu'ils puissent devenir gênants le Lieutenant Dunbar glissa une bride sur l'encolure de Cisco et repartit vers le camp.

Aller dans la direction opposée était tout aussi impressionnant que d'en sortir. Le village provisoire était parfaitement accordé à l'horloge de la nature, et, comme le jour, il revenait doucement à la vie.

Quelques feux avaient été allumés et, durant le court laps de temps où il s'était absenté, il semblait que tout le monde s'était levé. Au fur et à mesure que la lumière augmentait, comme une lampe que l'on tournerait graduellement, le nombre de silhouettes se déplaçant dans le camp faisait de même.

– Quelle harmonie! dit platement le lieutenant en marchant avec un bras passé par-dessus le garrot de Cisco.

Puis il s'abîma dans des réflexions complexes et

abstraites à propos des vertus de l'harmonie, qui ne le quitta pas pendant tout le déjeuner.

2

Ils sortirent de nouveau ce matin-là, et Dunbar tua un autre bison. Cette fois il garda Cisco bien en main durant la charge et au lieu de plonger dans le troupeau, il en fouilla la lisière à la recherche d'un animal faisant l'affaire et le poursuivit. Bien qu'il ait visé avec un grand soin, la première balle fut trop haute et une seconde fut nécessaire pour terminer le travail.

L'animal était gros, et il fut complimenté sur son bon choix par une dizaine de guerriers qui vinrent inspecter sa prise. Il ne régnait pas la même excitation que celle qui avait accompagné la première journée de chasse. Il ne mangea pas de rein cru ce jour-là, mais à tous les niveaux il se sentit plus compétent.

Une fois de plus les femmes et les enfants déferlèrent sur la plaine pour le dépeçage, et en fin d'après-midi le camp provisoire fut submergé par la viande. D'innombrables séchoirs, ployant sous le poids de milliers de livres de viande, se dressaient comme des champignons après une averse, et il y eut de nouveaux festins à base de friandises fraîchement rôties.

Les plus jeunes guerriers et un certain nombre de garçons pas encore prêts pour le sentier de la guerre organisèrent une course de chevaux peu après leur retour au camp. Souris Beaucoup avait décidé de monter Cisco. Il présenta sa requête avec tant de respect que le lieutenant ne put le lui refuser, et plusieurs courses avaient été courues avant qu'il réalise avec horreur que les gagnants se voyait remettre les chevaux des perdants. Il avait pris fait et cause pour Souris Beaucoup en croisant les doigts des deux mains, et, fort heureusement pour le lieutenant, le garçon gagna les trois courses.

Plus tard on joua à des jeux de hasard, et Vent Dans Les Cheveux entraîna le lieutenant dans une partie. Hormis le fait que cela se jouait avec un dé, le jeu ne lui était pas familier, et en apprendre les règles coûta au lieutenant sa réserve de tabac. Certains des joueurs étaient intéressés par le pantalon aux bandes jaunes, mais, ayant déjà échangé son chapeau et sa tunique, le lieutenant estima qu'il devait garder une certaine partie de son uniforme.

De plus, à la façon dont progressaient les choses, il perdrait le pantalon et n'aurait plus rien à se mettre.

Le pectoral leur plaisait bien également, mais ça aussi c'était hors de question. Il offrit la vieille paire de bottes qu'il portait, mais les Indiens n'y accordèrent aucune valeur. Finalement le lieutenant mit son fusil en jeu, et les joueurs furent unanimes à l'accepter. Parier un fusil créa un grand émoi, et le jeu devint instantanément une affaire très importante, attirant nombre d'observateurs.

À présent le lieutenant savait ce qu'il faisait, et tandis que le jeu se poursuivait, les dés lui devinrent favorables. Il fut en veine, et à la fin de la partie, non seulement il avait encore son fusil, mais il était propriétaire de trois excellents poneys.

Les perdants donnèrent leurs trésors avec tant de grâce et de bonne humeur que Dunbar eut envie de faire de même. Il fit immédiatement présent de ses gains. Il offrit le plus grand et le plus fort des trois poneys à Vent Dans Les Cheveux. Puis, avec une foule de curieux dans son sillage, il conduisit les deux chevaux restants à travers le camp et, en arrivant devant la tente d'Oiseau Frappeur, il mit les deux rênes entre les mains de l'homme-médecine.

Oiseau Frappeur fut heureux mais très surpris. Quand quelqu'un lui expliqua d'où provenaient les chevaux, il regarda autour de lui, aperçut Celle Qui Se Dresse Avec Un Poing Fermé et l'appela, indiquant qu'il désirait qu'elle parle pour lui.

Elle formait un tableau assez macabre tandis qu'elle se tenait debout à côté de l'homme-médecine, à l'écouter. Le dépeçage lui avait maculé les bras, le visage et les vêtements de sang.

Elle plaida l'ignorance, le repoussant en secouant la tête, mais Oiseau Frappeur persista, et la petite assemblée en face de la tente devint silencieuse, attendant de voir si elle pouvait prononcer les mots anglais que lui avait demandés Oiseau Frappeur.

Elle fixa ses pieds et articula un mot à plusieurs reprises. Puis elle regarda le lieutenant et se lança.

– Mercié, dit-elle.

Le visage du lieutenant se crispa.

– Quoi ? répondit-il en se forçant à sourire.

– Merce.

Elle lui enfonça un doigt dans le bras et désigna les poneys.

– Cheveu.

– Merci ? supposa le lieutenant. Merci à moi ?

Celle Qui Se Dresse Avec Un Poing Fermé hocha la tête.

– Oui, dit-elle clairement.

Le Lieutenant Dunbar s'avança pour serrer la main d'Oiseau Frappeur, mais elle l'arrêta. Elle n'avait pas fini ; tenant un doigt levé, elle se glissa entre les poneys.

– Cheveu, dit-elle en montrant le lieutenant de sa main libre.

Elle répéta le mot et désigna Oiseau Frappeur.

– Un pour moi ? demanda le lieutenant en utilisant le même geste. Et un pour lui ?

Celle Qui Se Dresse Avec Un Poing Fermé poussa un soupir de satisfaction, et, sachant qu'il la comprenait, elle sourit légèrement.

– Oui, dit-elle.

Et spontanément, un autre mot ancien, parfaitement prononcé, jaillit de sa bouche :

– Correct.

Cela paraissait si bizarre, ce mot strict de bon anglais, que le Lieutenant Dunbar éclata de rire et, comme une adolescente qui vient juste de dire une bêtise, Celle Qui Se Dresse Avec Un Poing Fermé se couvrit la bouche d'une main.

C'était une plaisanterie entre eux deux. Elle savait que le mot avait jailli comme une éructation incontrôlée, et le lieutenant le savait également. Après coup, ils regardèrent Oiseau Frappeur et les autres. Les visages indiens étaient impassibles, et quand les yeux de l'officier de cavalerie et ceux de la femme qui était deux personnes se croisèrent à nouveau, ils brillaient d'une lueur complice. Il était impossible de l'expliquer exactement aux autres. Ce n'était pas suffisamment drôle pour s'en donner la peine.

Le Lieutenant Dunbar ne garda pas l'autre poney. Il le conduisit à la tente de Dix Ours et, sans le savoir, fit monter son statut encore plus haut. La tradition comanche voulait que les riches distribuent leur fortune parmi les moins fortunés. Mais Dunbar l'avait inversée, et le vieil homme resta avec la pensée que cet homme blanc était vraiment extraordinaire.

Cette nuit-là, alors qu'il était assis près du feu d'Oiseau Frappeur à écouter une conversation qu'il ne comprenait pas, le Lieutenant Dunbar aperçut Celle Qui Se Dresse Avec Un Poing Fermé. Elle était accroupie près de là et l'observait. Elle avait la tête penchée et les yeux emplis de curiosité. Avant qu'elle puisse détourner le regard, il hocha la tête en direction des guerriers, adopta un visage solennel et mit une main sur le côté de sa bouche.

– Correct, murmura-t-il d'une voix audible.

Elle se détourna très vite. Mais, tandis qu'elle le faisait, il entendit distinctement le son d'un gloussement.

3

Rester plus longtemps aurait été inutile. Ils avaient rassemblé toute la viande qu'ils pouvaient transporter. Juste après l'aube tout fut empaqueté, et la colonne se mit en route au milieu de la matinée. Avec tous les travois surchargés, le retour prit deux fois plus de temps que l'aller, et il commençait à faire nuit quand ils arrivèrent à Fort Sedgewick.

Un travois chargé de plusieurs centaines de livres de viande dépecée fut apporté et déchargé devant l'entrepôt. Un flot d'au revoir suivit, et, le Lieutenant Dunbar la regardant depuis la porte de sa baraque de torchis, la caravane reprit sa marche pour le camp permanent en amont sur la rivière.

Sans y penser, il chercha Celle Qui Se Dresse Avec Un Poing Fermé dans la pénombre entourant la longue colonne bruyante.

Il ne put la trouver.

4

Les sentiments du lieutenant quant à son retour étaient mitigés.

Il savait que le fort était son domicile, et c'était rassurant. Pouvoir enfin retirer ses bottes était agréable, de même que s'étendre sur le grabat et s'étirer sans être observé. Les yeux mi-clos, il contempla la flamme vacillante de la lampe, et son regard glissa paresseusement sur le décor tranquille de la cabane. Chaque chose était à sa place, et lui aussi.

Quelques minutes à peine s'étaient écoulées quand il réalisa que son pied droit tressautait d'une énergie inutilisée.

Qu'est-ce que tu fais? se demanda-t-il en calmant le pied. Tu n'es pas nerveux.

Un instant plus tard, il découvrit que les doigts de sa main droite tambourinaient impatiemment sur sa poitrine.

Il n'était pas nerveux. Il s'ennuyait. Il s'ennuyait et se sentait seul.

Autrefois il aurait cherché son nécessaire à tabac, aurait roulé une cigarette et se serait mis à tirer dessus. Mais il n'y avait plus de tabac.

Autant aller à la rivière, se dit-il, et là-dessus, il remit ses bottes et sortit.

Il s'arrêta, pensant au pectoral qui lui était déjà si précieux. Il était drapé sur la selle de l'armée qu'il avait apportée de l'entrepôt. Il rentra, désirant seulement y jeter un coup d'œil.

Mais dans la faible lueur de la lampe, il resplendissait. Le Lieutenant Dunbar fit courir sa main sur les os. Ils ressemblaient à du verre. Il le souleva et il y eut un claquement sec quand les os s'entrechoquèrent. Il aimait la sensation froide et dure sur sa poitrine nue.

Le «coup d'œil» se transforma en une longue promenade. La lune était à nouveau presque pleine et il n'avait pas besoin de lanterne pour marcher légèrement le long de la butte surplombant le cours d'eau.

Il prit son temps, s'arrêtant souvent pour regarder la rivière, ou une branche se courbant sous la brise, ou un lapin rongeant une racine. Nul ne s'inquiétait de sa présence.

Il se sentait invisible et il aimait ça.

Près d'une heure plus tard, il fit demi-tour et repartit vers la maison. Si quelqu'un s'était trouvé là quand il passait, il aurait vu que, malgré la légèreté de son pas et l'attention qu'il portait à tout ce qui n'était pas lui-même, le lieutenant était loin d'être invisible.

Surtout quand il s'arrêtait pour admirer la lune. Alors il levait la tête, tournait son corps face à sa lumière magique, et le pectoral renvoyait brusquement le blanc le plus lumineux, comme une étoile tombée sur terre.

5

Une chose étrange se produisit le lendemain.

Il passa la matinée et une partie de l'après-midi à essayer de travailler : refaisant l'inventaire de ce qui restait des provisions, brûlant quelques affaires sans utilité, trouvant une façon de ranger la viande pour qu'elle se conserve et inscrivant quelques annotations dans son journal.

Tout cela sans grand entrain. Il pensa à nouveau à étayer le corral mais décida qu'il ne travaillerait que pour lui-même et cela lui donnait le sentiment de partir à la dérive.

Quand le soleil eut largement entamé sa descente, il s'aperçut qu'il voulait à nouveau faire un tour dans la prairie. La journée avait été pénible. La transpiration due aux tâches qu'il s'était fixées avait trempé son pantalon et produit des auréoles qui le démangeaient en haut des cuisses. Il ne voyait pas pourquoi il devrait supporter ce désagrément. Dunbar partit donc sans ses vêtements, espérant rencontrer Deux Bottes.

Oubliant la rivière, il s'enfonça dans l'immense territoire herbeux qui s'étendait dans toutes les directions, ondulant d'une vie qui lui était propre.

L'herbe était au maximum de sa croissance; par endroits elle lui effleurait la hanche. Au-dessus de sa tête le ciel était empli de nuages blancs floconneux qui se dressaient contre le bleu immaculé comme des excroissances.

Sur une petite éminence à deux kilomètres du fort, il s'étendit dans l'herbe haute. Protégé du vent de tous côtés, il se laissa pénétrer de la chaleur des derniers rayons du soleil et fixa rêveusement les nuages lents.

Le lieutenant se tourna sur le côté pour se cuire le dos. Quand il bougea dans l'herbe, une sensation soudaine le submergea qu'il n'avait pas éprouvée depuis si longtemps que tout d'abord il ne fut pas sûr de ce qu'il ressentait.

L'herbe au-dessus de lui bruissait doucement sous la brise qui l'agitait. Le soleil était posé sur son dos comme une couverture de chaleur sèche. La sensation jaillissait, de plus en plus forte, et Dunbar s'y abandonna.

Sa main tomba et le lieutenant cessa de penser. Rien ne guida ses actes, ni visions, ni mots, ni souvenirs. Seule comptait la sensation à l'état pur.

Quand il reprit conscience, il regarda le ciel et vit la terre tourner dans le mouvement des nuages. Il roula sur le dos, étendit ses bras le long de son corps comme un cadavre, et flotta un moment sur son lit d'herbe et de terre.

Puis il ferma les yeux et dormit pendant une demi-heure.

6

Il passa la nuit à faire des bonds et à se retourner, son esprit sautant d'un sujet à l'autre comme s'il fouillait une longue succession de chambres en quête d'un endroit où dormir. Elles étaient toutes fermées ou inhospitalières jusqu'à ce qu'il finisse par arriver en un lieu auquel, au fond de son esprit, il savait être lié pour l'éternité.

La pièce était emplie d'Indiens.

L'image était si précise qu'il songea à partir pour le camp de Dix Ours sur l'heure. Mais cela paraissait trop impétueux.

Je me lèverai de bonne heure, se dit-il. Peut-être resterai-je quelques jours cette fois.

Cette perspective l'éveilla avant l'aube mais il se força à rester couché, résistant à l'idée de courir immédiatement jusqu'au village. Il voulait y aller sans espoirs irréfléchis et resta au lit jusqu'à ce qu'il fasse jour.

Quand il eut tout enfilé sauf sa chemise, il la prit et glissa un bras dans une manche. Il s'arrêta alors, regardant par la fenêtre de la cabane pour voir quel temps il allait faire. Il faisait déjà chaud dans la pièce, probablement plus chaud encore à l'extérieur.

Ça va être la canicule, songea-t-il en sortant son bras de la manche.

Le pectoral était accroché à une cheville et, en tendant la main pour le prendre, le lieutenant réalisa que c'était ce qu'il avait voulu porter depuis le début, quel que soit le temps.

Il empaqueta sa chemise dans une sacoche, juste en cas.

7

Deux Bottes attendait à l'extérieur.

Quand il vit le Lieutenant Dunbar sortir par la porte, il recula précipitamment de deux ou trois pas, tournoya sur place, fit quelques pas de côté et s'étendit, haletant comme un chiot.

Dunbar pencha la tête avec perplexité.

– Qu'est-ce qui te prend ?

Le loup leva la tête en entendant sa voix. Il paraissait si tendu que cela fit glousser Dunbar.

– Tu veux venir avec moi ?

Deux Bottes bondit et le regarda sans bouger un muscle.

– Viens, alors.

Oiseau Frappeur s'éveilla en pensant à « Joun », là-bas, au fort de l'homme blanc.

« Joun. » Quel drôle de nom ! Il essaya de deviner ce qu'il pouvait signifier. Jeune Cavalier, peut-être. Ou Cavalier Rapide. Probablement quelque chose qui avait un rapport avec les chevaux.

Il était bon d'avoir terminé la première chasse de la saison. Avec l'arrivée des bisons, enfin, le problème de la nourriture était résolu, et cela voulait dire qu'il pouvait revenir à son projet favori avec une certaine régularité. Il reprendrait dès aujourd'hui.

L'homme-médecine alla aux tentes de deux de ses proches conseillers et leur demanda s'ils voulaient chevaucher jusque là-bas avec lui. Il fut surpris de voir avec quelle hâte ils acceptèrent, mais prit cela pour un bon signe. Personne n'avait plus peur. En fait, les gens paraissaient être à l'aise avec le soldat blanc. Dans les discussions qu'il avait entendues ces derniers jours, il y avait même l'expression d'une certaine affection envers lui.

Oiseau Frappeur partit du camp particulièrement bien disposé à l'égard du jour qui commençait. Les premières étapes de son plan s'étaient bien déroulées. La culture était terminée. À présent il pouvait s'attaquer au véritable problème, qui consistait à enquêter sur la race blanche.

Le Lieutenant Dunbar supposait qu'il avait parcouru près de huit kilomètres. Il s'était attendu à ce que le loup soit parti depuis longtemps au bout de quatre kilomètres. À six, il avait vraiment commencé à se poser des questions. Et maintenant, à huit, il était totalement dépassé.

Ils étaient entrés dans une étroite dépression herbeuse nichée entre deux pentes, et le loup était toujours avec lui. Jamais auparavant il ne l'avait suivi si loin.

Le lieutenant sauta à bas de Cisco et regarda fixement Deux Bottes. Comme à son habitude, le loup s'était arrêté, lui aussi. Tandis que Cisco baissait la tête pour brouter l'herbe, Dunbar s'avança vers Deux Bottes, pensant qu'il finirait par reculer. Mais la tête et les oreilles pointant au-dessus de l'herbe ne bougèrent pas, et quand le lieutenant s'arrêta finalement, il se trouvait à moins d'un mètre de distance.

Le loup pencha la tête, dans l'expectative, mais à part ça il resta totalement immobile tandis que Dunbar s'accroupissait.

– Je ne pense pas que tu seras le bienvenu là où je vais, dit-il à haute voix comme s'il discutait avec un voisin de confiance.

Il regarda le soleil.

– Il va faire chaud. Pourquoi ne rentres-tu pas chez toi ?

Le loup écouta attentivement, mais ne bougea toujours pas.

Le lieutenant se remit sur pied d'une détente.

– Allons, Deux Bottes, dit-il avec irritation. Fiche le camp.

Il fit un geste de la main pour le chasser, et Deux Bottes bondit de côté.

Il recommença et le loup sauta, mais il était évident que Deux Bottes n'avait aucune intention de rentrer à la maison.

– Très bien, en ce cas, dit Dunbar avec emphase, ne rentre pas. Mais reste ici. Ici même.

Il ponctua cela d'un geste du doigt et en arborant un visage sévère. Il avait à peine fait demi-tour qu'il entendit le hurlement. Il n'était pas à pleine puissance, mais bas, plaintif et absolu.

Un hurlement.

Le lieutenant tourna la tête et Deux Bottes était là, le museau pointé en l'air, les yeux fixés sur lui, geignant comme un enfant boudeur.

Pour un observateur objectif, cela aurait été une prestation remarquable, mais le lieutenant, qui le connaissait si bien, ne s'y laissa pas prendre.

– Tu rentres à la maison! gronda Dunbar.

Et il chargea Deux Bottes. Comme un fils qui a poussé son père trop loin, le loup aplatit ses oreilles et abandonna le terrain, filant la queue basse.

En même temps le Lieutenant Dunbar se mit à courir dans la direction opposée, se disant qu'il arriverait à Cisco, le lancerait au grand galop et sèmerait Deux Bottes.

Il traversait l'herbe, pensant à son plan, quand le loup vint gambader joyeusement à son côté.

– Tu rentres à la maison, aboya le lieutenant, et il pivota brusquement vers son poursuivant.

Deux Bottes sauta en l'air comme un lapin effrayé, levant les pattes dans sa panique soudaine pour s'éloigner. Quand il toucha à nouveau terre, le lieutenant n'était qu'à un pas derrière lui. Il tendit la main pour attraper la base de la queue de Deux Bottes et tirer dessus. Le loup bondit en avant comme si un pétard lui avait explosé sous le ventre, et Dunbar rit tellement qu'il dut cesser de courir.

Deux Bottes patina pour s'arrêter vingt mètres plus loin et regarder par-dessus son épaule avec une telle expression d'embarras que le lieutenant ne put s'empêcher d'être désolé pour lui.

Il lui fit au revoir de la main et, gloussant toujours intérieurement, se retourna pour constater que Cisco avait traîné jusque dans les parages où ils étaient arrivés, broutant la meilleure des herbes.

Le lieutenant repartit au petit trot, incapable de s'empêcher de rire à l'évocation de Deux Bottes détalant à son contact.

Dunbar sursauta quand quelque chose agrippa sa cheville avant de la relâcher. Il fit volte-face, prêt à affronter l'assaillant invisible.

Deux Bottes était juste là, haletant comme un boxeur après deux rounds.

Le Lieutenant Dunbar le fixa pendant quelques secondes.

Deux Bottes jeta un regard anodin en direction du fort, comme s'il pensait que le jeu touchait à sa fin.

– Très bien, alors, dit doucement le lieutenant en faisant un geste d'abandon avec les mains. Tu peux venir, ou tu peux rester. Je n'ai plus de temps à consacrer à ça.

Il pouvait s'agir d'un petit bruit ou bien de quelque chose porté par le vent. En tout cas, Deux Bottes le perçut. Il pivota soudain et les poils de son échine se hérissèrent.

Dunbar suivit son regard et vit immédiatement Oiseau Frappeur en compagnie de deux autres hommes. Ils étaient postés très près et l'observaient depuis le flanc d'une butte.

Dunbar les salua frénétiquement en criant « hello », tandis que Deux Bottes s'éloignait furtivement.

10

Oiseau Frappeur et ses amis regardaient depuis un certain temps, suffisamment pour avoir assisté à l'intégralité du spectacle. Ils s'en étaient grandement amusés. Oiseau Frappeur savait également qu'il avait été témoin de quelque chose de précieux, quelque chose qui avait apporté une solution à l'une des énigmes entourant l'homme blanc... l'énigme du nom qu'il convenait de lui donner.

Un homme devait avoir un vrai nom, songea-t-il en descendant à la rencontre du Lieutenant Dunbar, particulièrement quand c'était un Blanc qui agissait comme celui-là.

Il se souvint d'anciens noms, comme L'Homme Qui Brille Comme La Neige, et certains des nouveaux que l'on avançait, comme Trouve Les Bisons. Aucun ne convenait réellement. Sûrement pas Joun.

Il était certain que c'était le bon. Cela correspondait à la personnalité du soldat blanc. Les gens se souviendraient de lui à travers ce nom. Et Oiseau Frappeur lui-même, avec deux témoins pour confirmer ses dires,

avait été présent à l'instant où le Grand Esprit l'avait dé-
voilé.

Il se le répéta plusieurs fois en descendant la pente. Le
son était aussi bon que le nom lui-même.

Danse Avec Les Loups.

CHAPITRE XXI

1

Bien que tranquille, ce fut une des journées les plus satisfaisantes de la vie du Lieutenant Dunbar.

La famille d'Oiseau Frappeur l'avait accueilli avec une chaleur et un respect qui l'avaient fait se sentir plus qu'un invité. Ils étaient véritablement heureux de le voir.

Oiseau Frappeur et lui s'étaient installés pour fumer pendant quelques instants mais, du fait d'interruptions constantes bien qu'agréables, cela dura jusque tard dans l'après-midi.

L'histoire du nom du Lieutenant Dunbar et de la façon dont il l'avait obtenu se répandit dans le camp à une vitesse incroyable, et les derniers soupçons que les gens auraient pu conserver à l'égard du soldat blanc s'évaporèrent devant cette nouvelle extraordinaire.

Il n'était pas un dieu, mais il n'était pas non plus comme les autres bouches poilues qu'ils avaient rencontrées. Il était un homme de médecine. Les guerriers allaient le voir constamment, certains pour dire bonjour, d'autres ne désirant rien de plus que poser les yeux sur Danse Avec Les Loups.

Le lieutenant reconnaissait la plupart d'entre eux à présent. À chaque arrivée il se levait et faisait sa petite courbette. Les uns la lui retournaient. D'autres tendaient la main, comme ils le lui avaient vu faire.

Il n'y avait pas grand-chose dont ils pouvaient parler pour le moment, mais le lieutenant faisait des progrès avec les signes, suffisamment pour ressasser certains des hauts faits de la chasse récente. Cela constituait l'essentiel de ses visites.

Après quelques heures le flot régulier des visiteurs se

tarit peu à peu jusqu'à disparaître totalement, et Dunbar se demandait pourquoi il n'avait pas vu Celle Qui Se Dresse Avec Un Poing Fermé quand Vent Dans Les Cheveux surgit brusquement.

Avant les salutations d'usage, l'attention des deux hommes se porta sur les objets qu'ils avaient échangés : la tunique déboutonnée et le pectoral brillant. Pour chacun des deux ce fut une vision subtilement rassurante.

Tandis qu'ils se serraient la main, le Lieutenant Dunbar songea qu'il aimait bien ce type ; c'était bon de le revoir.

Les mêmes sentiments occupaient la majeure partie des pensées de Vent Dans Les Cheveux, et ils s'assirent ensemble pour une discussion amicale, bien qu'aucun des deux n'eût été en mesure de comprendre ce que l'autre disait.

Oiseau Frappeur appela sa femme pour qu'elle apporte de la nourriture, et le trio dévora bientôt un repas composé de pemmican et de baies. Ils mangèrent sans prononcer un mot.

Après le repas, une autre pipe fut préparée et les deux Indiens se lancèrent dans une conversation que le lieutenant ne put deviner. Par leurs gestes et leurs voix, cependant, il supposa qu'ils traitaient d'un sujet dépassant le simple bavardage.

Ils semblaient préparer quelque activité, et il ne fut pas surpris quand, à la fin de leur discussion, les deux hommes se levèrent et lui demandèrent de les suivre à l'extérieur.

Dunbar leur emboîta le pas jusqu'à l'arrière de la tente d'Oiseau Frappeur, où une cache de matériel les attendait. Un petit tas bien net de branches de saule souples se trouvait près d'une grande pile de buissons séchés.

Les deux hommes eurent une autre discussion, encore plus brève, puis se mirent au travail. Quand le lieutenant vit ce qui prenait forme, il leur donna un coup de main ici et là, mais avant qu'il ait pu beaucoup contribuer, les matériaux avaient été transformés en un abri ombragé d'un mètre vingt à un mètre cinquante de haut.

Une petite portion avait été laissée découverte afin de

ménager une entrée, et le Lieutenant Dunbar fut invité à y pénétrer le premier. Il n'y avait pas assez de place pour tenir debout mais, une fois à l'intérieur, il s'aperçut que l'endroit était spacieux et paisible. Les buissons offraient une bonne protection contre le soleil et leur feuillage était suffisamment diffus pour laisser passer librement un courant d'air.

Ce ne fut qu'après avoir terminé sa rapide inspection qu'il réalisa qu'Oiseau Frappeur et Vent Dans Les Cheveux s'étaient volatilisés. Une semaine plus tôt il se serait senti mal à l'aise devant leur soudaine disparition. Mais, tout comme les Indiens, il n'était plus soupçonneux. Le lieutenant fut heureux de rester assis tranquillement, appuyé contre le mur du fond étonnamment résistant, à écouter les bruits à présent familiers du camp de Dix Ours, en attendant la suite des événements.

Ils ne furent pas longs à se produire.

Quelques minutes s'étaient à peine écoulées qu'il entendit des bruits de pas. Oiseau Frappeur s'accroupit pour passer par l'entrée et s'assit suffisamment loin pour laisser une place entière entre eux deux.

Une ombre projetée sur l'ouverture informa Dunbar que quelqu'un d'autre attendait pour entrer. Sans y réfléchir, il supposa qu'il s'agissait de Vent Dans Les Cheveux.

Oiseau Frappeur appela doucement. L'ombre glissa dans un tintement de clochettes, et Celle Qui Se Dresse Avec Un Poing Fermé se faufila par l'entrée.

Dunbar se poussa pour lui permettre de prendre place entre eux, et durant les quelques secondes qu'il lui fallut pour s'installer, il vit que beaucoup de choses avaient changé.

Des clochettes étaient cousues sur les côtés de mocassins finement décorés de perles. Sa robe de daim paraissait être un véritable bijou, une chose dont on prenait soin et qu'on ne mettait pas tous les jours. Le corps en était saupoudré de petits os disposés par rangées. Des dents de wapitis.

Le poignet le plus proche de lui était orné d'un bracelet de bronze. Autour de son cou se trouvait un collier des mêmes os creux qu'il portait en pectoral. Ses cheveux, frais et odorants, pendaient dans son dos en une seule natte, dégageant son visage aux pommettes hautes et aux traits racés. Elle lui paraissait plus délicate et plus féminine, à présent. Et plus blanche.

Le lieutenant comprit soudain que l'abri avait été construit pour qu'ils puissent s'y rencontrer. Et le temps qu'elle s'asseye, il réalisa à quel point il avait désiré la revoir.

Elle ne le regardait toujours pas et, tandis qu'Oiseau Frappeur lui marmonnait quelque chose, il décida de prendre l'initiative et de dire bonjour.

En fait, ils tournèrent la tête, ouvrirent la bouche et prononcèrent le mot exactement en même temps. Les deux bonjour se heurtèrent dans l'espace les séparant, et ils eurent tous deux un mouvement de recul devant ce début plutôt raté.

Oiseau Frappeur interpréta l'incident comme un présage favorable. Il vit deux personnes à l'esprit semblable. Parce que c'était exactement ce qu'il espérait, cela lui parut ironique.

L'homme-médecine gloussa pour lui-même. Puis il désigna le Lieutenant Dunbar et grogna, comme pour dire : « Allez, toi d'abord. »

– Bonjour, dit-il aimablement.

Elle leva la tête. Son expression était sérieuse, mais il ne put y retrouver nulle trace de l'hostilité qu'il y avait lue auparavant.

– Bonjoor, répondit-elle.

2

Ils restèrent de longues heures sous l'abri ce jour-là, dont la plus grande partie fut consacrée à réviser les quelques mots simples qu'ils avaient échangés lors de leur première séance officielle.

Vers le coucher du soleil, quand tous trois furent épuisés par les constantes répétitions hésitantes, la traduction en anglais de leur nom vint soudain à l'esprit de Celle Qui Se Dresse Avec Un Poing Fermé.

Cela la stimula tellement qu'elle commença immédiatement à l'enseigner au Lieutenant Dunbar. Tout d'abord elle dut faire comprendre ce qu'elle voulait. Elle le désigna et dit «Joun», puis se désigna elle-même sans rien dire. Dans le même mouvement elle leva un doigt qui signifiait : «Attends. Je vais te montrer.»

L'idée avait été de lui faire accomplir l'action qu'elle demandait, puis de deviner le mot représentant l'action en anglais. Elle voulait qu'il se tienne debout, mais c'était impossible sous l'abri, aussi poussa-t-elle les deux hommes dehors, où ils auraient une totale liberté de mouvement.

Le Lieutenant Dunbar trouva «lever», «se lever», «être debout» et «sur mes pieds» avant de parvenir à «se dresse». «Avec» ne fut pas très difficile, «un» était déjà connu, et il trouva «poing fermé» du premier coup. Après qu'il l'eut saisi en anglais, elle le lui enseigna en comanche.

À partir de là, en succession rapide, il trouva Vent Dans Les Cheveux, Dix Ours, et Oiseau Frappeur.

Le Lieutenant Dunbar était excité. Il demanda quelque chose pour faire des marques, et, utilisant un morceau de charbon de bois, il écrivit les quatre noms en phonétique comanche sur une petite bande d'écorce.

Celle Qui Se Dresse Avec Un Poing Fermé garda sa réserve pendant tout ce temps. Mais intérieurement elle était bouleversée. Les mots anglais jaillissaient dans sa tête comme des étincelles alors que des milliers de portes, fermées depuis si longtemps, s'ouvraient brusquement. Elle délirait du désir d'apprendre.

Chaque fois que le lieutenant lisait la liste écrite sur son morceau d'écorce, et chaque fois qu'il approchait la prononciation correcte, elle l'encourageait avec un soupçon de sourire et en disant le mot «oui».

Pour sa part, le Lieutenant Dunbar n'avait pas besoin de voir le petit sourire pour savoir que ses encouragements venaient du cœur. Il pouvait l'entendre dans la prononciation du mot et le deviner dans le pouvoir des yeux marron clair. L'entendre articuler ces mots, en anglais et en comanche, signifiait quelque chose de spécial pour elle. Ses frissons intérieurs étaient centrés autour d'eux. Le lieutenant pouvait le sentir.

210

Elle n'était plus la même femme, triste et perdue, qu'il avait trouvée dans la prairie. Cet instant était à présent une chose du passé. Cela le rendait heureux de voir à quel point elle avait progressé.

Le meilleur de tout était le petit morceau de bois qu'il tenait entre ses mains. Il l'agrippait fermement, décidé à ne pas le laisser glisser. C'était la première ébauche d'une carte qui le guiderait vers un avenir qu'il pourrait partager avec ce peuple. Tant de choses étaient possibles maintenant !

Ce fut Oiseau Frappeur, cependant, qui fut le plus profondément affecté par la tournure que prenaient les événements. Pour lui ce fut un miracle des plus grands, à l'égal de la découverte de l'absolu, comme la naissance ou la mort.

Son rêve était devenu réalité.

Quand il entendit le lieutenant dire son nom en comanche, ce fut comme si un mur infranchissable s'était soudain transformé en fumée. Et ils passaient à travers. Ils communiquaient.

La façon dont il percevait Celle Qui Se Dresse Avec Un Poing Fermé s'était modifiée avec une puissance similaire. Elle n'était plus une Comanche. En faisant un pont pour lier leurs mots, elle était devenue une autre. Comme le lieutenant, il l'avait entendu dans le son de ses mots anglais et vu dans le nouveau pouvoir de ses yeux. Quelque chose avait été ajouté, quelque chose qui manquait auparavant, et Oiseau Frappeur savait ce que c'était.

Son sang depuis longtemps enterré coulait à nouveau, son sang blanc non dilué.

L'impact de tout cela était plus qu'il n'en pouvait supporter, et comme un professeur qui devine quand il est temps pour ses élèves de se reposer, il dit à Celle Qui Se Dresse Avec Un Poing Fermé que cela suffisait pour la journée.

Un soupçon de déception courut sur le visage de celle-ci. Puis elle baissa la tête et approuva avec soumission.

À ce moment, cependant, une chose merveilleuse lui arriva. Elle croisa le regard d'Oiseau Frappeur et lui demanda respectueusement de lui accorder une dernière faveur.

Elle voulait apprendre au soldat blanc son propre nom.

C'était une bonne idée, si bonne qu'Oiseau Frappeur ne put dire non à sa fille adoptive. Il lui fit signe de continuer.

Elle se souvint immédiatement du mot. Elle pouvait le voir, mais ne pouvait le prononcer. Et elle ne parvenait pas à se souvenir de la façon dont elle l'avait fait étant enfant. Les hommes attendirent tandis qu'elle essayait de se remémorer.

Puis le Lieutenant Dunbar souleva involontairement une main pour chasser un moustique qui bourdonnait près de son oreille, et tout lui revint.

Elle saisit la main du lieutenant et laissa les doigts de son autre main se poser précautionneusement sur sa hanche. Et avant qu'aucun des deux hommes ait pu réagir, elle entraîna Dunbar dans l'évocation maladroite mais indiscutable d'une valse.

Après quelques secondes elle s'écarta avec une modestie affectée, laissant le Lieutenant Dunbar en état de choc. Il dut lutter pour se souvenir de la raison d'être de l'exercice.

Une lumière s'alluma dans sa tête. Puis elle passa dans ses yeux, et, comme le seul garçon de la classe à connaître la réponse, il sourit à son professeur.

3

Après quoi il fut aisé de saisir le reste.

Le Lieutenant Dunbar se mit sur un genou et nota le nom au bas de son livre de grammaire. Ses yeux s'attardèrent sur la façon dont il s'écrivait en anglais. Il paraissait plus grand qu'un simple nom. Plus il le regardait, plus il l'aimait.

Il se le dit pour lui-même. Danse Avec Les Loups.

Le lieutenant se leva, s'inclina brièvement dans la direction d'Oiseau Frappeur et, comme un majordome annonçant l'arrivée d'un invité à dîner, humblement et sans fanfare, il répéta le nom une fois de plus.

Cette fois il le dit en comanche :

– Danse Avec Les Loups.

CHAPITRE XXII

1

Danse Avec Les Loups resta dans la tente d'Oiseau Frappeur cette nuit-là. Il était épuisé mais, comme cela se produit parfois, il l'était trop pour dormir. Les événements de la journée sautaient dans sa tête comme du pop-corn dans une poêle.

Quand enfin il glissa dans l'inconscience, le lieutenant dériva jusqu'à la lisière d'un rêve qu'il n'avait pas fait depuis son enfance. Entouré d'étoiles, il flottait dans le vide froid et silencieux de l'espace, un petit garçon ne pesant rien dans un monde d'argent et de noir.

Mais il n'avait pas peur. Il était bien au chaud sous les couvertures d'un lit à baldaquin, et dériver comme une simple graine dans tout l'univers, même si c'était pour l'éternité, n'était pas une tâche difficile. C'était une joie.

Ce fut ainsi qu'il s'endormit pour sa première nuit au camp d'été traditionnel des Comanches.

2

Durant les mois qui suivirent, le Lieutenant Dunbar dormit fréquemment au camp de Dix Ours.

Il revint souvent à Fort Sedgewick, mais ses visites étaient suscitées par la culpabilité, pas par le désir. Quand il y allait, il savait qu'il ne faisait que sauver les apparences. Et pourtant il se sentait obligé de le faire.

Il savait qu'il n'y avait pas de raison logique pour y rester. Certain à présent que l'armée avait abandonné le poste, et lui avec, il pensa à retourner à Fort Hays. Il avait déjà fait son devoir. En fait, son dévouement au poste et à l'armée des États-Unis avait été exemplaire. Il pouvait partir la tête haute.

Ce qui le retint fut l'attirance vers un autre monde, un monde qu'il venait de commencer à explorer. Il lui était venu à l'esprit que son rêve d'être affecté sur la frontière avait pointé dès le début vers l'aventure sans limites dans laquelle il était à présent engagé. Les pays, les armées et les races pâlissaient en comparaison. Il avait découvert une grande soif et ne pouvait pas plus l'oublier qu'un homme mourant ne peut refuser de l'eau.

Il voulait voir ce qui allait arriver et, à cause de cela, il renonça à revenir à l'armée. Mais il n'abandonna pas totalement l'idée que l'armée puisse revenir à lui. Tôt ou tard il faudrait que cela se produise.

C'est pourquoi, durant ses visites au fort, il bricolait ici et là : réparant occasionnellement un trou dans l'auvent, balayant les toiles d'araignées dans les coins de la cabane de torchis, annotant son journal.

Accomplir ces travaux, c'était un moyen tortueux de rester en contact avec son ancienne vie. Profondément engagé comme il l'était avec les Comanches, il ne pouvait pas se résoudre à renoncer à tout le reste, et les gestes vides qu'il accomplissait lui permettaient de s'accrocher aux débris de son passé.

En revenant au fort suivant un rythme semi-régulier, il conservait une discipline là où il n'y en avait plus besoin, et ce faisant il préservait l'idée du Lieutenant John J. Dunbar, USA.

Les annotations dans le journal ne comportaient plus la description de ses journées. La plupart n'offraient rien de plus qu'une estimation de la date, un court commentaire sur le temps ou sa santé, et une signature. Même s'il l'avait voulu, raconter sa nouvelle vie aurait été une entreprise trop écrasante. De plus, c'était une affaire personnelle.

Invariablement il descendait jusqu'à la rivière, en général avec Deux Bottes sur les talons. Le loup avait été son premier véritable contact, et le lieutenant était toujours heureux de le voir. Les moments silencieux qu'ils passaient ensemble étaient quelque chose qu'il chérissait.

Il s'arrêtait quelques minutes au bord de la rivière, regardant passer l'eau. Si la lumière était bonne, il pouvait se voir comme dans un miroir. Ses cheveux avaient poussé au-delà de ses épaules. Le soleil constant et le vent avaient bruni son visage. Il se tournait d'un côté et de l'autre, comme un mannequin, admirant le pectoral qu'il portait maintenant comme un uniforme. À l'exception de Cisco, il ne possédait rien de plus précieux.

Quelquefois son reflet sur l'eau le faisait frissonner de confusion. Il leur ressemblait tellement à présent ! Quand cela se produisait, il se mettait bizarrement sur un pied et levait l'autre suffisamment haut pour que l'eau lui renvoie l'image du pantalon avec la bande jaune et des hautes bottes noires de cavalerie.

Parfois il pensait à s'en débarrasser pour adopter les jambières et les mocassins, mais le reflet lui disait toujours qu'ils faisaient partie de sa personnalité. D'une certaine façon ils symbolisaient également la discipline. Il porterait le pantalon et les bottes jusqu'à ce qu'ils se désintègrent. Ensuite il verrait.

Certains jours, quand il se sentait plus indien que blanc, il revenait péniblement jusque de l'autre côté de la butte, et le fort lui apparaissait comme un endroit d'autrefois, la relique fantôme d'un passé disparu depuis si longtemps qu'il était difficile de croire qu'il lui ait jamais été lié.

Au fur et à mesure que le temps passait, aller à Fort Sedgewick devenait une corvée. Ses visites se firent plus rares. Mais il continua de venir à son ancien domaine.

3

Le village de Dix Ours était devenu le centre de sa vie, mais, malgré l'aisance avec laquelle il s'y était installé, le Lieutenant Dunbar agissait comme un homme à part. Sa peau, son accent, son pantalon et ses bottes le désignaient comme un visiteur d'un autre monde, et, de même que Celle Qui Se Dresse Avec Un Poing Fermé, il devint rapidement une personne double.

Son intégration dans la vie comanche était constamment tempérée par les vestiges du monde qu'il avait laissé derrière lui, et quand Dunbar essayait de réfléchir à ce qu'était sa véritable place dans la vie, son regard se faisait brusquement lointain. Un brouillard, vide et sans consistance, lui emplissait l'esprit, comme si tous les processus normaux avaient été interrompus. Après quelques secondes le brouillard se levait et il continuait ce qu'il faisait, sans savoir vraiment ce qui lui était arrivé.

Fort heureusement, ces crises disparurent avec le temps.

Les six premières semaines de son séjour au camp de Dix Ours tournèrent autour d'un seul endroit : le petit abri de buissons derrière la tente d'Oiseau Frappeur.

Ce fut là, au cours de séances quotidiennes le matin et l'après-midi qui duraient chacune plusieurs heures, que le Lieutenant Dunbar commença à discuter librement avec l'homme-médecine.

Celle Qui Se Dresse Avec Un Poing Fermé parlerait bientôt couramment, et à la fin de la première semaine tous trois avaient déjà de longues discussions.

Le lieutenant avait pensé depuis le début qu'Oiseau Frappeur était un brave homme, mais quand Celle Qui Se Dresse Avec Un Poing Fermé entreprit de traduire en anglais les idées que professait l'Indien, Dunbar découvrit qu'il possédait une intelligence supérieure.

Au début il y eut principalement des questions et des réponses. Le Lieutenant Dunbar raconta comment il se trouvait à Fort Sedgewick et parla de son isolement inexpliqué. Bien que l'histoire ait été intéressante, elle ne satisfit pas Oiseau Frappeur. Danse Avec Les Loups ne savait pratiquement rien. Il ne connaissait même pas la mission de l'armée, et encore moins ses plans précis. Sur le plan militaire, il n'y avait rien à apprendre. Il n'avait été qu'un simple soldat.

En ce qui concernait la race blanche, c'était différent.

– Pourquoi les Blancs viennent-ils dans notre pays ? demanda Oiseau Frappeur.

Et Dunbar répondit :

– Je ne pense pas qu'ils veulent venir dans votre pays. Je crois qu'ils veulent juste le traverser.

– Les Texans sont déjà dans notre pays, le contredit Oiseau Frappeur, coupant les arbres et déchirant la terre. Ils tuent les bisons et les laissent dans l'herbe. Cela se produit en ce moment. Il y a déjà trop de ces gens. Combien d'autres viendront encore ?

Là, le lieutenant fit une grimace et répondit :

– Je ne sais pas.

– J'ai entendu dire, poursuivit l'homme-médecine, que les Blancs ne veulent que la paix dans ce pays. Pourquoi viennent-ils toujours avec des soldats à la bouche poilue ? Pourquoi ces bouches poilues de Texas Rangers nous pourchassent-ils si tout ce qu'ils désirent c'est être tranquilles ? J'ai entendu parler de discussions que les chefs blancs ont eues avec mes frères. On m'a dit que ces discussions étaient pacifiques et que des promesses avaient été faites. Mais on m'a dit aussi que les promesses étaient toujours brisées. Si des chefs blancs viennent nous voir, comment savoir ce qu'ils pensent vraiment ? Devons-nous accepter leurs cadeaux ? Devons-nous signer les papiers pour montrer qu'il y aura la paix entre nous ? Quand j'étais un petit garçon, beaucoup de Comanches sont allés dans une maison de la loi au Texas pour une grande rencontre avec des chefs blancs et on les a tués.

Le lieutenant essayait de fournir des réponses sensées aux questions d'Oiseau Frappeur, mais elles n'étaient au mieux que de faibles théories, et quand il était pressuré il finissait toujours par répondre :

– En fait je ne sais pas.

Il faisait attention, car il devinait une profonde inquiétude derrière les questions d'Oiseau Frappeur et ne pouvait se résoudre à lui dire ce qu'il pensait réellement. Si les Blancs venaient jamais jusqu'ici en force, le peuple indien, quelle que soit sa résistance, perdrait inévitablement. Ils seraient battus par le seul armement.

En même temps, il ne pouvait dire à Oiseau Frappeur d'oublier ses inquiétudes. Il devait s'inquiéter. Le lieutenant ne pouvait tout simplement pas lui dire la vérité. Il ne pouvait pas non plus mentir à l'homme-médecine. C'était une situation sans issue, et, se sentant coincé, Dunbar se dissimula derrière un mur d'ignorance, espérant qu'ils aborderaient des sujets nouveaux et moins brûlants.

Mais chaque jour, comme une tache qui refuse d'être lavée, une question revenait sans cesse :
– Combien d'autres viendront ?

4

Peu à peu, Celle Qui Se Dresse Avec Un Poing Fermé commença à attendre avec impatience les heures qu'elle allait passer sous l'abri de feuillage.

À présent qu'il avait été accepté par la tribu, Danse Avec Les Loups cessait d'être le gros problème qu'il avait été autrefois. Ses rapports avec la société des Blancs s'étaient estompés, et bien que ce qu'il représentait fût toujours effrayant, le soldat en lui-même ne l'était plus. Il n'avait même plus l'air d'un soldat.

Tout d'abord, la curiosité suscitée par les activités sous l'abri ennuya Celle Qui Se Dresse Avec Un Poing Fermé. Les cours donnés à Danse Avec Les Loups, sa présence au camp et le rôle clé qu'elle jouait en tant qu'intermédiaire étaient des sujets de conversation permanents dans le village. Cette célébrité la mettait mal à l'aise, comme si on l'observait. Elle redoutait surtout qu'on lui reproche d'éviter les tâches quotidiennes qui étaient le lot de toute Comanche. Il était vrai qu'Oiseau Frappeur l'en avait lui-même déchargée, mais elle s'en inquiétait néanmoins.

Après deux semaines, cependant, aucune de ces craintes ne s'était matérialisée et le nouveau respect dont elle faisait l'objet avait un effet bénéfique sur sa personnalité. Son sourire était plus direct, ses épaules plus droites. L'importance de son nouveau rôle chargeait sa démarche d'une autorité que tout le monde pouvait voir. Sa vie avait pris de l'ampleur, et dans son for intérieur elle savait que c'était une bonne chose.

D'autres le savaient, également.

Elle ramassait du bois un soir quand une amie s'arrêta près d'elle pour lui dire soudain avec une pointe de fierté :

– Les gens parlent de toi.

Celle Qui Se Dresse Avec Un Poing Fermé se redressa, ne sachant comment prendre cette remarque.

– Que disent-ils ? demanda-t-elle d'un ton neutre.

– Ils disent que tu fais de la médecine. Ils disent que peut-être tu devrais changer ton nom.

– En quoi ?

– Oh, je ne sais pas, répondit l'amie. Langue Médecine, peut-être, quelque chose comme ça. C'est juste du bavardage.

Tandis qu'elles revenaient ensemble dans le crépuscule, Celle Qui Se Dresse Avec Un Poing Fermé retourna l'idée dans sa tête. Elles étaient à la lisière du camp quand elle parla à nouveau :

– J'aime mon nom, dit-elle, sachant que l'expression de ses vœux se répandrait bientôt dans le camp. Je le garderai.

Quelques soirs plus tard, elle revenait à la tente d'Oiseau Frappeur après être allée se soulager quand elle entendit quelqu'un commencer à chanter dans une tente toute proche. Elle s'arrêta pour écouter et fut surprise par ce qu'elle entendit.

Les Comanches ont un pont
Qui va jusqu'à un autre monde
Ce pont s'appelle Celle Qui Se Dresse Avec Un Poing Fermé.

Trop embarrassée pour écouter plus longtemps, elle se hâta d'aller se coucher. Mais tandis qu'elle remontait les couvertures sous son menton, elle ne ressentit pas d'amertume en pensant à cette chanson. Elle ne songeait qu'aux mots qu'elle avait entendus et, à la réflexion, ils paraissaient bons.

Elle dormit profondément cette nuit-là. Il faisait déjà jour quand elle s'éveilla le lendemain matin. Sortant à quatre pattes, elle se précipita hors de la tente et s'arrêta net.

Danse Avec Les Loups quittait le camp sur son petit cheval bai. C'était un spectacle qui lui chavira le cœur plus qu'elle ne l'aurait imaginé. Qu'il s'en aille ne la dérangeait pas trop, mais l'idée qu'il puisse ne pas revenir la bouleversait visiblement.

Celle Qui Se Dresse Avec Un Poing Fermé rougit à la pensée que quelqu'un pourrait la voir ainsi. Elle regarda rapidement autour d'elle et devint plus rouge encore.

Oiseau Frappeur l'observait.

Son cœur battit sauvagement tandis qu'elle luttait pour se reprendre. L'homme-médecine approchait.

– Il n'y aura pas de discussion aujourd'hui, dit-il en l'étudiant avec un soin qui lui remua les entrailles.

– Je vois, dit-elle en essayant de conserver une voix neutre.

Mais elle lisait la curiosité dans ses yeux, curiosité qui demandait une explication.

– J'aime faire la discussion, poursuivit-elle. Je suis heureuse de dire les mots blancs.

– Il veut voir le fort de l'homme blanc. Il reviendra au coucher du soleil.

L'homme-médecine lui jeta un autre regard appuyé et précisa :

– Nous parlerons encore demain.

Sa journée s'écoula minute après minute.

Elle regarda le soleil comme un employé de bureau qui s'ennuie regarde l'horloge. À cause de cela, elle eut de grandes difficultés à se concentrer sur sa tâche.

Quand elle ne surveillait pas le temps, elle rêvait tout éveillée.

À présent qu'il était devenu une véritable personne, il y avait des choses en lui qu'elle admirait. Certaines de ces choses pouvaient se rattacher au fait qu'ils étaient blancs tous les deux. D'autres lui appartenaient en propre. Toutes étaient intéressantes.

Elle ressentait une mystérieuse fierté quand elle repensait à ce qu'il avait accompli, à ses actions connues de tous.

Se souvenir de lui en train de jouer la comédie la faisait rire. Il était quelquefois très drôle. Drôle mais pas ridicule. En tout il paraissait sincère et ouvert, respectueux et empli de bonne humeur. Elle était convaincue que ces qualités étaient authentiques.

Le voir avec le pectoral avait tout d'abord paru déplacé, comme un Comanche aurait été déplacé avec un haut-de-forme. Mais il le portait jour après jour sans y attacher la moindre attention. Et il ne l'ôtait jamais. Il était évident qu'il l'aimait.

Ses cheveux étaient emmêlés comme les siens, et non épais et raides comme ceux des autres. Et il n'avait pas essayé de les changer.

Il n'avait pas changé ses bottes ni son pantalon non plus, mais les portait de la même façon naturelle que le pectoral.

Ces rêveries la conduisirent à la conclusion que Danse Avec Les Loups était une personne honnête. Chaque être humain trouve certaines qualités à chérir par-dessus toutes les autres, et pour Celle Qui Se Dresse Avec Un Poing Fermé, c'était l'honnêteté qui primait tout.

Ses pensées pour Danse Avec Les Loups ne diminuèrent pas, et, tandis que l'après-midi s'écoulait, des idées plus hardies lui vinrent. Elle le vit revenant au coucher du soleil. Elle se vit avec lui dans l'abri le lendemain.

Une autre image lui apparut alors qu'elle s'agenouillait au bord de la rivière en fin de journée, pour emplir une cruche d'eau. Ils étaient tous les deux dans l'abri. Il parlait de lui-même et elle écoutait. Mais il n'y avait qu'eux deux.

Oiseau Frappeur n'était plus là.

6

Sa rêverie devint réalité dès le jour suivant.

Tous trois avaient tout juste commencé à parler quand la nouvelle leur parvint : un groupe de jeunes guerriers avait l'intention d'entreprendre une expédition contre les Pawnees. Parce qu'il n'en avait pas été question auparavant, et parce que les jeunes hommes concernés étaient inexpérimentés, Dix Ours avait hâtivement convoqué un conseil.

Oiseau Frappeur fut appelé et soudain ils se retrouvèrent seuls.

Le silence dans l'abri était si lourd qu'il les rendait tous les deux nerveux. Chacun voulait parler, mais le problème de ce qu'il fallait dire et de la façon de le dire les retenait. Ils étaient sans voix.

Celle Qui Se Dresse Avec Un Poing Fermé décida finalement des mots qu'elle allait prononcer, mais il était trop tard.

Il se tournait déjà vers elle et dit d'une voix timide mais énergique :

– Je veux que tu me parles de toi.

Elle se détourna, essayant de penser. L'anglais était toujours difficile pour elle. Haché par l'effort de réflexion, cela sortit en mots clairs mais à demi bégayés :

– Qu'eee... Qu'est-que savoir... vouloir savoir ? demanda-t-elle.

Le restant de la matinée elle lui parla d'elle-même, retenant l'attention avide du lieutenant avec des histoires du temps où elle était une fille blanche, de sa capture et de sa longue vie de Comanche.

Quand elle essayait de terminer une histoire, il lui posait une nouvelle question. Bien qu'elle l'ait désiré, elle ne pouvait s'écarter du sujet de sa propre vie.

Il lui demanda comment elle avait été nommée, et elle lui raconta l'histoire de son arrivée au camp tant d'années auparavant. Les souvenirs de ses premiers mois étaient embrumés, mais elle se rappelait parfaitement le jour où elle avait hérité de son nom.

Elle n'avait pas été officiellement adoptée par qui que ce soit, ni n'avait été intronisée membre de la tribu. Elle ne faisait que travailler. Comme elle accomplissait correctement les tâches qu'on lui confiait, celles-ci devinrent moins serviles et on lui enseigna plus de choses sur la façon de survivre avec ce que l'on trouve dans la prairie. Mais plus elle travaillait, moins elle appréciait son statut. Et certaines femmes s'en prenaient à elle sans pitié.

À l'extérieur d'une tente, un matin, elle frappa la pire de ces femmes. Étant jeune et sans technique, elle n'avait aucun espoir de vaincre dans un combat. Mais le coup qu'elle avait porté était sec et parfaitement placé. Il claqua contre la pointe du menton de la femme et l'assomma net. Elle donna quelques coups de pied à sa tortionnaire pour faire bonne mesure et se retourna pour affronter les autres femmes avec ses poings fermés, une petite fille blanche prête à accueillir toutes celles qui voudraient venir.

Personne ne la défia. Elles se contentèrent de regarder. Quelques instants plus tard toutes étaient retournées à ce qu'elles faisaient, laissant la méchante femme étendue là où elle était tombée.

Personne n'ennuya plus la petite fille blanche après ça.

La famille qui avait pris soin d'elle devint plus ouverte et très gentille, et la route pour devenir comanche s'ouvrit devant elle. Depuis lors elle était Celle Qui Se Dresse Avec Un Poing Fermé.

Une espèce de chaleur emplit l'abri tandis qu'elle racontait cette histoire. Le Lieutenant Dunbar voulut connaître l'endroit exact où son poing avait touché la mâchoire de la femme, et Celle Qui Se Dresse Avec Un Poing Fermé lui frôla le menton avec ses phalanges.

Le lieutenant la regarda alors fixement.

Ses yeux roulèrent lentement sous les paupières et il s'écroula en arrière.

C'était une bonne plaisanterie et elle la poursuivit, lui agitant le bras pour le ranimer.

Ce petit échange introduisit une aisance nouvelle entre eux, mais pour aussi bon que cela ait été, la soudaine familiarité causa également quelque inquiétude à Celle Qui Se Dresse Avec Un Poing Fermé. Elle ne voulait pas qu'il lui pose des questions personnelles, des questions sur son statut en tant que femme. Elle prévoyait ces questions et leur spectre brisa sa concentration. Cela la rendit nerveuse et moins communicative.

Le lieutenant la sentit qui se rétractait. Cela le rendit nerveux et moins communicatif, lui aussi.

Avant qu'ils s'en soient rendu compte, le silence était à nouveau tombé entre eux.

Le lieutenant se décida néanmoins. Il ne savait pas précisément pourquoi, mais c'était une chose qu'il devait lui demander. S'il laissait passer l'occasion, peut-être n'en aurait-il plus jamais le courage. C'est pourquoi il le fit.

Aussi naturellement que possible, il étendit une jambe et bâilla.

– Es-tu mariée ? fit-il.

Celle Qui Se Dresse Avec Un Poing Fermé baissa la tête et ses yeux se fixèrent sur ses genoux. Elle secoua la tête brièvement, avec gêne, et dit :

– Non.

Le lieutenant était sur le point de demander pourquoi quand il remarqua que sa tête tombait lentement entre ses mains. Il attendit un moment, pensant que quelque chose n'allait pas.

Elle était totalement immobile.

Juste au moment où il allait à nouveau parler, elle se leva soudain et quitta l'abri.

Elle fut partie avant que Dunbar ait eu le temps de la rappeler. Anéanti, il resta assis dans l'abri, engourdi, se maudissant pour avoir posé la question et espérant contre toute raison qu'il pourrait rattraper sa bévue. Mais il n'y avait rien qu'il puisse faire en ce sens. Il ne pouvait demander l'avis d'Oiseau Frappeur. Il ne pouvait même pas parler avec Oiseau Frappeur.

Pendant dix éprouvantes minutes, il resta assis seul dans l'abri. Puis il partit en direction du troupeau de poneys. Il avait besoin de marcher et de chevaucher.

Celle Qui Se Dresse Avec Un Poing Fermé était partie chevaucher également. Elle avait traversé la rivière et erré au long d'une piste entre les buissons, essayant de clarifier ses pensées.

Elle n'y parvenait guère.

Ses sentiments envers Danse Avec Les loups étaient terriblement ambigus. Il n'y avait pas si longtemps, elle haïssait jusqu'à l'idée de sa présence. Ces derniers jours, elle n'avait pensé qu'à lui. Et il y avait tant d'autres contradictions.

Avec un sursaut elle réalisa qu'elle n'avait plus pensé à son mari décédé. Tout récemment encore il avait été le centre de sa vie, et à présent elle l'avait oublié. La culpabilité s'abattit sur elle.

Elle fit tourner son poney et revint vers le campement, s'efforçant de chasser Danse Avec Les Loups de son esprit avec une longue file de prières pour son mari mort.

Elle n'était pas encore en vue du village quand son poney leva la tête et broncha comme le font les chevaux quand ils sont effrayés.

Quelque chose de gros s'écrasa dans le buisson derrière elle, et sachant que ce bruit ne pouvait être causé que par un ours, Celle Qui Se Dresse Avec Un Poing Fermé fit se hâter sa monture.

Elle retraversait la rivière quand une idée folle lui traversa l'esprit.

Je me demande si Danse Avec Les Loups a déjà vu un ours, se dit-elle.

Celle Qui Se Dresse Avec Un Poing Fermé s'arrêta

alors. Elle ne pouvait pas accepter cela, cette façon de penser constamment à lui. C'était intolérable.

Le temps qu'elle arrive sur la berge opposée, la femme à la double personnalité avait décidé que son rôle de traductrice serait dorénavant une affaire sérieuse, comme le commerce. Cela n'irait pas plus loin, pas même dans son esprit.

Elle mettrait un terme à cela.

CHAPITRE XXIII

1

La chevauchée solitaire du Lieutenant Dunbar le conduisit le long de la rivière également, mais alors que Celle Qui Se Dresse Avec Un Poing Fermé allait au sud, lui était parti au nord.

En dépit de l'intense chaleur de cette journée, il s'écarta de la rivière après deux ou trois kilomètres. Il pénétra dans la campagne découverte avec l'idée que, entouré d'espace, il pourrait se sentir mieux.

Les idées du lieutenant étaient très noires.

Il la revoyait sans cesse quitter l'abri et essayait de trouver dans cette vision un espoir auquel se raccrocher. Mais il y avait un aspect définitif dans son départ, et cela lui donnait le sentiment terrifiant qu'il avait laissé quelque chose de merveilleux lui filer entre les mains juste au moment où il allait le saisir.

Le lieutenant se blâmait sans merci pour ne pas être parti après elle. S'il l'avait fait, ils seraient maintenant en train de bavarder joyeusement, après avoir crevé l'abcès.

Il avait voulu lui parler de lui-même. À présent cela pourrait ne jamais se produire. Il voulait revenir dans l'abri avec elle. Au lieu de ça il déambulait ici, errant comme une âme perdue sous un soleil de plomb.

Il n'était jamais allé aussi loin au nord du camp et fut surpris de la façon radicale dont le paysage changeait. De véritables collines se dressaient devant lui, pas seulement des bosses sur la plaine. Jaillissant entre les collines, on pouvait voir de profonds canyons déchiquetés.

La chaleur, jointe à son autocritique constante, lui avait mis l'esprit en ébullition, et, soudain pris de vertige, il pressa légèrement Cisco de ses genoux. À un kilomètre devant lui il avait repéré la bouche ombreuse d'un sombre canyon s'ouvrant sur la prairie.

Les parois de chaque côté s'élevaient à plus d'une trentaine de mètres et l'obscurité qui tomba sur le cheval et son cavalier fut immédiatement rafraîchissante. Mais tandis qu'ils avançaient prudemment sur le sol parsemé de rochers de la crevasse, l'endroit se fit menaçant. Les parois se resserraient plus étroitement sur eux ; il sentait les muscles de Cisco se gonfler nerveusement, et dans le calme absolu de l'après-midi, il fut de plus en plus conscient du battement creux de son propre cœur.

Il fut frappé par la certitude qu'il était entré dans un lieu ancien. Peut-être maléfique.

Il commençait à envisager de faire demi-tour quand le fond du canyon s'élargit soudain. Loin devant, entre les parois de la crevasse, il aperçut quelques peupliers, leurs pointes brillant sous l'éclat du soleil.

Après quelques nouveaux tournants, lui et Cisco débouchèrent brusquement dans le large espace naturel où se trouvaient les arbres. Même au plus fort de l'été, l'endroit était remarquablement vert, et, bien qu'il ne vît nul ruisseau, il savait qu'il y avait de l'eau toute proche.

Le bai redressa la tête et renifla l'air. Il devait avoir soif, lui aussi, et Dunbar le laissa aller. Cisco contourna les peupliers et parcourut une centaine de mètres supplémentaires jusqu'à la base d'un mur de rochers qui marquait la fin du canyon. Là, il s'arrêta.

À ses pieds, couverte d'une pellicule de feuilles et d'algues, se trouvait une source. Avant que le lieutenant ait pu sauter à terre, le mufle de Cisco avait brisé la surface et il buvait par longues gorgées.

Tandis que le lieutenant s'agenouillait à côté de son cheval, posant les mains au bord du courant, quelque chose attira son regard. Il y avait une fissure à la base du mur de pierres. Elle s'enfonçait dans la falaise et était suffisamment haute pour qu'un homme y pénètre sans se baisser.

Le Lieutenant Dunbar plongea la tête près de celle de Cisco et but rapidement. Il fit glisser la bride du cou de son cheval, la laissa tomber près du ruisseau et entra dans l'obscurité de la crevasse.

Il faisait merveilleusement frais à l'intérieur. Le sol sous ses pieds était doux, et aussi loin qu'il pouvait voir l'endroit était désert. Mais alors que ses yeux erraient sur le sol, il vit que des hommes avaient vécu ici. Du charbon de bois provenant d'un millier de feux était répandu sur le sol comme des plumes de volailles.

Le plafond commença à baisser, et, quand le lieutenant le toucha, la suie d'un millier de foyers lui macula les doigts.

Se sentant toujours la tête légère, il s'assit, ses fesses heurtant le sol si durement qu'il gémit.

Il était face au chemin par lequel il était venu, et l'entrée, à une centaine de mètres de là, était comme une fenêtre ouverte sur l'après-midi. Cisco paissait tranquillement sur l'étendue d'herbe près du ruisseau. Derrière lui les feuilles des peupliers brillaient comme des miroirs. Tandis que la fraîcheur se refermait sur lui, le Lieutenant Dunbar fut soudain submergé par une lourde fatigue. Étendant les bras comme un oreiller sous sa tête, il s'allongea sur le doux sol sableux et fixa le plafond.

Le toit de solides rochers était noirci de fumée sous laquelle se trouvaient des marques distinctes. De profondes entailles avaient été creusées dans la pierre, et, en les étudiant, Dunbar réalisa qu'elles avaient été faites par la main de l'homme.

Le sommeil le gagnait, mais il était fasciné par les marques. Il lutta pour en comprendre le sens comme un observateur du ciel et des étoiles pourrait lutter pour retrouver la constellation du Taureau.

Les marques immédiatement au-dessus de lui prirent soudain forme. Il y avait un bison, grossièrement dessiné mais portant tous les détails essentiels. Même la petite queue se dressait.

À côté du bison se trouvait un chasseur. Il tenait un bâton, vraisemblablement une lance. Elle était pointée sur le bison.

Il n'y avait plus moyen d'endiguer le sommeil à présent. L'idée que la source ait pu être polluée lui vint à l'esprit alors que ses yeux sur lesquels pesait un poids invisible commençaient à se fermer.

Quand ils furent clos, il voyait toujours le bison et le chasseur. Le chasseur lui parut familier. Ce n'était pas une copie parfaite, mais il y avait quelque chose d'Oiseau Frappeur dans son visage, quelque chose qui avait franchi les siècles.

Puis le chasseur prit sa propre apparence.

Puis il disparut.

2

Les arbres n'avaient plus de feuilles.

Des tas de neige parsemaient le sol.

Il faisait très froid.

Des soldats innombrables disposés en un grand cercle attendaient sans vie, les fusils dressés à leur côté.

Il passait de l'un à l'autre, fixant leurs visages bleus et gelés, cherchant un signe de vie. Aucun ne fit mine de l'avoir vu.

Il trouva son père parmi eux, sa trousse de docteur pendant à sa main comme le prolongement naturel de son corps. Il vit un copain d'enfance qui s'était noyé. Il vit l'homme qui possédait une étable dans son ancienne ville et qui battait les chevaux quand ils n'obéissaient pas. Il vit le général Grant, aussi immobile qu'un sphinx, une casquette de soldat couronnant son crâne. Il vit un homme aux yeux humides avec un col de prêtre. Il vit une prostituée, son visage mort souillé de rouge et de poudre. Il vit son institutrice de l'école primaire avec son imposant derrière. Il vit le doux visage de sa mère, des larmes gelées sur ses joues.

Cette vaste armée de sa vie défila devant ses yeux comme si elle devait ne jamais finir.

Il y avait des armes, de gros canons couleur de bronze montés sur roues.

Quelqu'un remontait le cercle figé des soldats.

C'était Dix Ours. Il marchait avec légèreté dans le froid vif, une simple couverture drapée sur ses épaules osseuses. Comme un touriste, il vint faire face à l'un des canons. Une main de cuivre se glissa hors de la couverture, voulant toucher le fût.

L'arme énorme se déchargea et Dix Ours disparut dans un nuage de fumée. La partie supérieure de son corps culbutait lentement dans le ciel mort de l'hiver. Comme de l'eau jaillissant d'un tuyau, le sang bouillonnait de l'endroit où s'était trouvée sa poitrine. Son visage était livide. Ses nattes flottaient paresseusement loin de ses oreilles.

D'autres armes tonnèrent, et, comme Dix Ours, les tentes de son village s'envolèrent. Elles tournoyèrent dans l'espace comme de lourds cônes de papier, et quand elles revinrent sur terre, elles s'enfoncèrent sur leur pointe dans le sol dur comme du fer.

L'armée n'avait plus de visages à présent. Comme une bande de joyeux baigneurs se précipitant sur la plage par une chaude journée, elle se répandit sur les gens laissés à découvert sous les tentes.

Des bébés et de petits enfants furent jetés les premiers sur les côtés. Ils volaient haut dans les airs. Les branches des arbres nus poignardaient leurs petits corps, et les enfants se tortillaient là, le sang coulant le long des troncs tandis que l'armée poursuivait son œuvre.

Ils ouvraient hommes et femmes comme s'il s'agissait de cadeaux de Noël : leur tirant dans la tête et soulevant le sommet du crâne ; éventrant à coups de baïonnette puis écartant la peau avec des mains impatientes ; tranchant les membres et les arrachant d'une secousse.

Il y avait de l'argent à l'intérieur de chaque Indien. De l'argent sourdait de leurs membres. Des billets verts se répandaient hors de leurs ventres. De l'or attendait dans leurs crânes comme des bonbons dans un bocal.

La grande armée s'éloignait avec des chariots emplis de richesses. Certains des soldats couraient à côté des chariots, ramassant ce qui débordait et tombait sur le sol.

Des bagarres éclataient dans les rangs de l'armée, et longtemps après qu'ils eurent disparu, le bruit de leurs batailles résonnait encore parfois comme le tonnerre derrière les montagnes.

Un soldat fut laissé en arrière, marchant tristement, hébété, sur le champ couvert de cadavres.

C'était lui.

Les cœurs des gens démembrés battaient toujours, résonnant à l'unisson suivant une cadence qui ressemblait à de la musique.

Il glissa une main sous sa tunique et la regarda monter et descendre avec les battements de son propre cœur. Il vit sa respiration geler devant son visage. Bientôt lui aussi serait gelé.

Il s'allongea parmi les cadavres et tandis qu'il s'étirait, un long soupir de chagrin s'échappa de ses lèvres. Au lieu de s'évanouir, le soupir gagna de la puissance. Il tourna sur le charnier, se précipitant de plus en plus vite autour de ses oreilles, gémissant un message qu'il ne parvenait pas à comprendre.

3

Le Lieutenant Dunbar était gelé jusqu'aux os.

Il faisait noir.

Le vent soufflait dans la crevasse.

Il se remit précipitamment debout, se cogna la tête contre le dur plafond de pierre et retomba à genoux. Clignant des yeux sous la douleur, il distingua une lumière argentée brillant par l'entrée de la crevasse. La lueur de la lune.

Paniqué, Dunbar sortit à quatre pattes comme un singe, une main levée au-dessus de sa tête pour juger de la hauteur du plafond. Quand il put se tenir debout sans problème, il courut vers la bouche de la crevasse et ne ralentit pas avant de se trouver sous la brillante lueur de la lune au milieu de la clairière.

Cisco était parti.

Le lieutenant poussa un puissant sifflement.

Rien.

Il marcha plus avant dans l'espace entre les murs de roc, et siffla à nouveau. Il entendit quelque chose bouger parmi les peupliers. Puis il perçut un faible gloussement, et le flanc bai de Cisco brilla comme de l'ambre quand il sortit d'entre les arbres.

Dunbar ramassait la bride qu'il avait laissée près du ruisseau quand un mouvement scintilla dans les airs. Il regarda derrière lui juste à temps pour distinguer la forme sombre d'un grand hibou cornu qui piquait près de la tête de Cisco avant de repartir dans une ascension rapide, pour finalement disparaître entre les branches du plus touffu des peupliers.

Le vol du hibou était si inquiétant qu'il ébranla Dunbar, et il devait avoir eu le même effet sur Cisco, car, lorsqu'il le rejoignit, le petit cheval tremblait d'effroi.

4

Ils parcoururent le chemin en sens inverse pour sortir du canyon, et quand ils furent à nouveau dans la prairie, ce fut avec un soulagement semblable à celui qu'un nageur éprouve en revenant à la surface après une longue, longue plongée.

Le Lieutenant Dunbar déporta légèrement son poids vers l'avant et Cisco s'élança à travers les herbes argentées en un galop tranquille.

Il chevauchait avec vigueur, émoustillé d'être éveillé et en vie et mettant autant de distance que possible entre lui et ce rêve étrange et dérangeant. Peu lui importait d'où était venu le rêve et peu lui importait sa signification. Les images étaient trop fraîches et trop profondes, il ne pouvait les analyser objectivement. Il chassa son hallucination pour se concentrer sur d'autres pensées tout en écoutant le doux martèlement des sabots de Cisco.

Une sensation de puissance lui venait, qui s'accroissait avec chaque kilomètre. Il pouvait la sentir dans la course de Cisco et dans son propre corps ; il ne faisait qu'un avec son cheval et avec la prairie, il était en harmonie avec ce village qui était maintenant chez lui. Au fond de son esprit il savait qu'il y aurait une mise au point avec Celle Qui Se Dresse Avec Un Poing Fermé et que ce rêve grotesque devrait être explicité tôt ou tard.

Pour le moment, cependant, ces choses n'avaient guère

d'importance. Elles ne le menaçaient pas le moins du monde, car il était persuadé que sa vie en tant qu'humain était soudain devenue vierge et que l'ardoise de son passé avait été effacée. L'avenir était aussi ouvert qu'au jour de sa naissance, et cela lui élevait vertigineusement l'esprit. Il était le seul homme sur terre, un roi sans sujets, parcourant le territoire illimité de sa vie.

Il était heureux qu'il s'agisse de Comanches, et non de Kiowas, car il se souvenait de leur surnom, qu'il avait entendu ou lu quelque part.

Les Seigneurs des Plaines. C'était ainsi qu'on les appelait. Et il était l'un d'eux.

Dans un accès de rêverie, il laissa tomber les rênes et croisa les bras, posant les mains à plat sur le pectoral qui lui couvrait le torse.

– Je suis Danse Avec Les Loups ! cria-t-il à haute voix. Je suis Danse Avec Les Loups.

5

Oiseau Frappeur, Vent Dans Les Cheveux et plusieurs autres hommes étaient assis autour du feu quand il revint dans la nuit.

L'homme-médecine s'était suffisamment inquiété pour envoyer un petit groupe d'éclaireurs dans quatre directions à la recherche du soldat blanc. Mais il n'y avait pas eu d'alarme générale. Cela s'était fait calmement. Ils étaient revenus sans rien à raconter, et Oiseau Frappeur avait chassé le problème de son esprit. Quand il s'agissait de matières dépassant sa sphère d'influence, il faisait toujours confiance à la sagesse du Grand Esprit.

Il avait été plus troublé par ce qu'il avait lu sur le visage et dans les manières de Celle Qui Se Dresse Avec Un Poing Fermé que par la disparition de Danse Avec Les Loups. À la mention de son nom il avait perçu un vague malaise en elle, comme si elle avait eu quelque chose à cacher.

Mais cela également, avait-il décidé, échappait à son contrôle. Si quelque chose d'important s'était produit entre eux, ce serait révélé le moment venu.

Il fut soulagé de voir le cheval bai et son cavalier pénétrer dans la zone de lumière du feu.

Le lieutenant glissa du dos de Cisco et salua les hommes autour du foyer en comanche. Ils lui retournèrent son salut et attendirent des explications à propos de sa disparition.

Dunbar se tint debout devant eux comme un invité qui arrive à l'improviste, tortillant les rênes de Cisco entre ses mains en les regardant. Tous comprirent qu'il réfléchissait.

Après quelques secondes, son regard tomba franchement sur Oiseau Frappeur, et l'homme-médecine pensa qu'il n'avait jamais vu le lieutenant si calme et si sûr de lui.

Dunbar sourit alors. C'était un petit sourire empli de confiance.

– Je suis Danse Avec Les Loups, dit-il en parfait comanche.

Puis il se détourna du feu et conduisit Cisco jusqu'à la rivière pour le faire boire longuement.

CHAPITRE XXIV

1

Le premier conseil de Dix Ours ne fut pas concluant, mais le lendemain du retour du Lieutenant Dunbar, une autre réunion eut lieu, et cette fois un solide compromis fut trouvé.

Au lieu de partir immédiatement, ainsi que les jeunes hommes l'avaient désiré, l'expédition guerrière contre les Pawnees prendrait une semaine pour effectuer les préparatifs nécessaires. Il fut également décidé que des guerriers expérimentés y participeraient.

Vent Dans Les Cheveux conduirait le groupe et Oiseau Frappeur irait lui aussi, afin de fournir des indications spirituelles importantes sur les aspects pratiques tels que le choix d'emplacements pour camper et les moments où attaquer, ainsi que pour interpréter les présages inattendus, dont plusieurs allaient certainement apparaître. Ce serait un petit groupe d'une vingtaine de guerriers et ils chercheraient du butin plutôt que la vengeance.

Ce groupe suscitait un grand intérêt car plusieurs des jeunes braves partaient pour la première fois en tant que véritables guerriers, et la présence d'hommes d'une telle valeur pour les guider produisait suffisamment d'excitation pour bouleverser la routine du camp de Dix Ours.

La vie quotidienne du Lieutenant Dunbar, déjà altérée par son étrange journée et son étrange nuit dans le vieux canyon, était bouleversée également. Avec tous ces événements, les rencontres dans l'abri de buissons étaient constamment interrompues, et au bout de deux jours, elles furent suspendues.

Sollicité comme il l'était, Oiseau Frappeur était heureux de consacrer toute son attention aux préparatifs du raid. Celle Qui Se Dresse Avec Un Poing Fermé s'en félicitait et Danse Avec Les Loups également. Il était évident pour lui qu'elle l'évitait délibérément, et il fut soulagé de voir les séances se terminer, ne fût-ce que pour cette raison.

Les préparatifs de l'expédition guerrière l'intriguaient, et il suivait Oiseau Frappeur comme son ombre chaque fois que cela lui était possible.

L'homme-médecine semblait être en contact avec tout le camp, et Danse Avec Les Loups fut content d'être inclus, même si ce n'était qu'en tant qu'observateur. Bien que loin de parler couramment le comanche, il comprenait à présent le sens de ce qui se disait et était devenu si habile dans le langage des gestes que Celle Qui Se Dresse Avec Un Poing Fermé fut rarement appelée durant les derniers jours précédant le départ de l'expédition.

Ce fut une éducation de premier ordre pour l'ancien lieutenant. Il participa à de nombreuses réunions au cours desquelles les responsabilités furent déléguées à chaque membre du groupe avec beaucoup de soin et de tact. Lisant entre les lignes, il put voir que, parmi toutes les qualités d'Oiseau Frappeur, la plus essentielle était sa capacité à persuader chaque homme qu'il était d'une importance cruciale dans l'expédition qui se préparait.

Danse Avec Les Loups passa également du temps avec Vent Dans Les Cheveux. Parce que ce dernier avait combattu les Pawnees en maintes occasions, ses récits étaient très demandés. En fait, ils étaient vitaux pour l'initiation des plus jeunes membres du groupe. Des cours informels de guerre étaient donnés autour de la tente de Vent Dans Les Cheveux, et, au fil des jours, Danse Avec Les Loups contracta le virus.

La contamination ne fut que bénigne au début, rien de plus que des réflexions désordonnées sur ce que serait le sentier de la guerre. Mais il fut finalement saisi par un fort désir de prendre la route contre les ennemis des Comanches.

Il attendit patiemment le moment opportun où il pourrait demander à y aller. Il eut plusieurs fois sa chance, mais n'osa pas la saisir. Il était intimidé à l'idée que quelqu'un puisse dire non.

Deux jours avant la date prévue pour le départ de l'expédition, un grand troupeau d'antilopes fut aperçu près du camp et un groupe de guerriers, incluant Danse Avec Les Loups, chevaucha en quête de viande.

Utilisant la même technique d'encerclement que celle qu'ils avaient employée contre les bisons, les hommes furent en mesure de tuer un grand nombre de ces animaux : environ soixante têtes.

La viande fraîche était toujours la bienvenue, mais, plus important, l'apparition des antilopes et leur chasse couronnée de succès furent prises comme un signe que la petite guerre contre les Pawnees aurait une heureuse issue. Les hommes y participant seraient rassurés de savoir que leurs familles ne manqueraient pas de nourriture, même s'ils étaient absents pendant plusieurs semaines.

Une danse de remerciements eut lieu le soir même, et tout le monde fut très gai. Tout le monde, sauf Danse Avec Les Loups. Comme la nuit progressait, il observait la scène d'une certaine distance, de plus en plus morose. Il était obsédé par l'idée qu'on allait le laisser en arrière, et à présent il ne le supportait plus.

Il se rapprocha de Celle Qui Se Dresse Avec Un Poing Fermé, et quand la danse s'interrompit, il se trouvait à ses côtés.

– Je veux parler à Oiseau Frappeur, dit-il.

Quelque chose ne va pas, pensa-t-elle. Elle scruta ses yeux en quête d'indices, mais ne put rien y trouver.

– Quand ?

– Maintenant.

Pour quelque raison, il ne parvenait pas à se calmer. Il était inhabituellement nerveux et excité, et tandis qu'ils marchaient jusqu'à la tente, tant Celle Qui Se Dresse Avec Un Poing Fermé qu'Oiseau Frappeur purent s'en rendre compte.

Son anxiété était toujours évidente quand ils se furent assis dans le tepee d'Oiseau Frappeur. L'homme-médecine glissa sur les formalités habituelles et en vint directement au cœur du sujet.

– Fais ta déclaration, dit-il en parlant par l'intermédiaire de Celle Qui Se Dresse Avec Un Poing Fermé.

– Je veux y aller.

– Aller où ? demanda-t-elle.

Danse Avec Les Loups changeait constamment de position, rassemblant son courage.

– Contre les Pawnees.

Cela fut traduit à Oiseau Frappeur. À l'exception d'un léger écarquillement de ses yeux, l'homme-médecine ne parut pas surpris.

– Pourquoi veux-tu faire la guerre aux Pawnees ? s'enquit-il avec logique. Ils ne t'ont rien fait.

Danse Avec Les Loups réfléchit un instant.

– Ils sont les ennemis des Comanches.

Oiseau Frappeur n'aimait pas ça. Il y avait quelque chose de forcé dans la demande. Danse Avec Les Loups était trop pressé.

– Seuls des guerriers comanches peuvent y aller, dit-il froidement.

– J'ai été un guerrier dans l'armée des Blancs pendant plus longtemps que les jeunes hommes qui vont partir n'ont été des élèves. Certains vont faire la guerre pour la première fois.

– On leur a enseigné la manière comanche, dit doucement l'homme-médecine. Pas à toi. La manière de l'homme blanc n'est pas la manière du Comanche.

Un peu de sa résolution quitta Danse Avec Les Loups à

ce moment-là. Il savait qu'il était en train de perdre. Sa voix tomba.

– Je ne peux pas apprendre la façon de faire la guerre des Comanches si je reste au camp, dit-il d'une voix basse.

C'était difficile pour Oiseau Frappeur. Il regrettait que cela se soit produit.

Son affection pour Danse Avec Les Loups était profonde. Le soldat blanc avait été sous sa responsabilité, et il avait montré qu'il valait les risques qu'Oiseau Frappeur avait pris. Il valait plus que ça encore.

D'un autre côté, l'homme-médecine était arrivé à une position élevée et révérée en faisant preuve de sagesse. Il était sage à présent et capable de comprendre suffisamment bien le monde pour rendre de grands services à son peuple.

Il était partagé entre son affection pour cet homme et le service à rendre à sa communauté. Il savait que le choix était évident. Toute sa sagesse lui disait que ce serait une erreur que d'emmener Danse Avec Les Loups.

Tandis qu'il réfléchissait, il entendit Danse Avec Les Loups dire quelque chose à Celle Qui Se Dresse Avec Un Poing Fermé.

– Il te demande d'en parler à Dix Ours, dit-elle.

Oiseau Frappeur regarda les yeux emplis d'espoir de son protégé et hésita.

– Je le ferai, dit-il.

3

Danse Avec Les Loups dormit mal cette nuit-là. Il se maudit d'être trop excité pour dormir. Il savait qu'aucune décision ne serait prise avant le lendemain, et demain paraissait trop lointain. Il dormait dix minutes et s'éveillait vingt minutes, et cela dura toute la nuit. Une demi-heure avant l'aube, il capitula finalement et descendit à la rivière pour se baigner.

L'idée d'attendre des nouvelles dans le camp lui était insupportable et il sauta sur l'occasion quand Vent Dans

Les Cheveux lui demanda s'il voulait partir avec un groupe d'éclaireurs à la recherche de bisons. Ils allèrent loin à l'est, et l'après-midi était bien engagé quand ils revinrent au camp.

Il laissa Souris Beaucoup ramener Cisco au troupeau de poneys et, le cœur battant sauvagement, il entra sous la tente d'Oiseau Frappeur.

Il n'y avait personne.

Il était déterminé à attendre jusqu'à ce que quelqu'un revienne, mais à travers la paroi du fond il entendit des voix de femmes mêlées au bruit du travail, et plus il écoutait, moins il pouvait imaginer ce qui se passait. Peu de temps s'écoula avant que la curiosité le fasse sortir.

Juste derrière l'habitation d'Oiseau Frappeur, à quelques mètres de l'abri, il découvrit Celle Qui Se Dresse Avec Un Poing Fermé et les femmes de l'homme-médecine en train d'achever l'érection d'une nouvelle tente.

Elles mettaient la dernière main aux coutures et il les regarda travailler pendant un moment avant de parler.

– Où est Oiseau Frappeur ?

– Avec Dix Ours, dit-elle.

– Je vais l'attendre, dit Danse Avec Les Loups en se tournant pour partir.

– Si tu veux, dit-elle sans lever les yeux de son travail, tu peux l'attendre ici.

Elle s'arrêta pour éponger les gouttes de sueur qui coulaient le long de ses tempes et lui fit face.

– Nous l'avons faite pour toi.

4

La discussion avec Dix Ours ne dura pas longtemps, du moins pour l'essentiel.

Le vieil homme était de bonne humeur. Ses os douloureux aimaient le temps chaud, et, bien qu'il ne parte pas, la perspective d'une action victorieuse contre les Pawnees haïs le remplissait de joie. Ses petits-enfants étaient ronds comme des mottes de beurre grâce aux festins de l'été, et ses trois femmes avaient été tout spécialement gaies ces derniers temps.

Oiseau Frappeur n'aurait pu choisir meilleur moment pour lui parler d'un sujet délicat.

Tandis que l'homme-médecine lui faisait part de la requête de Danse Avec les Loups, Dix Ours écouta, impassible. Il remplit sa pipe avant de répondre.

– Tu m'as dit ce qui était dans son cœur, siffla le vieil homme. Qu'y a-t-il dans le tien ?

Il offrit la pipe à Oiseau Frappeur.

– Mon cœur dit qu'il est trop pressé. Il veut trop de choses, trop vite. C'est un guerrier, mais il n'est pas un Comanche. Il ne sera pas un Comanche avant un moment.

Dix Ours sourit.

– Tu parles toujours bien, Oiseau Frappeur. Et tu es un sage.

Le vieillard alluma la pipe et la passa.

– Maintenant, dis-moi, ajouta-t-il, sur quoi voudrais-tu mon avis ?

5

Ce fut une terrible déception, au début. Comme si l'on venait de le dégrader. Mais ce fut pire encore. Il n'avait jamais été aussi humilié.

Et pourtant il fut choqué de voir à quelle vitesse la douleur disparut. Presque dès qu'Oiseau Frappeur eut quitté la tente.

Il resta étendu sur le lit de sa nouvelle demeure et se posa des questions sur ce changement. On ne lui avait fait part de la nouvelle que depuis quelques minutes à peine, et déjà il n'était plus le moins du monde anéanti. Maintenant, il n'éprouvait plus qu'un léger désappointement.

Cela a un rapport avec le fait que je sois ici, songea-t-il. Avec ces gens. Avec leur mode de vie, pur et authentique.

Oiseau Frappeur avait fait les choses avec précision. Il était venu suivi de deux femmes portant des couvertures, Celle Qui Se Dresse Avec Un Poing Fermé et une de ses épouses. Après qu'elles eurent préparé le nouveau lit, cette dernière était partie et tous trois, Oiseau Frappeur, Celle Qui Se Dresse Avec Un Poing Fermé et Danse Avec Les Loups, étaient restés face à face au centre du tipi.

Oiseau Frappeur ne fit aucune mention du raid ni de la décision qui avait été prise à son encontre.

– Il serait bon que tu parles avec Celle Qui Se Dresse Avec Un Poing Fermé quand je serai parti, dit-il. Tu devrais le faire dans ma tente afin que ma famille puisse voir. Je veux qu'ils te connaissent et que tu les connaisses. Je me sentirai plus tranquille si je sais que tu veilles sur ma famille en mon absence. Viens à mon feu et mange si tu as faim.

Une fois lancée l'invitation à dîner, l'homme-médecine avait fait brusquement demi-tour et était parti, Celle Qui Se Dresse Avec Un Poing Fermé sur ses talons.

Alors qu'il les regardait s'éloigner, Danse Avec les Loups fut surpris de voir son abattement disparaître. Il éprouvait au contraire une espèce d'exaltation. Il ne se sentait pas petit du tout. Il se sentait plus grand.

La famille d'Oiseau Frappeur serait sous sa protection, et l'idée de les servir dans ce rôle lui plut instantanément. De plus, il serait également avec Celle Qui Se Dresse Avec Un Poing Fermé, et cette perspective lui réchauffait le cœur.

L'expédition guerrière serait absente un certain temps, ce qui lui permettrait d'apprendre beaucoup le comanche. Et en apprenant il savait qu'il pourrait obtenir plus que la langue. S'il travaillait dur, il aurait atteint un nouveau statut lors du retour de ses mentors. Cette idée lui plaisait.

Les tambours avaient commencé de résonner sur le village. La grande danse d'adieu débutait et il voulait y aller. Il aimait danser.

Danse Avec Les Loups roula hors du lit et regarda la tente autour de lui. Elle était vide, mais avant longtemps elle contiendrait les quelques attaches qui constituaient sa vie, et il était agréable de penser qu'il avait à nouveau quelque chose à lui.

Il passa par l'ouverture de la tente et s'arrêta dans le crépuscule à l'extérieur. Il était resté à rêvasser jusqu'après l'heure du dîner, mais la fumée des foyers de cuisine était toujours épaisse dans l'air et l'odeur lui chatouillait agréablement les narines.

Une pensée vint alors à Danse Avec Les Loups.

Je devrais rester ici, se dit-il, c'est une bien meilleure idée.

Il partit en direction du son des tambours.

Quand il atteignit l'allée principale, il se sentait l'égal des guerriers les plus valeureux. Par signes, ils lui demandèrent s'il danserait ce soir. La réponse de Danse Avec Les Loups fut si enthousiaste qu'elle les fit rire.

CHAPITRE XXV

1

Une fois l'expédition partie, le village retomba dans la routine de la vie pastorale, une rotation intemporelle de l'aube au jour, du jour au crépuscule et du crépuscule à la nuit qui faisait apparaître la prairie comme étant le seul endroit existant au monde.

Danse Avec Les Loups se conforma rapidement à ce cycle, le suivant avec une aisance proche du rêve. Une vie à monter à cheval pour chasser et reconnaître les environs était physiquement éprouvante, mais son corps s'y adaptait bien, et, une fois le rythme de ses journées établi, il trouva que la plupart des activités ne lui demandaient aucun effort.

La famille d'Oiseau Frappeur lui prenait une grande partie de son temps. Les femmes faisaient pratiquement tout le travail du campement, mais il se sentait obligé d'organiser leur vie quotidienne et celle des enfants et il ne sut bientôt plus où donner de la tête.

Vent Dans Les Cheveux lui avait offert un bon arc et un carquois empli de flèches lors de la danse d'adieu. Il avait été excité par ce cadeau et était allé trouver un vieux guerrier nommé Jambe de Pierre qui lui avait enseigné les plus fines techniques de son utilisation. En l'espace d'une semaine ils devinrent amis, et Danse Avec Les Loups apparut régulièrement dans la tente de Jambe de Pierre.

Il apprit à entretenir et à réparer rapidement les armes. Il apprit les mots de plusieurs chants importants et la façon de les chanter. Il regarda Jambe de Pierre faire du feu avec peu de bois et le vit préparer sa médecine personnelle.

C'était un élève attentif et il comprenait vite. Si vite que Jambe de Pierre le surnomma Rapide.

Il patrouillait quelques heures chaque jour, comme la plupart des autres hommes. Ils partaient par groupes de trois ou quatre, et en peu de temps Danse Avec Les Loups eut une connaissance rudimentaire des choses nécessaires, comme la façon de lire l'âge d'une empreinte et de déterminer le temps qu'il allait faire.

Les bisons allaient et venaient suivant des voies mystérieuses. Certains jours ils n'en voyaient aucun, et d'autres jours ils en voyaient tellement que cela tournait à la plaisanterie.

Sur les deux points importants, les patrouilles étaient un succès. Il y avait de la viande fraîche à prendre et la région était dépourvue d'ennemis.

Au bout de quelques jours il se demanda pourquoi tout le monde ne vivait pas sous une tente. Quand il songeait aux endroits où il avait vécu auparavant, il ne voyait rien d'autre qu'une série de pièces stériles.

Pour lui la tente était une véritable habitation. Elle était fraîche par les journées les plus chaudes, et quel que soit le charivari dans le camp, le cercle de son espace intérieur était empli de paix.

Il en vint à apprécier le temps qu'il y passait seul.

Le moment de la journée qu'il préférait était la fin de l'après-midi, et le plus souvent on le trouvait près de l'ouverture de la tente, occupé à quelque petit travail comme de nettoyer ses bottes tout en regardant les nuages changer de formation ou en écoutant les sifflements légers du vent.

Sans qu'il en fût conscient, ces fins d'après-midi solitaires lui reposaient l'esprit, le laissant frais et dispos.

Il ne fallut pas longtemps, cependant, pour qu'une des facettes de sa vie domine toutes les autres.

Celle Qui Se Dresse Avec Un Poing Fermé.

Leurs discussions reprirent, cette fois sous l'œil bienveillant mais toujours présent de la famille d'Oiseau Frappeur.

L'homme-médecine leur avait recommandé de continuer les entretiens, mais en son absence, ils étaient désorientés.

Les premiers jours consistèrent principalement en révisions sans grand intérêt.

D'une certaine façon, ce fut tout aussi bien. Celle Qui Se Dresse Avec Un Poing Fermé était toujours troublée et embarrassée. La sécheresse de leurs premières rencontres bilatérales facilita la reprise de liens avec le passé. Cela lui permit de garder ses distances tout en s'habituant à nouveau à lui.

Danse Avec Les Loups était satisfait que cela se passe ainsi. La froideur de leurs échanges s'opposait à son désir sincère de réparer ce qui avait pu endommager les relations qui existaient entre eux, et durant les premiers jours, il attendit patiemment, espérant un dégel.

Les leçons portaient leurs fruits, mais il devint bientôt évident que rester assis dans la tente durant toute la matinée limitait la rapidité avec laquelle il pouvait apprendre le comanche. Tant de choses qu'il devait savoir se trouvaient à l'extérieur. Et les interruptions familiales n'en finissaient pas.

Mais il attendit sans se plaindre, laissant Celle Qui Se Dresse Avec Un Poing Fermé passer sur les mots qu'elle ne pouvait expliquer.

Un après-midi, juste après le repas, alors qu'elle ne pouvait trouver le mot pour herbe, Celle Qui Se Dresse Avec Un Poing Fermé l'emmena finalement à l'extérieur. Un mot mena à un autre, et ce jour-là, ils ne revinrent pas à la tente pendant plus d'une heure. Au lieu de cela, ils parcoururent le village, tellement absorbés par leurs études que le temps passa sans qu'ils s'en rendent compte.

Le schéma se répéta au cours des jours qui suivirent. Le spectacle devint courant : un couple bavardant qui errait dans le village, oubliant tout ce qui n'était pas les objets constituant leur travail : os, rabat de tente, soleil, toit, bouilloire, chien, bâton, ciel, enfant, cheveux, couverture, visage, loin, près, ici, là, brillant, terne, et ainsi de suite.

Chaque jour le langage enfonçait plus profondément ses racines en lui et bientôt Danse Avec Les Loups put faire plus que des mots. Des phrases se formaient et il les collait ensemble avec un zèle qui causait bien des erreurs.

– Le feu pousse sur la prairie.

– Manger de l'eau est bon pour moi.

– Est-ce que cet homme est un os ?

Il était comme un bon coureur qui tombe tous les trois pas, mais il continuait à se frayer un chemin dans le labyrinthe de cette nouvelle langue, et par la pure force de sa volonté il fit de remarquables progrès.

Aucun échec, quelle que soit son importance, ne pouvait altérer son entrain, et il escaladait chaque obstacle avec la bonne humeur et la détermination qui rendent une personne agréable.

Ils étaient de moins en moins dans la tente. L'extérieur leur était accessible et une étrange paix s'était à présent installée sur le village. Il était devenu inhabituellement calme.

Tout le monde pensait aux hommes partis affronter l'inconnu en territoire pawnee. Chaque journée semblait en dehors du temps et les parents et amis de ceux qui étaient partis avec l'expédition guerrière priaient plus fortement pour leur sécurité. D'un jour à l'autre, les prières étaient devenues l'élément essentiel de la vie du camp, plus importantes que les repas, les réunions, le travail.

Le vide qui baignait le camp donna à Danse Avec Les Loups et à Celle Qui Se Dresse Avec Un Poing Fermé un environnement parfait dans lequel opérer. Plongés comme ils l'étaient dans cette période d'attente et de prière, les autres ne prêtaient guère attention au couple blanc. Ils évoluaient dans une bulle sereine, bien protégée, une entité en eux-mêmes.

Ils se voyaient trois ou quatre heures chaque jour, sans se toucher et sans parler d'eux-mêmes. En surface, un formalisme prudent était observé. Ils riaient de certaines choses ensemble et commentaient des phénomènes ordinaires comme le temps. Mais les sentiments qu'ils éprouvaient l'un pour l'autre étaient dissimulés en permanence. Celle Qui Se Dresse Avec Un Poing Fermé demeurait réservée, et Danse Avec Les Loups respectait cela.

3

Un profond changement intervint deux semaines après le départ de l'expédition guerrière.

Tard en fin d'après-midi, après une longue patrouille sous un soleil ardent, Danse Avec Les Loups revint à la tente d'Oiseau Frappeur, n'y trouva personne, et, pensant que la famille était partie à la rivière, il s'y rendit.

Les femmes d'Oiseau Frappeur étaient là, qui lavaient leurs enfants. Celle Qui Se Dresse Avec Un Poing Fermé n'était pas dans les environs. Il resta suffisamment longtemps pour être éclaboussé par les gamins, puis remonta le sentier vers le village.

Le soleil était toujours aussi dur, et quand il vit l'abri, la pensée de son ombre l'attira.

Il était à demi entré quand il réalisa qu'elle était là. La séance régulière avait déjà eu lieu, et tous deux furent embarrassés.

Danse Avec Les Loups s'assit à quelque distance d'elle et lui dit bonjour.

– Il... Il fait chaud, répondit-elle comme pour s'excuser de sa présence.

– Oui, approuva-t-il. Très chaud.

Pour se donner une contenance, il s'essuya le front. C'était une façon idiote de lui montrer qu'il était là pour la même raison qu'elle.

Mais en faisant ce geste mensonger, Danse Avec Les Loups se reprit. Un besoin soudain avait surgi en lui, un besoin de lui dire ce qu'il ressentait.

Il commença simplement à parler. Il lui dit qu'il était troublé. Il lui dit à quel point il était heureux d'être là. Il lui parla de sa tente et combien il était bon de l'avoir. Il prit le pectoral à deux mains et lui expliqua ce qu'il en pensait, que pour lui c'était quelque chose d'extraordinaire. Il le porta à sa joue et dit :

– Je l'aime.

Puis il ajouta :

– Mais je suis blanc... et je suis un soldat. Est-ce bon pour moi d'être ici, ou bien est-ce stupide ? Suis-je stupide ?

Il voyait une attention totale dans son regard.

– Ce n'est pas... Je ne sais pas, répondit-elle.

Il y eut un petit silence. Il se rendait compte qu'elle attendait.

– Je ne sais pas où aller, dit-il doucement. Je ne sais pas où est ma place.

Elle tourna lentement la tête et regarda par l'ouverture.

– Je sais, dit-elle.

Elle était toujours perdue dans ses pensées, fixant le soleil de cette fin d'après-midi, quand il ajouta :

– Ma place est ici.

Elle se tourna à nouveau vers lui. Son visage paraissait immense. Le soleil couchant lui avait donné une douce luminescence. Ses yeux, larges de compréhension, avaient la même lueur.

– Oui, dit-elle, comprenant exactement ce qu'il ressentait.

Elle baissa la tête. Quand elle la redressa, Danse Avec Les Loups se sentit absorbé, tout comme il l'avait été sur la prairie avec Timmons pour la première fois. Ses yeux étaient ceux d'une femme ayant une âme, emplis d'une beauté que peu d'hommes pouvaient atteindre. Ils étaient éternels.

Danse Avec Les Loups tomba amoureux quand il les vit.

Celle Qui Se Dresse Avec Un Poing Fermé était déjà amoureuse. C'était arrivé quand il avait commencé à parler, pas d'un seul coup, mais par lentes étapes jusqu'à ce qu'elle ne puisse plus le nier. Elle se voyait en lui. Elle devinait qu'ils pouvaient ne former qu'un seul être.

Ils parlèrent un peu plus longtemps avant de redevenir silencieux. Pendant quelques minutes ils contemplèrent le jour déclinant, chacun sachant ce que l'autre ressentait mais n'osant parler.

Le charme fut rompu quand l'un des petits garçons d'Oiseau Frappeur passa par là, regarda à l'intérieur et demanda ce qu'ils faisaient.

Celle Qui Se Dresse Avec Un Poing Fermé sourit de son innocente intrusion et lui répondit en comanche :

– Il fait chaud. Nous nous sommes assis à l'ombre.

Cela parut si sensé au petit garçon qu'il entra et s'abattit sur les genoux de Danse Avec Les Loups. Ils luttèrent pour jouer pendant quelques instants, mais le chahut ne dura pas longtemps.

Le petit garçon s'assit brusquement et dit à Celle Qui Se Dresse Avec Un Poing Fermé qu'il avait faim.

– Très bien, dit-elle en comanche.

Et elle le prit par la main.

Elle regarda Danse Avec Les Loups.

– Manger ?

– Oui, j'ai faim.

Ils s'extirpèrent de sous l'abri et partirent vers la tente d'Oiseau Frappeur pour allumer un feu : il était temps de préparer le repas.

4

Sa première tâche le lendemain matin fut de rendre visite à Jambe de Pierre. Il arriva de bonne heure à la tente du guerrier et fut immédiatement invité à s'asseoir pour prendre un petit déjeuner.

Après qu'ils eurent mangé, les deux hommes sortirent pour discuter tandis que Jambe de Pierre fabriquait un nouveau jeu de flèches avec des branches de saule. À l'exception de ses entrevues avec Celle Qui Se Dresse Avec Un Poing Fermé, ce fut la conversation la plus sophistiquée qu'il ait jamais eue avec un membre de la tribu.

Jambe de Pierre était impressionné que ce Danse Avec Les Loups, si nouveau parmi eux, soit déjà capable de parler comanche. Et de bien le parler.

Le vieux guerrier comprenait également que Danse Avec Les Loups voulait quelque chose, et quand la conversation s'orienta subitement sur Celle Qui Se Dresse Avec Un Poing Fermé, il devina où il voulait en venir.

Danse Avec Les Loups essaya d'aborder le sujet aussi naturellement que possible, mais Jambe de Pierre était un trop vieux renard pour ne pas sentir l'importance de la question pour son visiteur.

– Est-ce que Celle Qui Se Dresse Avec Un Poing Fermé est mariée ?

– Oui, répondit Jambe de Pierre.

La révélation frappa Danse Avec Les Loups comme la pire des nouvelles. Il demeura silencieux.

– Où est son mari ? demanda-t-il finalement. Je ne le vois pas.

– Il est mort.

C'était une possibilité qu'il n'avait jamais envisagée.

– Quand est-il mort ?

Jambe de Pierre releva les yeux de son travail.

– Il est impoli de parler des morts, dit-il. Mais tu es nouveau, aussi je te le dirai. C'était à peu près à la période de la lune des cerises, au printemps. Elle le pleurait le jour où tu l'as trouvée et où tu l'as ramenée.

Danse Avec Les Loups ne posa pas d'autres questions, mais Jambe de Pierre fournit quelques détails supplémentaires. Il mentionna le statut relativement haut du mort et l'absence d'enfants dans son mariage avec Celle Qui Se Dresse Avec Un Poing Fermé.

Souhaitant méditer sur ce qu'il avait entendu, Danse Avec Les Loups remercia son informateur et s'éloigna.

Jambe de Pierre se demanda vaguement s'il pouvait y avoir quelque chose entre ces deux-là, puis, décidant que ce n'étaient pas ses affaires, il se remit au travail.

Danse Avec Les Loups fit la seule chose sur laquelle il pouvait compter pour se clarifier l'esprit. Il trouva Cisco dans le troupeau de poneys et sortit du village avec lui. Il savait que Celle Qui Se Dresse Avec Un Poing Fermé l'attendrait dans la tente d'Oiseau Frappeur, mais son esprit tournoyait follement à cause de ce que l'on venait de lui dire, et il ne pouvait envisager de lui faire face maintenant.

Il descendit la rivière et, après deux ou trois kilomètres, décida de poursuivre jusqu'à Fort Sedgewick. Il n'y était pas retourné depuis près de deux semaines et ressentait le besoin subit d'y aller maintenant, comme si, de quelque étrange façon, l'endroit serait en mesure de lui apprendre quelque chose.

Même de loin il put voir que les derniers orages d'été avaient achevé de détruire l'auvent. Il avait été arraché de la plupart des piquets. La toile elle-même était en lambeaux. Ce qu'il en restait claquait sous la brise comme la grand-voile déchiquetée d'un vaisseau fantôme.

Deux Bottes attendait près de la butte et il jeta à ce vieux copain la tranche de viande charquée qu'il avait emportée pour grignoter. Il n'avait pas faim.

Des souris des champs s'éparpillèrent quand il jeta un coup d'œil dans l'entrepôt en décomposition. Elles avaient détruit la seule chose qu'il ait laissée derrière lui, un sac de toile empli de clous rouillés.

Dans la cabane de torchis qui avait été sa demeure, il s'étendit sur la petite paillasse pendant quelques minutes et fixa les murs croulants.

Il décrocha la montre de gousset cassée qui avait appartenu à son père du clou où il l'avait accrochée, dans l'intention de la mettre dans sa poche. Mais il la regarda quelques secondes et la remit en place.

Son père était mort depuis six ans. Ou bien était-ce sept ? Sa mère depuis plus longtemps encore. Il pouvait se souvenir des détails de sa vie avec eux, mais les personnes... les personnes paraissaient avoir disparu depuis une centaine d'années.

Il remarqua le journal posé sur un des tabourets et le ramassa. Le feuilleter et lire ses annotations produisait une drôle d'impression. Elles aussi semblaient vieilles et périmées, comme si elles appartenaient à une vie antérieure.

Il rit quelquefois de ce qu'il avait écrit, mais dans l'ensemble il fut ému. Sa vie avait été transformée, et des pièces d'archives se trouvaient posées là. Ce n'était plus à présent qu'une pièce de musée, qui n'avait aucun rapport avec son avenir. Mais il était intéressant de regarder en arrière et de voir le chemin qu'il avait parcouru.

Quand il atteignit la fin, il restait des pages vierges et il eut l'idée bizarre qu'un post-scriptum s'imposait, peut-être quelque chose d'intelligent et de mystérieux.

Mais quand il leva les yeux pour réfléchir, même contre le néant du mur de torchis ce fut elle qu'il vit. Il vit les mollets musclés apparaissant sous les franges de sa robe en daim de tous les jours. Il vit les longues et belles mains émergeant gracieusement des manches, la courbe déliée de ses seins sous le corsage, les pommettes hautes, les lourds sourcils expressifs, les yeux éternels et la tignasse emmêlée de cheveux couleur de cerise.

Il pensa à ses rages subites et à la lumière entourant son visage sous l'abri. Il pensa à sa modestie, à sa dignité et à sa douleur.

Tout ce qu'il vit et tout ce à quoi il pensa, il l'adora.

Quand ses yeux retombèrent sur la page vierge étendue sur ses genoux, il sut ce qu'il devait écrire. Il était débordant de joie de lui donner vie grâce aux mots.

Fin de l'été, 1863
J'aime Celle Qui Se Dresse Avec Un Poing Fermé.
Danse Avec Les Loups.

Il referma le journal et le plaça soigneusement au milieu du lit, pensant facétieusement qu'il le laissait pour que la postérité réfléchisse à sa signification.

Quand il ressortit, Danse Avec Les Loups fut soulagé de voir que Deux Bottes avait disparu. Sachant qu'il ne le reverrait pas, il dit une prière pour son grand-père le loup, lui souhaitant une bonne vie durant les années qu'il lui restait.

Puis il sauta sur le dos de Cisco, hurla un adieu en comanche et s'éloigna au grand galop.

Quand il regarda Fort Sedgewick par-dessus son épaule, il ne vit que la prairie déserte et ondulante.

6

Elle attendit près d'une heure avant qu'une des femmes d'Oiseau Frappeur demande :

– Où est Danse Avec Les Loups ?

L'attente avait été difficile. Chaque minute avait été emplie de pensées qui lui étaient consacrées. Quand la question fut posée, elle essaya de construire sa réponse d'un ton qui dissimulerait ses sentiments.

– Oh, oui... Danse Avec Les Loups. Non, je ne sais pas où il est.

Elle sortit pour se renseigner. Quelqu'un l'avait vu partir de bonne heure, chevauchant vers le sud, et elle supposa à juste titre qu'il était allé au fort de l'homme blanc.

Ne voulant pas savoir pourquoi il était parti, elle se jeta à corps perdu dans l'achèvement des fontes sur lesquelles elle avait travaillé, essayant de se fermer aux distractions du camp afin de ne penser qu'à lui.

Mais cela ne suffisait pas.

Elle voulait être seule avec lui, même si ce n'était qu'en imagination, et après le déjeuner elle prit le sentier jusqu'à la rivière.

En général il y avait une accalmie après l'heure du repas, et elle fut heureuse de ne trouver personne au bord de l'eau. Elle ôta ses mocassins, marcha sur une grosse souche qui avançait comme une digue, et, la chevauchant, trempa ses pieds dans les hauts-fonds rafraîchissants.

Il n'y avait qu'un soupçon de brise, mais c'était suffisant pour atténuer la chaleur du jour. Elle mit une main sur chaque cuisse, détendit ses épaules et fixa la rivière lente de ses yeux mi-clos.

S'il venait à elle maintenant. S'il la regardait avec ces yeux d'homme et riait de son drôle de rire et lui disait qu'il l'emmenait... Elle partirait immédiatement, rien d'autre n'aurait d'importance.

Soudain elle se souvint de leur première rencontre, aussi clairement que si c'était hier. Revenant à cheval, à demi consciente, son sang le couvrant. Elle se souvint de la sécurité qu'elle avait ressentie au contact de ses bras autour de son dos, le visage pressé contre l'étrange tissu de sa veste.

À présent, elle comprenait ce que cela avait signifié. Elle comprenait que ce qu'elle ressentait maintenant était ce qu'elle avait ressenti à ce moment-là. Alors il ne s'était agi que d'une semence, enterrée et invisible, et elle n'avait pas su ce qu'elle représentait. Mais le Grand Esprit le savait. Le Grand Esprit avait laissé la graine germer. Le Grand Esprit, dans tout son Grand Mystère, avait encouragé la semence à vivre et à grandir.

Cette sensation qu'elle éprouvait, ce sentiment de sécurité, elle savait maintenant qu'il ne s'agissait pas d'une sécurité face à un ennemi, ni à un orage ni à une blessure. Il ne s'agissait absolument pas d'une chose physique. C'était une sécurité qu'elle avait ressentie dans son cœur. Elle avait été constamment présente.

La plus rare des choses de cette vie est arrivée, songea-t-elle. Le Grand Esprit nous a rassemblés.

Elle s'émerveillait de ce miracle quand elle entendit un léger clapotis à un mètre ou deux d'elle.

Il était accroupi sur un petit coin de plage, s'éclaboussant la figure avec des mouvements lents, sans précipitation. Il la regarda et, sans prendre la peine d'essuyer l'eau qui gouttait sur son visage, il sourit comme un petit garçon.

– Bonjour, dit-il. J'étais au fort.

Il le dit comme s'ils avaient été ensemble durant toute leur vie. Elle lui répondit de la même façon.

– Je sais.

– Pouvons-nous parler ?

– Oui, dit-elle. C'est ce que j'attendais.

Des voix résonnèrent dans le lointain, près de l'entrée du sentier.

– Où pouvons-nous aller ? demanda-t-il.

– Je connais un endroit.

Elle se releva rapidement et, Danse Avec Les Loups restant un pas ou deux en arrière, elle le conduisit à l'ancien chemin de traverse qu'elle avait emprunté le jour où Oiseau Frappeur lui avait demandé de se souvenir de la langue des Blancs.

Ils marchèrent en silence, entourés par le bruit sourd de leurs pas, le bruissement des saules et le chant des oiseaux dans les fourrés.

Leurs cœurs battaient à l'idée de ce qui allait se produire ; ils étaient impatients de savoir quand et où cela se passerait.

La clairière où elle s'était souvenue du passé s'ouvrit finalement devant eux. Toujours silencieux, ils s'assirent les jambes croisées devant le gros peuplier qui faisait face à la rivière.

Ils ne pouvaient pas parler. Tous les autres sons semblèrent s'arrêter. Tout était calme.

Celle Qui Se Dresse Avec Un Poing Fermé baissa la tête et vit un accroc à la couture de son pantalon, à mi-hauteur de sa cuisse.

– Il est déchiré, murmura-t-elle en laissant ses doigts effleurer légèrement le trou.

Une fois sa main là, elle ne put la retirer. Les petits doigts reposaient ensemble, immobiles.

Comme guidées par une force extérieure, leurs têtes se rapprochèrent doucement. Les doigts s'enlacèrent. Le simple toucher était aussi extatique qu'un acte sexuel. Aucun des deux n'aurait pu dire comment c'était arrivé, mais un instant plus tard ils échangeaient un baiser.

Ce ne fut pas un long baiser, juste un effleurement puis une légère pression des lèvres.

Mais il scella l'amour qu'il y avait entre eux.

Joue contre joue, leurs souffles mêlés, ils plongèrent dans un rêve. Dans ce rêve ils firent l'amour. Quand ils eurent terminé, alors qu'ils reposaient côte à côte sous les peupliers, Danse Avec Les Loups la regarda dans les yeux et y vit des larmes.

Il attendit longtemps, mais elle ne parlait toujours pas.

– Dis-moi, murmura-t-il.

– Je suis heureuse, dit-elle. Je suis heureuse que le Grand Esprit m'ait laissée vivre si longtemps.

– Moi aussi, dit-il, les yeux humides.

Elle se pressa fortement contre lui et se mit à pleurer. Il la tint étroitement serrée tandis qu'elle sanglotait, sans honte de la joie qui coulait sur son visage.

7

Ils firent l'amour durant tout l'après-midi, en discutant longuement pendant les intervalles. Quand les ombres commencèrent à tomber sur la clairière, ils s'assirent, devinant tous deux qu'on s'inquiéterait de leur absence s'ils restaient plus longtemps.

Ils regardaient les reflets sur l'eau quand il dit :

– J'ai parlé à Jambe de Pierre... Je sais pourquoi tu t'es enfuie ce jour-là... le jour où je t'ai demandé si tu étais mariée.

Elle se leva et lui tendit la main. Il la prit et elle le tira pour le remettre debout.

– J'avais une bonne vie avec lui. Il est parti loin de moi parce que tu arrivais. C'est ainsi que je le vois à présent.

Elle le conduisit hors de la clairière et ils rentrèrent, marchant étroitement enlacés. Quand ils furent à portée de voix du village, ils s'arrêtèrent pour écouter. Le sentier principal se trouvait juste devant eux.

Avec une pression des mains, les amants se glissèrent prudemment entre les saules, et comme si cela pouvait les aider à traverser la nuit de séparation qui approchait, ils s'unirent une fois de plus, faisant aussi vite que pour un rapide baiser d'au revoir.

À un pas ou deux de l'allée principale menant au village, ils s'arrêtèrent à nouveau, et comme ils s'embrassaient, elle lui murmura à l'oreille :

– Je suis en deuil et notre peuple n'approuverait pas s'il connaissait notre amour. Nous devrons le dissimuler soigneusement jusqu'à ce que le temps soit venu pour tous de le voir.

Il hocha la tête pour montrer qu'il avait compris, puis

l'étreignit brièvement, et elle se glissa à travers les buissons.

Danse Avec Les Loups attendit dans les saules pendant dix minutes avant de continuer. Il fut heureux de se retrouver seul en remontant la colline jusqu'au village.

Il alla droit à sa tente et s'assit sur son lit, fixant ce qu'il restait de lumière par l'ouverture de sa tente, rêvant à leur après-midi devant le peuplier.

Quand il fit noir, il s'allongea sur les épaisses couvertures et s'aperçut qu'il était épuisé. Roulant sur lui-même, il s'enivra de son odeur qui persistait sur une de ses mains. Espérant qu'elle demeurerait toute la nuit, il glissa dans le sommeil.

CHAPITRE XXVI

1

Les quelques jours qui suivirent furent euphoriques pour Danse Avec Les Loups et Celle Qui Se Dresse Avec Un Poing Fermé.

Ils avaient constamment le sourire aux lèvres, leurs joues rougissaient de leur idylle, et peu importait où ils allaient, leurs pieds ne semblaient pas toucher terre.

En compagnie des autres ils étaient discrets, prenant soin de ne montrer nul signe extérieur d'affection. Ils étaient tellement soucieux de préserver leur secret que leurs séances d'apprentissage de la langue devinrent plus professionnelles que jamais. S'ils se trouvaient seuls dans la tente, ils couraient le risque de se tenir la main, faisant l'amour avec leurs doigts. Mais cela n'allait pas plus loin.

Ils essayaient de se rencontrer en cachette au moins une fois par jour, en général à la rivière. Ils ne pouvaient s'en empêcher, mais trouver la solitude absolue prenait du temps, et Celle Qui Se Dresse Avec Un Poing Fermé tremblait d'être découverte.

Ils avaient eu le mariage en tête dès le commencement. Ils le voulaient tous les deux. Et le plus tôt serait le mieux. Mais le veuvage de la jeune femme était un obstacle majeur. Chez les Comanches, la fin de la période de deuil ne pouvait être signifiée que par le père de la femme. Si elle n'avait pas de père, le guerrier qui était son principal soutien en prenait la responsabilité. Celle Qui Se Dresse Avec Un Poing Fermé ne pouvait s'adresser qu'à Oiseau Frappeur pour être délivrée de son deuil. Lui seul pourrait déterminer quand elle ne serait plus une veuve. Et cela risquait de prendre très longtemps.

Danse Avec Les Loups essaya de rassurer son amante, de lui dire que les choses s'arrangeraient et de ne pas s'inquiéter. Mais elle le faisait quand même. Durant une crise de dépression sur ce sujet, elle proposa qu'ils fuient tous les deux. Mais il se contenta de rire, et l'idée ne fut plus évoquée.

Ils prenaient des risques. À deux reprises durant les quatre jours après qu'ils furent allés ensemble à la rivière, elle quitta la tente d'Oiseau Frappeur dans l'obscurité du petit matin et se glissa sans qu'on la remarque dans le tipi de Danse Avec Les Loups. Là ils restèrent étendus ensemble jusqu'à la première lueur du jour, murmurant leurs conversations tout en se tenant enlacés, nus sous la couverture.

Finalement, ils réussirent plutôt bien pour deux personnes qui se sont complètement abandonnées à l'amour. Ils étaient dignes, prudents et disciplinés.

Et ils ne trompèrent pratiquement personne.

Tous ceux dans le camp qui étaient suffisamment âgés pour savoir à quoi ressemblait l'amour entre un homme et une femme pouvaient le lire sur les visages de Celle Qui Se Dresse Avec Un Poing Fermé et de Danse Avec Les Loups.

La plupart des gens ne pouvaient se résoudre à condamner l'amour, quelles que soient les circonstances. Ceux qui auraient pu en prendre ombrage tinrent leur langue, faute de preuves. Plus important, leur attirance ne menaçait pas la tribu dans son ensemble. Même les plus vieux et les plus conservateurs des membres du groupe devaient admettre en eux-mêmes que leur union potentielle avait un certain sens.

Après tout, ils étaient blancs tous les deux.

2

Durant la cinquième nuit après leur rencontre à la rivière, Celle Qui Se Dresse Avec Un Poing Fermé voulut le voir à nouveau. Elle avait attendu que tout le monde soit endormi sous la tente d'Oiseau Frappeur. Longtemps après que le son des ronflements eut envahi le tipi, elle attendait encore, voulant être certaine que son départ ne serait pas remarqué.

Elle venait juste de remarquer l'odeur de pluie qui embaumait l'air quand un soudain éclat de voix excitées brisa le silence. Le bruit était suffisamment fort pour réveiller tout le monde, et quelques secondes plus tard chacun dans le camp rejetait ses couvertures pour se précipiter à l'extérieur.

Quelque chose s'était produit. Tout le village était debout. Elle se hâta le long de l'allée principale avec une foule d'autres gens, qui tous se dirigeaient vers un grand feu. Dans la cohue elle chercha en vain Danse Avec Les Loups, mais ce ne fut pas avant de s'être rapprochée du foyer qu'elle le vit enfin.

Comme ils se faufilaient à travers la foule pour se rapprocher l'un de l'autre, elle remarqua d'autres Indiens assemblés auprès des flammes. Ils étaient une demi-douzaine. Plusieurs autres étaient étendus sur le sol, certains morts, d'autres horriblement blessés. Il s'agissait de Kiowas, des amis de longue date et des compagnons de chasse des Comanches.

Les six hommes indemnes étaient morts de peur. Ils gesticulaient avec anxiété, parlant par signes avec Dix Ours et deux ou trois de ses proches conseillers. Les badauds se voyaient intimer le silence et l'attente tandis qu'ils écoutaient les Kiowas raconter leur histoire.

Danse Avec Les Loups et elle avaient pratiquement couvert l'espace qui les séparait quand des femmes se mirent à hurler. Un instant plus tard, l'assemblée se désagrégea, les femmes et les enfants courant à leurs tentes, se percutant dans leur panique. Des guerriers s'agitaient autour de Dix Ours, et un mot sortait de la bouche de tout le monde. Il roulait dans le village comme le tonnerre qui s'était mis à trembler dans le ciel au-dessus de leurs têtes.

C'était un mot que Danse Avec Les Loups connaissait bien, pour l'avoir souvent entendu dans des conversations et des histoires.

« Pawnees. »

Avec Celle Qui Se Dresse Avec Un Poing Fermé à son côté, il s'approcha des guerriers assemblés autour de Dix Ours. Elle lui parlait dans l'oreille tandis qu'ils regardaient, lui racontant ce qui était arrivé aux Kiowas.

À l'origine, ils avaient formé un petit groupe, moins de vingt hommes, qui cherchait des bisons à une vingtaine de kilomètres au nord du camp comanche. Là, ils avaient rencontré une importante bande de Pawnees sur le sentier de la guerre, au moins quatre-vingts guerriers, peut-être plus. Ils avaient été attaqués dans la pénombre du crépuscule, et aucun d'entre eux n'en aurait réchappé sans l'obscurité et une parfaite connaissance des environs.

Ils avaient couvert leur retraite comme ils l'avaient pu, mais avec une armée aussi importante, les Pawnees auraient vite fait de localiser ce campement. Il était possible qu'ils aient déjà pris position. Les Kiowas pensaient qu'ils n'avaient que quelques heures pour se préparer, tout au plus. Et qu'il y aurait une attaque, probablement à l'aube. C'était inéluctable.

Dix Ours commença à donner des ordres que ni Celle Qui Se Dresse Avec Un Poing Fermé ni Danse Avec Les Loups ne purent entendre. Cependant, à en juger par l'expression du vieil homme, il était clair qu'il était inquiet. Dix des meilleurs guerriers de la tribu étaient partis avec Oiseau Frappeur et Vent Dans Les Cheveux. Les hommes laissés en arrière étaient de bons combattants, mais si quatre-vingts Pawnees arrivaient, ils auraient un avantage numérique dangereux.

La réunion autour du feu s'interrompit dans une curieuse anarchie, les guerriers les moins importants partant dans diverses directions derrière l'homme qu'ils pensaient le mieux à même de les guider.

Danse Avec Les Loups avait une mauvaise impression. Tout semblait tellement désorganisé. Le tonnerre au-dessus de leurs têtes éclatait à intervalles de plus en plus rapprochés et la pluie semblait inévitable. Elle aiderait à dissimuler l'approche des Pawnees.

Mais il s'agissait de son village à présent, et il courut derrière Jambe de Pierre avec une seule idée en tête.

– Je te suivrai, dit-il en le rattrapant.

Jambe de Pierre lui jeta un regard noir.

– Ce sera une dure bataille, dit-il. Les Pawnees ne viennent jamais pour les chevaux. Ils viennent pour le sang.

Danse Avec Les Loups hocha la tête.

– Va chercher tes armes et viens à ma tente, ordonna le vieux guerrier.

– Je vais y aller, se proposa Celle Qui Se Dresse Avec Un Poing Fermé.

Et, la robe remontée haut au-dessus des mollets, elle partit en courant, laissant Danse Avec Les Loups suivre Jambe de Pierre.

Il essayait de calculer de combien de balles il disposait pour son fusil et son Colt Navy quand il se souvint de quelque chose qui l'immobilisa sur place.

– Jambe de Pierre ! cria-t-il. Jambe de Pierre !

Le guerrier se retourna vers lui.

– J'ai des fusils, laissa échapper Danse Avec Les Loups. Dans le sol près du fort de l'homme blanc, il y a beaucoup de fusils.

Ils firent immédiatement demi-tour et retournèrent au feu.

Dix Ours questionnait toujours les guerriers kiowas.

Les pauvres hommes, déjà rendus à demi fous par la peur de perdre la vie, se recroquevillèrent en voyant Danse Avec Les Loups et il fallut discuter pour les calmer.

Le visage de Dix Ours se crispa quand Jambe de Pierre lui dit qu'il y avait des fusils.

– Quels fusils ? demanda-t-il anxieusement.

– Des fusils d'homme blanc... des carabines, répondit Danse Avec Les Loups.

Ce fut une difficile décision pour Dix Ours. Bien qu'il ait eu une bonne opinion de Danse Avec Les Loups, il y avait quelque chose dans son vieux sang comanche qui ne faisait pas totalement confiance à l'homme blanc. Les fusils étaient dans le sol et il leur faudrait du temps pour les déterrer. Les Pawnees pouvaient être tout proches à présent et il avait besoin de chaque homme pour défendre le village. Il fallait tenir compte de la longue chevauchée jusqu'au fort de l'homme blanc. Et la pluie allait arriver d'une minute à l'autre.

Mais le combat serait serré, et il savait que des fusils pouvaient faire la différence. Il y avait des chances pour que les Pawnees n'en aient aucun. L'aube était encore à des heures devant eux, et ils disposaient de suffisamment de temps pour faire l'aller retour jusqu'au fort des bouches poilues.

– Les fusils sont dans des caisses... Ils sont recouverts de bois, dit Danse Avec Les Loups, interrompant ses pensées. Nous n'aurons besoin que de quelques hommes et de travois pour les rapporter.

Le vieil homme devait prendre le risque. Il dit à Jambe de Pierre d'emmener Danse Avec Les Loups, ainsi que deux autres hommes et six poneys, quatre pour la monte et deux pour transporter les armes. Il leur dit de faire vite.

3

Quand il arriva à sa tente, Cisco avait déjà sa bride et l'attendait sagement. Un feu avait été allumé à l'intérieur et Celle Qui Se Dresse Avec Un Poing Fermé était accroupie à côté, mélangeant quelque chose dans un petit bol.

Ses armes, le fusil, le gros Navy, l'arc, le carquois empli de flèches et le poignard à longue lame étaient clairement disposés sur le sol.

Il bouclait le Navy quand elle lui apporta le bol.

– Donne-moi ton visage, ordonna-t-elle.

Il se tint immobile tandis qu'elle le barbouillait de la substance rouge avec un doigt.

– C'est à toi de le faire, mais tu n'as pas le temps et tu ne sais pas. Je vais le faire pour toi.

Avec des gestes rapides et sûrs, elle dessina une unique

barre horizontale en travers de son front et deux verticales le long de chaque joue. Utilisant un pochoir, elle superposa une patte de loup sur une des barres des joues et recula pour juger de son travail.

Elle hocha la tête avec approbation tandis que Danse Avec Les Loups enfilait arc et carquois sur son épaule.

– Tu sais tirer ? demanda-t-il.

– Oui, répondit-elle.

– Prends ça, alors.

Il lui tendit le fusil.

Il n'y eut pas d'étreinte ni de mots d'adieu.

Il sortit, sauta sur Cisco et disparut.

4

Ils chevauchèrent à l'écart de la rivière, prenant au plus court possible à travers la prairie.

Le ciel était terrifiant. Il semblait que quatre orages convergeaient simultanément. Les éclairs jaillissaient autour d'eux comme un feu d'artillerie.

Ils durent s'arrêter quand un des travois se détacha, et pendant qu'ils le réparaient, Danse Avec Les Loups eut une pensée effrayante. Et s'il ne retrouvait pas les fusils ? Il n'avait pas vu la côte de bison depuis très longtemps. Même si elle se trouvait toujours là où il l'avait enfoncée dans le sol, elle serait difficile à repérer. Il grogna intérieurement à cette perspective.

La pluie commença à tomber en gouttes larges et lourdes quand ils atteignirent le fort. Il les conduisit à ce qu'il pensait être l'endroit, mais il ne pouvait rien voir dans l'obscurité. Il leur dit ce qu'il fallait chercher, et le quatuor descendit des poneys, fouillant les hautes herbes en quête d'un long os blanc.

La pluie tombait dru à présent, et dix minutes s'écoulèrent sans la moindre trace de côte. Le vent s'était levé, les éclairs zébraient le ciel à chaque seconde et la lumière projetée sur le sol aveuglait les chercheurs.

Après vingt lugubres minutes, le moral de Danse Avec

Les Loups était au plus bas. Ils couvraient à nouveau le même terrain et il n'y avait toujours rien.

Puis, par-dessus le vent, la pluie et le tonnerre, il pensa avoir entendu un bruit de craquement sous un des sabots de Cisco.

Danse Avec Les Loups appela les autres et sauta à terre. Bientôt tous furent à quatre pattes en train de fouiller les herbes à l'aveuglette.

Jambe de Pierre bondit soudain sur ses pieds. Il agitait une longue côte blanche.

Danse Avec Les Loups se tint à l'endroit où elle avait été découverte et attendit le prochain éclair. Quand le ciel s'illumina à nouveau, il regarda rapidement les vieux bâtiments de Fort Sedgewick et, les utilisant comme repère, se mit à marcher vers le nord, pas à pas.

Quelques mètres plus loin, la prairie devint spongieuse sous une de ses bottes et il appela les autres. Les hommes plongèrent pour l'aider à creuser. La terre céda facilement sous leurs efforts et quelques minutes plus tard, deux longues caisses de bois contenant des fusils furent hissées hors de leur tombe boueuse.

5

Ils étaient repartis depuis une demi-heure à peine quand l'orage éclata avec toute sa puissance, envoyant la pluie se précipiter sur eux par grands panneaux. Il était impossible de voir, et les quatre hommes rapportant les deux travois à travers la plaine durent chercher leur chemin à tâtons.

Mais l'importance de leur mission primant tout dans l'esprit de chacun, ils ne s'arrêtèrent pas et firent le voyage du retour en un temps record.

L'orage s'était achevé quand ils arrivèrent enfin en vue du village. Au-dessus de lui, quelques longues bandes grises étaient apparues dans le ciel agité, et à travers les premières lueurs du jour, ils purent constater que le village était toujours sauf.

Ils commençaient à descendre la dépression menant

au camp lorsqu'un spectaculaire barrage d'éclairs éclata en amont sur la rivière. Pendant deux ou trois secondes la lueur illumina le paysage comme en plein jour.

Danse Avec Les Loups la vit, et les autres également.

Une longue ligne de cavaliers traversait la rivière à moins d'un kilomètre au-dessus du village.

Les éclairs frappèrent à nouveau et ils purent voir l'ennemi disparaître entre les buissons. Le plan était évident. Ils arriveraient du nord, utilisant la végétation le long de la rivière pour approcher jusqu'à une centaine de mètres du village. Puis ils attaqueraient.

Dans une vingtaine de minutes environ, les Pawnees seraient en position.

6

Il y avait vingt-quatre fusils dans chaque caisse. Danse Avec Les Loups les passa lui-même aux combattants attroupés autour de la tente de Dix Ours tandis que le vieil homme donnait ses instructions de dernière minute.

Bien qu'il ait su que l'assaut principal viendrait de la rivière, il était probable qu'ils enverraient une troupe de diversion venant de la prairie, donnant ainsi une chance aux véritables attaquants de submerger le village par l'arrière. Il désigna deux guerriers de premier plan et une poignée d'autres pour combattre la charge attendue de la prairie.

Puis il tapa sur l'épaule de Danse Avec Les Loups et les guerriers tendirent l'oreille.

— Si tu étais un soldat blanc, dit le vieil homme avec une grimace, et que tu aies tous ces hommes avec des fusils, que ferais-tu ?

Danse Avec Les Loups réfléchit rapidement.

— Je me cacherais dans le village...

Des cris de dérision montèrent des bouches des guerriers qui s'étaient trouvés à portée de voix. Dix Ours les calma avec une main levée et une remontrance.

— Danse Avec Les Loups n'a pas terminé sa réponse, dit-il sévèrement.

– Je me cacherais dans le village, derrière les tentes. Je ne surveillerais que les buissons, et pas ceux venant de la prairie. Je laisserais l'ennemi se montrer le premier. Je laisserais l'ennemi penser que nous combattons de l'autre côté et que prendre le camp sera facile. Alors je ferais en sorte que les hommes cachés derrière les tentes se lèvent en tirant. Puis je leur ferais charger l'ennemi avec des couteaux et des casse-tête. Je repousserais l'ennemi dans la rivière et j'en tuerais tant qu'ils ne reviendraient jamais plus de ce côté.

Le vieil homme avait écouté attentivement. Il regarda ses guerriers et leva la voix.

– Danse Avec Les Loups et moi pensons la même chose. Nous devons en tuer tant qu'ils ne reviendront plus jamais de ce côté. Allons-y, et sans un bruit.

Les hommes se glissèrent furtivement dans le village avec leurs nouveaux fusils et prirent position derrière les tentes qui faisaient face à la rivière.

Avant de prendre place parmi eux, Danse Avec Les Loups se faufila sous la tente d'Oiseau Frappeur. Les enfants avaient été rassemblés sous des couvertures. Assises en silence près d'eux se trouvaient les femmes. Les épouses d'Oiseau Frappeur tenaient des massues sur leurs genoux. Celle Qui Se Dresse Avec Un Poing Fermé avait son fusil. Elles ne dirent rien, et Danse Avec Les Loups ne dit rien non plus. Il avait seulement voulu s'assurer qu'elles étaient prêtes.

Il passa devant l'abri et s'arrêta derrière sa propre tente. C'était l'une des plus proches de la rivière. Jambe de Pierre se tenait de l'autre côté. Ils se saluèrent mutuellement d'un hochement de tête et reportèrent leur attention vers l'espace découvert devant eux. Il descendait sur une centaine de mètres avant de rencontrer les buissons.

La pluie était beaucoup moins forte, mais elle continuait de gêner leur vision. Des nuages s'accumulaient lourdement au-dessus de leurs têtes, et la semi-pénombre de l'aube n'était pas vraiment de la lumière. Ils ne pouvaient voir que très peu de chose, mais il était certain qu'ils étaient là.

Danse Avec Les Loups examina la ligne de tipis à sa droite et à sa gauche. Des guerriers comanches étaient entassés derrière chacun, attendant avec leurs fusils. Même Dix Ours était là.

La lumière était plus forte à présent. Les nuages orageux se levaient et la pluie s'en allait avec eux. Soudain le soleil perça, et une minute plus tard, de la vapeur s'élevait du sol comme un brouillard.

Danse Avec Les Loups scruta les buissons à travers la brume et vit les formes sombres d'hommes, floues comme des esprits, entre les saules et les peupliers.

Il commençait à ressentir quelque chose qu'il n'avait pas éprouvé depuis longtemps, cette chose intangible qui faisait virer ses yeux au noir, qui le transformait en une machine qu'on ne pouvait arrêter.

Peu importait à quel point les hommes qui bougeaient dans le brouillard étaient grands, nombreux ou puissants, ils n'étaient pas à craindre. Ils étaient l'ennemi et ils étaient sur le pas de sa porte. Il voulait les combattre. Il ne pouvait attendre pour les combattre.

Des détonations éclatèrent derrière lui. La force de diversion avait rencontré le petit groupe de défenseurs sur l'autre front.

Comme le bruit du combat augmentait, ses yeux vérifièrent la ligne. Quelques têtes brûlées essayèrent de partir pour courir à l'autre bataille, mais les guerriers les plus vieux parvinrent à les garder bien en main et pas un ne décampa.

Il reporta son attention sur les brumes s'accrochant aux buissons.

Ils arrivaient lentement, certains à pied, d'autres à cheval. Ils montaient la pente à une allure d'escargot, comme des ombres, des ennemis aux cheveux coupés en brosse sur un front ivre de tuerie.

La cavalerie pawnee suivait les hommes à pied, et Danse Avec Les Loups la voulait devant, pour qu'elle subisse le plus gros du feu.

Faites venir les chevaux, les supplia-t-il en silence. Amenez-les.

Il regarda les ennemis alignés, espérant qu'ils attendraient quelques secondes encore, et fut surpris de voir beaucoup d'yeux rivés sur lui. Ils continuèrent de le regarder, comme s'ils attendaient un signe.

Danse Avec Les Loups leva un bras au-dessus de sa tête.

Un son guttural et frémissant jaillit de la pente. Il monta plus haut, et plus haut encore, éclatant comme de l'air chaud dans la tranquille matinée pluvieuse. Les Pawnees lançaient leur cri d'attaque.

Comme ils chargeaient, la cavalerie déborda les hommes à pied.

Danse Avec Les Loups abaissa le bras et jaillit de derrière la tente avec son fusil levé. Les autres Comanches le suivirent.

Le feu de leurs fusils toucha les cavaliers à une distance de vingt mètres, et, aussi proprement qu'un couteau aiguisé tranchant dans la peau, anéantit la charge des Pawnees. Les hommes tombaient de leurs chevaux comme des jouets balayés d'une étagère, et ceux qui n'étaient pas directement touchés furent assommés par l'assourdissante détonation de quarante fusils.

Tout en tirant, les Comanches contre-attaquèrent, se répandant à travers l'écran de fumée bleue pour frapper l'ennemi étourdi.

La charge fut si féroce que Danse Avec Les Loups percuta carrément le premier Pawnee qu'il rencontra. Tandis qu'ils roulaient gauchement sur le sol, il enfonça le canon du Navy dans le visage de l'homme et tira.

Après cela il tira sur les hommes qu'il put trouver dans le tumulte, en tuant deux autres en rapide succession.

Quelque chose de grand le cogna durement par-derrière, manquant de le faire tomber. C'était l'un des poneys de guerre pawnees encore vivants. Il agrippa la bride et sauta sur son dos.

Les Pawnees étaient comme des poulets sur lesquels sautent des loups et refluaient déjà, essayant désespérément de regagner la sécurité des buissons. Danse Avec Les Loups choisit un grand guerrier courant pour sauver sa vie et le rattrapa au galop. Il tira sur l'arrière du crâne de l'homme, mais il n'y eut pas de détonation. Faisant pivoter le canon, il assomma le guerrier fuyant avec la crosse du revolver. Le Pawnee tomba juste devant lui, et Danse Avec Les Loups sentit les sabots du poney frapper le corps quand ils passèrent dessus.

Un peu plus loin, un autre Pawnee, la tête enturbannée

d'un foulard d'un rouge vif, se relevait. Lui aussi essayait de gagner les buissons.

Danse Avec Les Loups talonna méchamment les flancs du poney, et quand ils rejoignirent le fuyard, il se jeta dessus, l'agrippant par une clé au cou en glissant du dos de sa monture.

L'élan les envoya s'écraser dans ce qui restait d'espace découvert et ils heurtèrent durement un peuplier. Danse Avec Les Loups tenait l'homme par les deux côtés de la tête. Il lui cognait le crâne contre le tronc de l'arbre avant d'avoir réalisé que les yeux du guerrier étaient morts. Une branche brisée plus bas sur le tronc l'avait embroché comme un morceau de viande.

Quand il recula devant ce spectacle peu ragoûtant, l'homme mort bascula en avant, ses bras flottant pitoyablement contre les flancs de Danse Avec Les Loups comme s'il voulait embrasser celui qui venait de le tuer. Danse Avec Les Loups bondit en arrière et le cadavre tomba sur le ventre.

Au même instant il réalisa que les hurlements avaient cessé.

La bataille était terminée.

Soudain affaibli, il tituba le long de la lisière des buissons, prit le sentier principal et trotta jusqu'à la rivière, passant en chemin à côté de cadavres de Pawnees.

Une douzaine de Comanches à cheval, parmi lesquels se trouvait Jambe de Pierre, chassaient les restants du groupe de Pawnees sur la rive opposée.

Danse Avec Les Loups regarda jusqu'à ce que les tireurs disparaissent de sa vue. Puis il revint lentement sur ses pas. Remontant la pente, il entendit des hurlements. Quand il arriva en haut de la butte, il eut une vue panoramique du champ de bataille.

Cela ressemblait à l'emplacement d'un pique-nique hâtivement abandonné. Le sol était jonché de débris. Il y avait un grand nombre de cadavres de Pawnees entre lesquels des guerriers comanches se déplaçaient avec excitation.

– J'ai tué celui-ci ! criait quelqu'un.

– Celui-là respire encore, annonçait un autre, appelant ses compagnons pour l'aider à achever le blessé.

Les femmes et les enfants étaient sortis des tentes et se bousculaient pour mieux voir les cadavres mutilés.

Danse Avec Les Loups se tint immobile, trop fatigué pour se retirer, trop dégoûté pour avancer.

Un des guerriers le vit et cria.

– Danse Avec Les Loups !

Avant même qu'il l'ait su, des guerriers comanches furent autour de lui. Comme des fourmis faisant rouler un caillou le long d'une pente, ils le poussèrent sur le champ de bataille. Ils chantaient son nom tout en marchant.

Dans un brouillard, il se laissa emporter, incapable de partager leur profonde allégresse. Ils étaient débordants de joie à cause de la mort et de la destruction qui se trouvaient à leurs pieds, et Danse Avec Les Loups ne pouvait pas le comprendre.

Mais tandis qu'il se tenait là, à les entendre crier son nom, il comprit le sens de tout cela. Il ne s'était jamais trouvé dans ce genre de bataille, mais il commençait à voir cette victoire sous un nouveau jour.

Cette tuerie n'avait pas été accomplie au nom de quelque noir objectif politique. Ce n'était pas une bataille pour un territoire ou des richesses ou pour libérer des hommes. Cette bataille n'avait pas d'identité.

Elle avait été menée pour protéger les habitations qui se trouvaient à seulement quelques mètres de là. Et pour protéger les femmes, les enfants et les êtres chers rassemblés à l'intérieur. Elle avait été menée pour préserver la nourriture qui leur permettrait de passer l'hiver, des entrepôts de nourriture qu'ils avaient eu tant de mal à remplir.

Pour chaque membre de la tribu c'était une grande victoire personnelle.

Soudain il fut fier d'entendre crier son nom, et comme ses yeux retrouvaient leur acuité, il regarda au sol et reconnut un des hommes qu'il avait abattus.

– J'ai tué celui-ci ! hurla-t-il.

Quelqu'un cria dans son oreille.

– Oui, je t'ai vu le tuer.

Longtemps, Danse Avec Les Loups marcha alentour avec eux, appelant les noms de ses compagnons comanches quand il les reconnaissait.

Le soleil se répandit sur le village, et les combattants entamèrent spontanément une danse de la victoire, s'exhortant mutuellement avec des claques dans le dos et des cris de triomphe en cabriolant sur le champ couvert de Pawnees morts.

7

Deux des ennemis avaient été tués par le groupe défendant l'avant du village. Sur le champ de bataille principal il y avait vingt-quatre corps. Quatre autres furent découverts dans les buissons, et les poursuivants menés par Jambe de Pierre avaient réussi à en tuer trois. Combien s'étaient échappés blessés, nul ne le savait.

Sept Comanches avaient été blessés, dont seulement deux sérieusement, mais le véritable miracle tenait dans le nombre de morts. Pas un seul combattant comanche n'avait été perdu. Même les anciens ne pouvaient se souvenir d'une victoire aussi clairement tranchée.

Pendant deux jours le village se réjouit de son triomphe. Les honneurs furent accumulés sur tous les hommes, mais un guerrier fut exalté plus que tout autre. C'était Danse Avec Les Loups.

Durant tous ces mois dans la plaine, la perception que les Indiens avaient eue de lui s'était modifiée à plusieurs reprises. Et à présent la boucle était bouclée. À présent on le considérait presque comme au début : personne ne s'avança pour déclarer qu'il était un dieu, mais dans la vie de ces gens il était ce qui s'en approchait le plus.

Tout au long du jour on pouvait voir de jeunes hommes traîner autour de sa tente. Les jeunes filles flirtaient ouvertement avec lui. Son nom était le premier dans les pensées de chacun. Aucune conversation, quel qu'en soit le sujet, ne parvenait à son terme sans que mention soit faite de Danse Avec Les Loups.

L'ultime accolade vint de Dix Ours. En un geste jusque-là jamais vu, il offrit au héros une pipe provenant de sa propre tente.

Danse Avec Les Loups aimait l'attention dont il était l'objet, mais ne fit rien pour l'encourager. La célébrité instantanée et durable pesait sur l'organisation de ses journées. Il semblait avoir toujours quelqu'un dans les jambes. Pis que tout, cela ne lui laissait que très peu de temps pour se retrouver seul avec Celle Qui Se Dresse Avec Un Poing Fermé.

De tous dans le camp, il fut peut-être le plus soulagé par le retour de Vent Dans Les Cheveux et d'Oiseau Frappeur.

Après plusieurs semaines sur la piste, ils n'avaient toujours pas affronté l'ennemi quand une tempête de neige soudaine et totalement hors de saison les avait surpris dans les premières collines d'une chaîne de montagnes.

Interprétant cela comme l'annonce d'un hiver précoce et rigoureux, Oiseau Frappeur avait annulé l'expédition et ils s'étaient hâtés de rentrer pour faire les préparatifs du grand voyage vers le sud.

CHAPITRE XXVII

1

Si le groupe éprouvait des regrets à revenir les mains vides, ils furent balayés par la nouvelle incroyable de la déroute des Pawnees.

Une des retombées immédiates du retour au foyer fut que cela affecta la célébrité de Danse Avec Les Loups. Il n'en fut pas moins révéré, mais, à cause de leur influence traditionnelle, une grande partie de l'attention glissa vers Oiseau Frappeur et Vent Dans Les Cheveux, et l'ancienne routine fut partiellement rétablie.

Bien qu'il n'en ait pas fait mention en public, Oiseau Frappeur fut surpris par les progrès de Danse Avec Les Loups. Sa bravoure et sa compétence à repousser l'attaque des Pawnees ne pouvaient être oubliées, mais ce furent ses progrès en tant que Comanche, particulièrement sa maîtrise du langage, qui ébranlèrent l'homme-médecine.

Il n'avait cherché que des renseignements sur la race blanche, et il était difficile, même pour un homme de l'expérience d'Oiseau Frappeur, d'accepter le fait que ce soldat blanc solitaire, qui quelques mois plus tôt n'avait jamais vu un Indien, soit à présent un Comanche.

Plus dur à croire encore qu'il soit devenu un chef pour d'autres Comanches. Mais la preuve était là, visible par tous : dans les jeunes hommes qui le recherchaient, et dans la façon dont tout le monde en parlait.

Oiseau Frappeur ne comprenait pas comment cela s'était produit. Il parvint finalement à la conclusion que ce n'était qu'un nouvel aspect du Grand Mystère qui entourait le Grand Esprit.

Heureusement, il fut capable d'accepter ces rapides développements. Cela aida à lui ménager une nouvelle surprise. Sa femme le lui dit alors qu'ils étaient étendus sur son lit dès la première nuit de son retour.

– Es-tu certaine de cela ? demanda-t-il, absolument estomaqué. J'ai du mal à le croire.

– Quand tu les verras ensemble, tu sauras, murmura-t-elle sur le ton de la confidence. Il n'y a qu'à regarder.

– Est-ce que cela paraît une bonne chose ?

Sa femme répondit à sa question par un gloussement.

– Est-ce que ce n'est pas toujours une bonne chose ? le taquina-t-elle en se serrant un peu plus contre lui.

2

Dès le lendemain matin, Oiseau Frappeur apparut à l'entrée de la tente du héros, son visage si pensif que Danse Avec Les Loups en fut interloqué.

Ils échangèrent des salutations et s'assirent.

Danse Avec Les Loups venait de commencer à bourrer sa nouvelle pipe quand Oiseau Frappeur, en faisant preuve de mauvaises manières qui ne lui étaient pas coutumières, l'interrompit.

– Tu parles bien, dit-il.

Danse Avec Les Loups cessa de manipuler le tabac dans le fourneau.

– Merci, répondit-il. J'aime parler comanche.

– Alors dis-moi... qu'est-ce qu'il y a entre toi et Celle Qui Se Dresse Avec Un Poing Fermé ?

Danse Avec Les Loups faillit en laisser tomber sa pipe. Il bégaya quelques sons incompréhensibles avant que des paroles cohérentes parviennent à sortir.

– Qu'est-ce que tu veux dire ?

Le visage d'Oiseau Frappeur rougit de colère tandis qu'il se répétait.

– Est-ce qu'il y a quelque chose entre elle et toi ?

Danse Avec Les Loups n'aima pas ce ton. Sa réponse fut un défi :

– Je l'aime.

– Tu veux l'épouser ?

– Oui.

Oiseau Frappeur réfléchit. Il aurait pu s'opposer à l'amour, mais il ne pouvait rien objecter dès lors qu'il était question de mariage.

Il se remit debout.

– Attends ici dans la tente, dit-il sèchement.

Avant que Danse Avec Les Loups puisse répondre, l'homme-médecine était parti.

Il aurait dit oui de toute façon. Les manières brusques d'Oiseau Frappeur lui avaient fichu une peur de tous les diables. Il resta assis où il était.

3

Oiseau Frappeur effectua des arrêts dans les tentes de Vent Dans Les Cheveux et de Jambe de Pierre, restant environ cinq minutes dans chaque tipi.

Tout en revenant à sa propre tente, il se surprit à secouer à nouveau la tête. D'une certaine façon il s'était attendu à ce qui arrivait. Mais cela demeurait surprenant.

Ah, le Grand Mystère, soupira-t-il pour lui-même. J'essaie toujours de le voir venir, mais je n'y parviens jamais.

Elle était assise dans la tente quand il entra.

– Celle Qui Se Dresse Avec Un Poing Fermé, aboya-t-il pour attirer son attention. À compter de maintenant tu n'es plus une veuve.

Cela étant dit, il ressortit et alla chercher son poney favori. Il avait besoin d'une longue chevauchée solitaire.

4

Danse Avec Les Loups n'avait pas attendu longtemps quand Vent Dans Les Cheveux et Jambe de Pierre apparurent devant sa porte. Il les vit jeter un coup d'œil à l'intérieur.

– Qu'est-ce que tu fais là-dedans? demanda Vent Dans Les Cheveux.

– Oiseau Frappeur m'a dit d'attendre.

Jambe de Pierre eut un sourire entendu.

– Tu risques d'attendre longtemps, gloussa-t-il. Oiseau Frappeur est parti chevaucher dans la prairie il y a quelques minutes. Il n'avait pas l'air pressé.

Danse Avec Les Loups ne savait que dire ni que faire. Il remarqua un sourire affecté sur le visage de Vent Dans Les Cheveux.

– Pouvons-nous entrer? demanda le grand guerrier d'un air espiègle.

– Oui, je vous en prie... je vous en prie, asseyez-vous.

Les deux visiteurs s'assirent en face de Danse Avec Les Loups. Ils étaient béats comme des écoliers.

– J'attends Oiseau Frappeur, dit-il sèchement. Que voulez-vous?

Vent Dans les Cheveux se pencha un peu. Il souriait toujours d'un air malin.

– On dit que tu veux te marier.

Le visage de Danse Avec Les Loups commença à changer de couleur. En l'espace de quelques secondes il passa d'un léger soupçon de rose au plus profond, au plus riche des rouges.

Ses deux invités rirent bruyamment.

– Avec qui? croassa-t-il faiblement.

Les guerriers affichèrent le même doute.

– Avec Celle Qui Se Dresse Avec Un Poing Fermé, répondit Vent Dans Les Cheveux. C'est ce que nous avons entendu dire. Est-ce que c'est elle?

– Elle est en deuil, pleurnicha-t-il. C'est une...

– Plus aujourd'hui, le coupa Jambe de Pierre. Aujourd'hui elle a été déliée de son deuil. Oiseau Frappeur l'a fait.

Danse Avec Les Loups avala la grenouille qu'il avait dans la gorge.

– Il a fait ça?

Les deux hommes hochèrent la tête, plus sérieux à présent, et Danse Avec Les Loups réalisa qu'il y avait un acte légal à accomplir pour faire avancer son mariage. Son mariage!

– Que dois-je faire?

Ses visiteurs regardèrent la tente vide autour d'eux avec une expression sévère. Ils achevèrent leur rapide inspection par un hochement de tête.

– Tu es extrêmement pauvre, mon ami, dit Vent Dans Les Cheveux. Je ne sais pas si tu peux te marier. Tu dois faire des cadeaux, et je ne vois pas grand-chose ici.

Danse Avec Les Loups baissa les yeux d'un air piteux.

– Non, je n'ai pas grand-chose, admit-il.

Il y eut un bref silence.

– Pouvez-vous m'aider ? demanda-t-il.

Les deux hommes tirèrent tout ce qu'ils purent de la scène. La bouche de Jambe de Pierre se tordit d'une façon qui n'engageait à rien. Vent Dans Les Cheveux baissa la tête et se gratta le front.

Après un silence qui parut long et semblable à une véritable agonie à Danse Avec Les Loups, Jambe de Pierre poussa un profond soupir et le regarda droit dans les yeux.

– C'est peut-être possible, dit-il.

5

Vent Dans Les Cheveux et Jambe de Pierre passèrent une bonne journée. Ils plaisantèrent longuement à propos de Danse Avec Les Loups, spécialement en ce qui concernait les expressions amusantes de son visage, tout en parcourant le village et en concluant des marchés pour les chevaux.

Les mariages étaient en général des cérémonies tranquilles, mais la fiancée et le jeune homme qui allaient s'unir si peu de temps après la grande victoire contre les Pawnees étaient si exceptionnels que tous rivalisaient de bonne volonté et de plaisir anticipé.

Les gens étaient désireux de participer à cette nouveauté qu'était la collecte pour Danse Avec Les Loups. En fait, tout le village voulait y participer.

Ceux qui avaient beaucoup de chevaux étaient heureux d'apporter leur contribution. Même les familles les plus pauvres voulaient donner des bêtes dont elles ne pouvaient se passer et il était difficile de leur dire non.

Conformément à un plan arrangé à l'avance, les membres de la tribu commencèrent à apporter des chevaux au crépuscule, et quand apparut la première étoile, plus de vingt bons poneys se tenaient devant la tente de Danse Avec Les Loups.

Avec Jambe de Pierre et Vent Dans Les Cheveux pour le guider, le futur marié prit la longe des poneys qu'il alla attacher à l'extérieur de la tente d'Oiseau Frappeur.

Les dons de ses amis du village étaient touchants. Mais, voulant donner un objet qui lui était cher et lui appartenait en propre, il déboucla le lourd Colt Navy et le laissa devant la porte.

Puis il retourna chez lui, renvoya ses mentors à leurs occupations, et passa une nuit agitée à attendre.

À l'aube, il se glissa à l'extérieur pour jeter un coup d'œil à la tente d'Oiseau Frappeur. Vent Dans Les Cheveux avait dit que si la proposition était acceptée, les chevaux ne seraient plus là. Dans le cas contraire, ils attendraient toujours à l'extérieur de la tente.

Les chevaux étaient partis.

Pendant l'heure qui suivit il se rendit présentable. Il se rasa soigneusement, cira ses bottes, nettoya le pectoral et huila ses cheveux.

Il avait à peine terminé ces préparatifs qu'il entendit la voix d'Oiseau Frappeur l'appeler de l'extérieur.

– Danse Avec Les Loups !

Regrettant d'être aussi seul, le fiancé se pencha pour sortir par la porte de sa demeure et mit le pied à l'extérieur.

Oiseau Frappeur attendait là, extraordinairement beau dans ses parures. À quelques pas derrière lui se trouvait Celle Qui Se Dresse Avec Un Poing Fermé. Derrière eux le village entier s'était assemblé et observait solennellement.

Il échangea un salut formel avec l'homme-médecine et écouta attentivement tandis qu'Oiseau Frappeur débitait tout un discours sur ce que l'on attendait d'un époux comanche.

Danse Avec Les Loups ne pouvait détacher son regard de la petite silhouette de sa fiancée. Elle demeurait immobile, la tête légèrement penchée. Elle portait la belle robe de peau de daim avec les dents de wapiti sur le corsage. Elle avait chaussé ses mocassins de cérémonie, et à son cou pendait le petit collier de tuyaux d'os.

Une fois, tandis que parlait toujours Oiseau Frappeur, elle releva la tête, et quand il vit l'intégralité de son merveilleux visage, Danse Avec Les Loups fut rassuré. Jamais il ne se lasserait de la regarder.

Il semblait qu'Oiseau Frappeur ne cesserait jamais de parler, mais il le fit néanmoins.

– As-tu entendu tout ce que j'ai dit ? demanda l'homme-médecine.

– Oui.

– Bien, grogna Oiseau Frappeur.

Il se tourna vers Celle Qui Se Dresse Avec Un Poing Fermé et lui dit de venir.

Elle avança, la tête toujours baissée, et Oiseau Frappeur lui prit la main. Il la passa à Danse Avec Les Loups et lui dit de la conduire à l'intérieur.

Le mariage fut célébré à l'instant où ils franchirent le seuil. Après quoi les villageois se séparèrent tranquillement pour regagner leurs domiciles.

Pendant tout l'après-midi, des gens du camp de Dix Ours vinrent par petits groupes pour déposer des présents devant la porte des jeunes mariés, ne restant que le temps de les y abandonner. À la nuit tombante, un impressionnant amas de cadeaux était empilé devant la tente.

C'était comme un Noël d'hommes blancs.

Sur le moment, ce beau geste de la communauté ne fut pas remarqué par le nouveau couple. Le jour de leur mariage, ils ne virent ni les gens ni leurs cadeaux. Le jour de leur mariage, ils restèrent chez eux. Et la portière de la tente demeura fermée.

CHAPITRE XXVIII

1

Deux jours après la cérémonie, un grand conseil eut lieu. Les lourdes pluies récentes, qui venaient si tard dans la saison, avaient renouvelé l'herbe qui se desséchait, et il fut décidé de repousser le voyage de l'hiver en faveur du troupeau de poneys. En restant plus longtemps, les chevaux seraient capables de prendre quelques livres de plus, qui pourraient s'avérer cruciales pour la traversée de l'hiver. La tribu passerait deux semaines supplémentaires au camp de l'été.

Nul ne fut plus satisfait de ces développements que Danse Avec Les Loups et Celle Qui Se Dresse Avec Un Poing Fermé. Ils vivaient les premiers jours de leur mariage et ne voulaient pas que cette période bénie soit interrompue. Quitter le lit était déjà suffisamment difficile. Faire les paquets et marcher sur des centaines de kilomètres dans une longue colonne bruyante était, pour le moment, impensable.

Ils avaient décidé de faire un enfant, et les gens passant par là virent rarement la portière de la tente ouverte.

Quand Danse Avec Les Loups émergeait, il était constamment chahuté par ses amis. Vent Dans Les Cheveux était particulièrement impitoyable dans ses taquineries. Si Danse Avec Les Loups venait le voir pour fumer, il était invariablement accueilli par un salut s'inquiétant de l'état de sa virilité ou par une expression de surprise de le voir hors du lit. Vent Dans Les Cheveux essaya même de l'affubler du surnom d'Étrange Abeille, allusion à sa pollinisation interminable d'une seule fleur, mais, fort heureusement pour le jeune marié, le nom ne lui resta pas.

Danse Avec Les Loups laissait les plaisanteries glisser sur son dos. Avoir la femme qu'il voulait lui donnait le sentiment d'être invincible, et rien ne pouvait l'atteindre.

Le peu de temps qu'il passait à l'extérieur était profondément satisfaisant. Il allait chasser tous les jours, presque toujours avec Vent Dans Les Cheveux et Jambe de Pierre. Tous trois étaient devenus de grands amis, et il était rare de voir l'un sans voir les autres.

Les discussions avec Oiseau Frappeur se poursuivaient et ne posaient plus aucun problème. L'appétit d'apprendre de Danse Avec Les Loups excédait de loin celui d'Oiseau Frappeur, et l'homme-médecine parlait longuement sur tous les sujets, depuis l'histoire de la tribu jusqu'à la façon de soigner par les plantes. Il était grandement encouragé par l'intérêt réel que son élève montrait pour le spiritualisme, et favorisait cet appétit avec plaisir.

La religion comanche, finalement très simple, était basée sur l'environnement naturel des animaux et des éléments qui les entouraient. La pratique de la religion était complexe, malgré tout. Elle abondait en rituels et en tabous, et couvrir ce seul sujet donnait beaucoup d'occupation aux deux hommes.

Sa nouvelle vie était plus riche que jamais, et cela se voyait dans le comportement de Danse Avec Les Loups. Sans drame, il perdait sa naïveté sans pour autant abandonner son charme. Il devenait plus viril sans se départir de son élégance, et il s'installait doucement dans la communauté sans perdre pour autant sa personnalité distincte.

Oiseau Frappeur, toujours en liaison avec l'âme des choses, était immensément fier de son protégé, et un soir, à la fin d'une balade après dîner, il mit une main sur l'épaule de Danse Avec Les Loups et dit :

– Il y a de nombreuses pistes dans cette vie, mais peu d'hommes sont capables de suivre celle qui compte le plus... même des hommes comanches. C'est la piste du véritable être humain. Je pense que tu es sur cette piste. C'est une chose que je suis heureux de voir. C'est bon pour mon cœur.

Danse Avec Les Loups mémorisa ces mots et les conserva pour toujours comme un trésor. Mais il ne le dit à personne, pas même à Celle Qui Se Dresse Avec Un Poing Fermé. Il les inclut dans sa médecine personnelle.

2

Ils n'étaient qu'à quelques jours du grand départ quand Oiseau Frappeur vint un matin et lui dit qu'il allait chevaucher jusqu'à un endroit spécial. Le voyage aller et retour prendrait toute la journée et peut-être une partie de la nuit, mais si Danse Avec Les Loups voulait venir, il serait le bienvenu.

Ils coupèrent à travers la prairie, en direction du sud-est. L'immensité de l'espace qu'ils avaient envahi était impressionnante, et aucun des deux hommes ne parla beaucoup.

Vers midi ils tournèrent au sud, et au bout d'une heure les poneys se retrouvèrent au sommet d'une longue pente qui descendait pendant deux kilomètres avant d'atteindre la rivière.

Ils pouvaient voir la couleur et la forme de l'eau loin à l'est et à l'ouest. Mais devant eux la rivière avait disparu.

Elle était dissimulée par une forêt gigantesque.

Danse Avec Les Loups cligna des yeux à plusieurs reprises, comme pour essayer d'effacer un mirage. À une telle distance il était difficile de juger des hauteurs réelles, mais il savait que ces arbres étaient grands. Certains devaient atteindre vingt mètres de haut.

La forêt s'étendait en aval de la rivière sur près de deux kilomètres, son immensité contrastant sauvagement avec le pays plat et vide tout autour. Cela ressemblait à la création qu'un esprit mystérieux aurait réalisée pour son seul plaisir.

– Est-ce que cet endroit est réel? demanda-t-il en ne plaisantant qu'à moitié.

Oiseau Frappeur sourit.

– Peut-être pas. C'est un endroit sacré pour nous... et même pour certains de nos ennemis. Il est dit qu'ici le gibier se reproduit. Les arbres abritent tous les animaux que le Grand Esprit a créés. On dit qu'ils ont éclos ici quand la vie a commencé et qu'ils reviennent constamment à l'endroit de leur naissance. Je ne suis pas venu ici depuis très longtemps. Nous allons faire boire les chevaux et jeter un coup d'œil.

En se rapprochant, le spectre des bois devint plus puissant, et en pénétrant dans la forêt, Danse Avec Les Loups se sentit minuscule. Il songea au jardin d'Éden.

Mais comme les arbres se refermaient sur eux, les deux hommes devinèrent que quelque chose n'allait pas.

Il n'y avait aucun son.

– C'est calme, observa Danse Avec Les Loups.

Oiseau Frappeur ne répondit pas. Il écoutait et observait avec la concentration d'un chat.

Quand ils entrèrent plus avant dans les bois, le silence se fit suffocant, et Danse Avec Les Loups réalisa avec un frisson qu'une seule chose pouvait expliquer cette absence de sons. Il sentait son odeur. Le goût en était sur le bout de sa langue.

La mort était dans l'air.

Oiseau Frappeur avança subitement. Le sentier s'était élargi et quand Danse Avec Les Loups regarda par-dessus l'épaule de son mentor, il fut abasourdi par la beauté de ce qu'il vit.

Il y avait un espace découvert devant eux. Les arbres étaient séparés par des intervalles assez vastes pour accueillir toutes les tentes, les gens et les chevaux du camp de Dix Ours. Le soleil se déversait sur le sol de la forêt en grandes taches chaudes.

L'endroit évoquait une fantastique utopie, peuplée d'une race bénie menant une vie tranquille en accord avec toutes les choses vivantes.

La main de l'homme ne pouvait rien produire pour rivaliser en taille et en beauté avec cette cathédrale à ciel ouvert.

La main de l'homme, cependant, pouvait la détruire. La preuve en était là.

L'endroit avait été horriblement profané.

Des arbres de toutes tailles étaient couchés là où ils étaient tombés, certains reposant sur d'autres, comme des cure-dents répandus sur une nappe. La plupart avaient été dépouillés de leurs branches, et il ne pouvait imaginer dans quel but ils avaient été abattus.

Ils firent avancer leurs poneys et, ce faisant, Danse Avec Les Loups prit conscience de la présence d'un curieux vrombissement.

Tout d'abord, pensant que des abeilles ou des guêpes y avaient fait leurs nids, il scruta les branches au-dessus de sa tête pour essayer de localiser les essaims d'insectes.

Mais tandis qu'ils se rapprochaient du centre de la cathédrale de verdure, il réalisa que le son ne venait pas d'en haut. Il venait d'en bas. Et il était produit par les battements d'ailes de milliers de mouches en train de festoyer.

Partout où il regardait, le sol était couvert de cadavres, ou de morceaux de cadavres. Il y avait de petits animaux, blaireaux, mouffettes et écureuils pour la plupart intacts. Certains n'avaient plus de queue. Ils restaient à pourrir là où ils avaient été tués, sans nulle autre raison apparente que d'avoir servi d'entraînement au tir.

Les principales victimes du génocide étaient les daims, qui s'étalaient tout autour de lui. Quelques corps étaient entiers, à part les morceaux de choix. Tous les autres étaient mutilés.

Des yeux hébétés et morts le fixaient depuis les têtes autrefois exquises, maintenant grossièrement tranchées à la base du cou. Certains cadavres étaient éparpillés sur le sol de la forêt. D'autres avaient été entassés en vrac.

En un endroit les têtes coupées avaient été disposées nez contre nez, comme si elles discutaient. Ceux qui avaient fait ça avaient dû se croire drôles.

Les pattes étaient plus grotesques encore. Elles avaient été également tranchées net des corps. Lentes à pourrir, elles paraissaient brillantes et belles, comme si elles étaient encore capables de courir.

Mais c'était pathétique : les délicats sabots fourchus et les gracieuses jambes couvertes de fourrure... ne menant nulle part. Les membres étaient empilés en petits tas, comme du bois pour le feu, et s'il s'en était donné la peine, il en aurait compté plus de cent.

Les deux hommes étaient fatigués par leur longue chevauchée, mais aucun ne fit un geste pour descendre de sa monture. Ils continuèrent.

Un emplacement plus bas dans la grande clairière dévoila quatre huttes décrépites sises côte à côte, quatre plaies particulièrement laides posées sur le sol de la forêt.

Les hommes qui avaient coupé tant d'arbres s'étaient apparemment trouvés à court d'inspiration. Mais même s'ils s'étaient appliqués, le résultat aurait sans doute été le même. Les abris qu'ils avaient réussi à monter étaient sordides jusque dans leur conception.

À tout point de vue ce n'était pas un endroit pour vivre.

Des bouteilles de whisky vides encombraient les abords des horribles cabanes, au milieu d'une multitude d'autres objets sans intérêt – tasse brisée, ceinture à demi réparée, crosse cassée d'un fusil –, tous abandonnés là où ils étaient tombés.

Quelques dindons sauvages, liés ensemble par les pattes mais intacts, furent découverts sur le sol entre deux huttes.

Derrière les bâtiments ils trouvèrent une large fosse, pleine à ras bords des carcasses pourrissantes de daims abattus, dépouillés, sans pattes ni têtes.

Le vrombissement des mouches était si fort que Danse Avec Les Loups dut hurler pour se faire entendre.

– Nous attendons ces hommes ?

Oiseau Frappeur ne voulait pas crier. Il fit avancer son poney à côté de celui de Danse Avec Les Loups.

– Ils sont partis depuis une semaine, peut-être plus. Nous allons faire boire les chevaux et rentrer.

3

Pendant la première heure de leur voyage de retour, aucun des deux hommes ne prononça un mot. Oiseau Frappeur regardait droit devant lui, d'un air triste, tandis que Danse Avec Les Loups fixait le sol, honteux pour la race blanche à laquelle il appartenait et repensant au rêve qu'il avait fait dans le vieux canyon.

Il n'en avait parlé à personne, mais à présent il sentait qu'il le devait. Car cela ne semblait plus être un rêve. Peut-être s'agissait-il d'une vision.

Quand ils s'arrêtèrent pour laisser souffler les chevaux, il raconta à Oiseau Frappeur le rêve qui était encore frais dans sa mémoire, sans en omettre un détail.

L'homme-médecine écouta le long récit de Danse Avec Les Loups sans interruption. Quand ce fut terminé, il fixa ses pieds d'un air sombre.

– Nous étions tous morts ?

– Tous ceux qui étaient présents, dit Danse Avec Les Loups, mais je n'ai vu personne. Je ne t'ai pas vu.

– Il faudrait que Dix Ours entende ce rêve, dit Oiseau Frappeur.

Ils sautèrent à nouveau sur leurs chevaux et traversèrent rapidement la prairie, rentrant au camp peu après le coucher du soleil.

4

Les deux hommes firent leur rapport sur la profanation du bosquet, un méfait qui ne pouvait avoir été l'œuvre que d'un groupe de chasseurs blancs. Les animaux morts dans la forêt étaient sans aucun doute un à-côté. Les chasseurs en avaient probablement après les bisons qu'ils décimeraient à bien plus grande échelle.

Dix Ours hocha la tête à plusieurs reprises tandis que le rapport lui était présenté. Mais il ne posa pas de questions.

Ensuite, Danse Avec Les Loups raconta son rêve sinistre une seconde fois.

Le vieil homme ne dit toujours rien, son expression plus indéchiffrable que jamais. Quand Danse Avec Les Loups eut terminé, il ne fit aucun commentaire. Il prit sa pipe et dit :

– Fumons, après cela.

Danse Avec Les Loups eut l'impression que Dix Ours réfléchissait à tout ce qu'il venait d'entendre, mais tandis qu'ils se passaient la pipe, il devint impatient, anxieux d'ôter un nouveau poids de sa poitrine.

– Je voudrais parler encore, dit-il finalement.

Le vieil homme hocha la tête.

– Quand Oiseau Frappeur et moi avons commencé à parler, dit Danse Avec Les Loups, une question m'a été posée pour laquelle je n'avais pas de réponse. Oiseau Frappeur demandait : « Combien d'hommes blancs vont venir ? » et je ne pouvais que répondre : « Je ne sais pas. » C'est vrai. J'ignore combien viendront. Mais je peux vous dire ceci. Je crois qu'il y en aura beaucoup. Les hommes blancs sont nombreux, si nombreux qu'aucun de nous ne pourra jamais les compter. S'ils veulent vous faire la guerre, ils la feront avec des milliers de soldats à la bouche poilue. Les soldats auront de gros canons de guerre qui peuvent tirer dans un camp comme le nôtre et détruire tout ce qui s'y trouve. Cela me fait peur. J'ai même peur de mon rêve parce que je sais qu'il pourrait devenir la réalité. Je ne peux dire ce qui doit être fait. Mais je viens de la race blanche et je les connais. Je les connais à présent bien mieux qu'auparavant. J'ai peur pour tous les Comanches.

Dix Ours avait hoché la tête durant tout le discours, mais Danse Avec Les Loups ne pouvait dire comment le vieil homme l'avait perçu.

Le chef se remit péniblement debout et fit quelques pas dans la tente, s'arrêtant près de son lit. Il fouilla dans le hamac qui le surmontait, en extirpa un ballot gros comme un melon et revint près du feu.

Il s'assit avec un grognement.

– Je pense que tu as raison, dit-il à Danse Avec Les Loups. Il est difficile de savoir ce qu'il convient de faire. Je suis un vieil homme qui a vécu beaucoup d'hivers, et même moi je ne suis pas certain de ce qu'il faut faire quand il s'agit des hommes blancs et de leurs soldats à la bouche poilue. Mais laisse-moi te montrer quelque chose.

Ses doigts noueux tirèrent sur les cordons de cuir vert du ballot, et un instant plus tard ils furent dénoués. Il écarta les côtés du sac, révélant un gros morceau de métal rouillé qui avait environ la taille d'une tête d'homme.

Oiseau Frappeur n'avait jamais vu l'objet auparavant et n'avait aucune idée de ce qu'il pouvait être.

Danse Avec Les Loups ne l'avait pas vu non plus. Mais il savait ce que c'était. Il avait vu des dessins de quelque chose de semblable dans un texte d'histoire militaire. C'était un casque de conquistador espagnol.

– Ces gens étaient les premiers à venir dans notre pays. Ils sont venus à cheval... nous n'avions pas de chevaux à l'époque... et ils ont tiré sur nous avec de grosses armes que nous n'avions jamais vues et qui crachaient le tonnerre. Ils cherchaient du métal brillant et nous avions peur d'eux. C'était le temps du grand-père de mon grand-père. Finalement, nous les avons chassés.

Le vieil homme tira longuement et fortement sur sa pipe, aspirant plusieurs bouffées.

– Puis les Mexicains sont venus à leur tour. Nous avons dû leur faire la guerre et nous avons été victorieux. Ils nous craignent beaucoup et ne viennent plus ici. En mon propre temps les hommes blancs sont arrivés. Les Texans. Comme les autres, ils veulent ce que nous possédons et ils le prennent sans demander. Ils se mettent en colère quand ils nous voient installés sur nos propres terres, et quand nous ne faisons pas ce qu'ils veulent, ils essayent de nous tuer. Ils tuent les femmes et les enfants comme si c'étaient des guerriers. Quand j'étais un jeune homme, j'ai combattu les Texans. Nous avons tué un grand nombre d'entre eux et leur avons volé des femmes et des enfants. Une de ces enfants est la femme de Danse Avec Les Loups. Après un certain temps il y a eu des discussions pour la paix. Nous avons rencontré les Texans et conclu des accords avec eux. Ces accords ont toujours été brisés. Dès que les Blancs voulaient quelque chose de nouveau, les mots sur le papier ne comptaient plus. Il en a toujours été ainsi. Je me suis lassé de cela et il y a beaucoup d'années j'ai conduit notre tribu ici, loin des Blancs. Nous avons vécu en paix ici pendant longtemps. Mais ceci est notre dernier territoire. Nous n'avons nulle autre terre où aller. Quand je pense à des Blancs venant dans notre pays maintenant, c'est comme je l'ai dit. Il est difficile de savoir que faire. J'ai toujours été un homme pacifique, heureux d'être dans mon propre pays et ne désirant rien des Blancs. Rien du tout. Mais je pense que tu as raison. Je pense qu'ils vont continuer de venir. Quand je pense à cela je regarde dans ce sac, sachant ce qui se trouve dedans, et je suis certain que nous combattrons pour conserver notre territoire et tout ce qu'il contient. Notre territoire est tout ce que nous avons. C'est tout ce que nous voulons. Nous nous battrons pour le garder. Mais je ne pense pas que nous aurons à nous battre cet hiver, et après tout ce que vous m'avez dit, je crois que le temps est venu de partir. Demain matin nous démonterons les tentes et partirons au camp de l'hiver.

CHAPITRE XXIX

1

En s'endormant ce soir-là, Danse Avec Les Loups réalisa que quelque chose le préoccupait. Quand il s'éveilla le lendemain matin c'était toujours là, et, bien qu'il ait su que cela avait un rapport avec la présence de chasseurs blancs à une demi-journée de cheval du camp et avec son rêve et le discours de Dix Ours, il ne parvenait pas à mettre le doigt sur ce que c'était.

Une heure après l'aube, alors que l'on commençait à démonter le camp, il se mit à penser au soulagement que serait ce départ. Le camp de l'hiver se trouverait dans un endroit encore plus reculé que celui-ci. Celle Qui Se Dresse Avec Un Poing Fermé croyait être enceinte et il attendait avec impatience la protection qu'un camp éloigné donnerait à sa nouvelle famille.

Personne ne serait capable de les atteindre là-bas. Ils seraient anonymes. Lui-même n'existerait plus, sauf aux yeux de son peuple adoptif.

Soudain cela le frappa, et son cœur se mit à battre follement.

Il existait.

Et il en avait stupidement laissé la preuve derrière lui. L'histoire complète du Lieutenant John J. Dunbar était écrite pour que n'importe qui puisse la voir. Elle se trouvait sur la paillasse dans la cabane de torchis, en sécurité entre les pages de son journal.

Étant donné qu'ils n'avaient pas grand-chose à faire, Celle Qui Se Dresse Avec Un Poing Fermé était partie aider d'autres familles. Il lui faudrait du temps pour la retrouver dans la confusion du départ et chaque minute comptait : l'existence du journal était à présent une menace.

Il courut au troupeau de poneys, incapable de penser à quoi que ce soit d'autre que la destruction du compte rendu révélateur.

Lui et Cisco sortaient juste du camp quand il rencontra Oiseau Frappeur.

L'homme-médecine hésita devant ce que lui disait Danse Avec Les Loups. Ils voulaient être partis pour midi et ne pourraient pas attendre si le long aller et retour jusqu'au fort de l'homme blanc prenait plus longtemps que prévu.

Mais Danse Avec Les Loups se montra intransigeant, et Oiseau Frappeur lui dit à contrecœur d'y aller. Leur piste serait assez facile à suivre s'il était retardé, mais l'homme-médecine l'adjura de faire vite. Il n'aimait pas ce genre de surprise de dernière minute.

2

Le petit cheval bai était heureux de galoper à travers la prairie. Durant ces derniers jours l'air était devenu plus frais, et ce matin la brise s'était levée. Cisco aimait sentir le vent sur sa crinière, et ils filèrent à travers les kilomètres jusqu'au fort.

La dernière bosse familière se dressait devant eux, et Danse Avec Les Loups s'aplatit sur le dos de son cheval, lui demandant de parcourir le dernier kilomètre au grand galop.

Ils jaillirent en haut de la butte et dévalèrent la pente jusqu'au vieux poste.

Danse Avec Les Loups vit tout en un éclair prodigieux.

Fort Sedgewick grouillait de soldats.

Ils parcoururent encore une centaine de mètres avant qu'il puisse arrêter Cisco. Le bai se cabra et tourna follement, et Danse Avec Les Loups eut beaucoup de mal à le calmer. Il luttait lui-même, essayant d'appréhender la vision incroyable d'un camp en ébullition.

Une dizaine de tentes de toile avaient été dressées autour du vieil entrepôt et de la cabane de torchis. Deux canons Hotchkiss, montés sur des caissons, étaient rangés près de ses anciens quartiers. Le corral croulant était empli de chevaux. Et tout l'endroit regorgeait d'hommes en uniforme. Ils marchaient, parlaient, travaillaient.

Un chariot se trouvait à cinquante mètres devant lui, et à l'intérieur, le fixant avec des visages surpris, il y avait quatre simples soldats.

Leurs traits n'étaient pas suffisamment distincts pour lui permettre de voir qu'il s'agissait d'enfants.

Les soldats adolescents n'avaient jamais vu un Indien sauvage, mais durant les quelques semaines qu'avait duré l'entraînement suivant leur recrutement, on leur avait constamment rappelé que bientôt ils combattraient un ennemi fourbe, rusé et assoiffé de sang. À présent, ils fixaient une image de l'ennemi.

Ils paniquèrent.

Danse Avec Les Loups vit leurs fusils se dresser juste au moment où Cisco se cabra. Il ne put rien faire. La salve fut mal ajustée et Danse Avec Les Loups fut éjecté au moment où ils tiraient, atterrissant indemne sur le sol.

Mais une des balles toucha Cisco en plein poitrail, et le plomb trouva le centre de son cœur. Il était mort avant de toucher le sol.

Oublieux des soldats hurlants qui déferlaient sur lui, Danse Avec Les Loups se précipita à quatre pattes vers son cheval abattu. Il agrippa la tête de Cisco et lui leva le museau. Mais il n'y avait plus la moindre parcelle de vie en lui.

La rage et le chagrin le submergèrent, formèrent une phrase dans son esprit. « Regardez ce que vous avez fait. » Il se retourna au bruit de pas précipités, prêt à hurler.

Comme son visage pivotait, la crosse d'un fusil le percuta. Tout devint noir.

3

Il sentait la terre. Son visage était pressé contre un sol de terre battue. Il entendait le son de voix étouffées, et quelques mots lui parvinrent distinctement.

– Le sergent Murphy... il vient aussi.

Danse Avec Les Loups tourna la tête et grimaça de douleur quand sa pommette brisée entra en contact avec le sol dur.

Il toucha sa face blessée avec un doigt et sursauta à nouveau quand la douleur remonta sur tout le côté de sa tête.

Il essaya d'ouvrir les yeux mais ne réussit à en ouvrir qu'un seul. L'autre était gonflé et obstinément clos. Quand le bon œil s'ajusta, il reconnut l'endroit où il se trouvait. Il était dans le vieil entrepôt.

Quelqu'un lui donna un coup de pied dans les côtes.

– Toi, là, assis.

La pointe d'une botte le fit rouler sur le dos, et Danse Avec Les Loups s'éloigna du contact. Le mur du fond de l'entrepôt l'arrêta.

Il s'assit là, fixant avec son bon œil, tout d'abord le visage d'un sergent barbu qui se tenait debout devant lui, puis les visages curieux des soldats blancs agglutinés autour de la porte.

– Laissez passer le major Hatch! cria soudain quelqu'un derrière eux, et les visages dans l'encadrement de la porte disparurent.

Deux officiers entrèrent dans l'entrepôt, un jeune lieutenant rasé de près et un homme beaucoup plus vieux portant de longs favoris gris et un uniforme qui ne lui allait pas. Les yeux du plus vieux étaient petits. Les barres dorées sur ses épaules portaient la feuille de chêne, insigne du major.

Les deux officiers le regardaient avec une expression de dégoût.

– Qu'est-ce qu'il est, sergent ? demanda le major d'un ton sec et circonspect.

– Je ne sais pas encore, monsieur.

– Est-ce qu'il parle anglais ?

– Je ne sais pas non plus, monsieur... Hé, toi... tu parles anglais ?

Danse Avec Les Loups cligna de son bon œil.

– Parler ? demanda à nouveau le sergent en portant un doigt à ses lèvres. Parler ?

Il donna un léger coup de pied dans une des bottes de cavalier noires du captif, et Danse Avec Les Loups se redressa. Ce n'était pas un mouvement menaçant, mais quand il le fit il vit les deux officiers bondir en arrière.

Ils avaient peur de lui.

– Tu parles ? lui demanda une nouvelle fois le sergent.

– Je parle anglais, dit Danse Avec Les Loups avec lassitude. Cela me fait mal de parler... Un de vos gars m'a cassé la pommette.

Les soldats furent choqués d'entendre les mots sortir si parfaitement, et pendant un moment ils le regardèrent dans un silence ahuri.

Danse Avec Les Loups avait l'air à la fois blanc et indien. Il aurait été impossible de dire quelle moitié était la bonne. Maintenant au moins ils savaient qu'il était blanc.

Sur ces entrefaites, d'autres soldats s'étaient à nouveau attroupés autour de la porte, et Danse Avec Les Loups leur parla.

– Un de ces crétins a tué mon cheval.

Le major ignora son commentaire.

– Qui êtes-vous ?

– Je suis le premier lieutenant John J. Dunbar, de l'Armée des États-Unis.

– Pourquoi êtes-vous vêtu comme un Indien ?

Même s'il l'avait voulu, Danse Avec Les Loups n'aurait pu répondre à la question. Mais il ne le voulait pas.

– Ceci est mon poste, dit-il. Je suis arrivé de Fort Hays en avril, mais il n'y avait personne ici.

Le major et le lieutenant tinrent un bref conciliabule.

– Vous pouvez le prouver ? demanda le lieutenant.

– Sous le lit qui se trouve dans l'autre baraque, il y a une feuille de papier pliée sur laquelle se trouvent mes ordres. Sur le lit il y a mon journal. Je vous dirai tout ce que vous avez besoin de savoir.

C'était terminé pour Danse Avec Les Loups. Il laissa tomber le bon côté de sa tête dans sa main. Son cœur était brisé. La tribu le laisserait en arrière, c'était certain. Le temps qu'il se sorte de ce pétrin, si jamais il le pouvait, il serait trop tard pour la retrouver. Cisco était étendu dehors, mort. Il voulait pleurer. Mais il n'osa pas. Il se contenta de baisser la tête.

Des gens quittèrent la pièce, mais il ne leva pas les yeux pour voir de qui il s'agissait. Quelques secondes s'égrenèrent, puis il entendit le sergent marmonner d'un ton vulgaire :

– T'es devenu indien, pas vrai ?

Danse Avec Les Loups leva la tête. Le sergent était penché vers lui avec un rictus.

– Pas vrai ?

Danse Avec Les Loups ne répondit pas. Il laissa sa tête retomber dans sa main, refusant de relever les yeux avant que le major et le lieutenant aient fait leur réapparition.

Cette fois ce fut le lieutenant qui parla.

– Quel est votre nom ?

– Dunbar... D-u-n-b-a-r... John, J.

– Est-ce que ce sont vos ordres ?

Il tenait une feuille de papier jaune. Danse Avec Les Loups dut loucher pour voir ce que c'était.

– Oui.

– Le nom ici est Rumbar, dit le lieutenant d'un ton menaçant. La date est inscrite au crayon, mais le reste est à l'encre. La signature de l'officier est tachée. Ce n'est pas valable. Qu'avez-vous à dire à ce sujet ?

Danse Avec Les Loups sentit la suspicion dans la voix du lieutenant. Il commença à comprendre que ces gens ne le croyaient pas.

– Ce sont les ordres que l'on m'a donnés à Fort Hays, dit-il simplement.

Le lieutenant fit une grimace. Il n'avait pas l'air satisfait.

– Lisez le journal, dit Danse Avec Les Loups.

– Il n'y a pas de journal, répliqua le jeune officier.

Danse Avec Les Loups l'observa soigneusement, certain qu'il mentait.

Mais le lieutenant disait la vérité.

Un membre de la patrouille d'éclaireurs, la première à atteindre Fort Sedgewick, avait trouvé le journal. C'était un simple soldat illettré du nom de Sheets et il avait glissé le livre dans sa tunique, pensant que cela ferait un bon papier toilette. Sheets entendait à présent dire qu'un certain journal avait disparu, un journal dont l'homme blanc sauvage disait qu'il lui appartenait. Peut-être qu'il aurait dû le rendre. Il aurait pu être récompensé. Mais à la réflexion, Sheets s'inquiéta de la possibilité qu'on le réprimande. Ou pire. Il avait effectué des séjours dans plus d'une geôle pour de petits larcins. Aussi le journal resta-t-il dissimulé sous sa veste d'uniforme.

– Nous voulons que vous nous expliquiez la signification de votre tenue, poursuivit le lieutenant.

Il parlait comme un enquêteur, maintenant.

– Si vous êtes celui que vous prétendez être, pourquoi n'êtes-vous pas en uniforme ?

Danse Avec Les Loups changea de position contre le mur de l'entrepôt.

– Qu'est-ce que l'armée fait ici ?

Le major et le lieutenant se murmurèrent à nouveau des choses à l'oreille. Et à nouveau ce fut le lieutenant qui parla.

– Nous sommes chargés de récupérer des objets volés, y compris des captifs blancs pris lors de raids hostiles.

– Il n'y a pas eu de raids et il n'y a pas de captifs, mentit Danse Avec Les Loups.

– Nous nous en assurerons nous-mêmes, répliqua le lieutenant.

Les officiers se remirent à murmurer, et cette fois la conversation se poursuivit pendant un moment avant que le lieutenant s'éclaircisse la voix.

– Nous allons vous donner une chance de prouver votre loyauté envers votre pays. Si vous nous guidez jusqu'aux camps hostiles et nous servez d'interprète, votre conduite sera réexaminée.

– Quelle conduite ?

– Votre trahison.

Danse Avec Les Loups sourit.

– Vous pensez que je suis un traître ? demanda-t-il.

La voix du lieutenant s'éleva avec colère.

– Voulez-vous coopérer, oui ou non ?

– Vous n'avez rien à faire là-bas. C'est tout ce que j'ai à dire.

– Alors nous n'avons pas d'autre choix que de vous mettre aux arrêts. Vous pouvez rester assis ici et réfléchir à votre situation. Si vous décidez de coopérer, dites-le au sergent Murphy, et nous aurons une discussion.

Sur ce, le major et le lieutenant quittèrent l'entrepôt. Le sergent Wilcox désigna deux hommes pour monter la garde à la porte, et Danse Avec Les Loups fut laissé seul.

4

Oiseau Frappeur retarda le moment aussi longtemps qu'il le put, mais en début d'après-midi le camp de Dix Ours avait commencé la longue marche, partant au sud-ouest à travers la plaine.

Celle Qui Se Dresse Avec Un Poing Fermé insista pour attendre son époux et devint hystérique quand on la força à partir. Les femmes d'Oiseau Frappeur durent se montrer dures avec elle avant qu'elle se reprenne.

Mais Celle Qui Se Dresse Avec Un Poing Fermé n'était pas la seule personne inquiète parmi les Comanches. Tout le monde était soucieux. Un conseil de dernière minute fut convoqué juste avant le départ, et trois jeunes hommes sur des poneys rapides envoyés observer le fort de l'homme blanc à la recherche de Danse Avec Les Loups.

5

Danse Avec Les Loups était resté assis pendant trois heures, luttant contre la douleur dans son visage ravagé, quand il dit au garde qu'il avait besoin de se soulager.

Tandis qu'il marchait vers la butte, encadré par deux soldats, il constata que ces hommes et leur camp le dégoûtaient. Il n'aimait pas leur odeur. Le son de leurs voix paraissait dur à ses oreilles. Même leur façon de se déplacer semblait grossière et lourde.

Il urina par-dessus le bord de l'escarpement, et les deux soldats le firent revenir. Il pensait à s'échapper quand un chariot chargé de bois et de trois soldats roula dans le camp et vint s'arrêter en dérapant tout près de là.

Un des hommes à l'intérieur du chariot appela gaiement un ami resté au camp, et Danse Avec Les Loups vit un grand soldat approcher du véhicule. Les hommes à l'arrière souriaient tandis que le grand type s'avançait.

– Regarde ce qu'on t'a apporté, Burns, dit l'un d'eux.

Les hommes dans le chariot prirent quelque chose qu'ils firent basculer par-dessus bord. Le grand qui se trouvait sous eux fit un bond effrayé en arrière quand le cadavre de Deux Bottes atterrit lourdement à ses pieds.

Les hommes du chariot en sautèrent. Ils taquinèrent le grand type qui s'écartait du loup mort.

– C'est un gros, hein, Burns? ricana un des coupeurs de bois.

Les deux autres soulevèrent Deux Bottes du sol, l'un prenant la tête et l'autre les pattes arrière. Puis, accompagnés du rire des autres soldats, ils poursuivirent le grand à travers la cour.

Danse Avec Les Loups couvrit la distance si rapidement que personne ne bougea avant qu'il ait cogné dans l'un des soldats portant Deux Bottes. Avec de secs coups de poing en diagonale il assomma le premier.

Il bondit sur le second et le plaqua au sol alors qu'il tentait de s'enfuir. Puis ses mains se refermèrent autour de la gorge de l'homme. Son visage virait au pourpre et Danse Avec Les Loups voyait ses yeux se voiler quand quelque chose le frappa à l'arrière du crâne et un rideau noir tomba à nouveau sur lui.

Il reprit connaissance au crépuscule. Sa tête résonnait si lourdement que tout d'abord il ne le remarqua pas. En premier lieu il nota un léger raclement quand il bougeait. Puis il sentit le métal froid. Ses mains étaient enchaînées. Il bougea les pieds. Ils étaient enchaînés, eux aussi.

Puis le major et le lieutenant revinrent avec d'autres

questions, il leur répondit avec un regard noir et cracha une longue suite d'insultes en comanche. Chaque fois qu'ils lui demandaient quelque chose, il répondait en comanche. Finalement ils se lassèrent et le quittèrent.

Plus tard dans la soirée le gros sergent plaça un bol de gruau devant lui.

Danse Avec Les Loups le renversa avec ses pieds entravés.

6

Les éclaireurs d'Oiseau Frappeur rapportèrent l'effrayante nouvelle vers minuit.

Ils avaient compté plus de soixante soldats fortement armés au fort de l'homme blanc. Ils avaient vu le cheval bai étendu mort sur la pente. Et juste avant la nuit, ils avaient vu Danse Avec Les Loups que l'on conduisait à la butte près de la rivière, pieds et poings enchaînés.

La tribu prit immédiatement les mesures nécessaires pour disparaître. Ils emballèrent leurs affaires et marchèrent de nuit, par petits groupes d'une douzaine ou moins, partant dans différentes directions. Ils se retrouveraient plus tard au camp de l'hiver.

Dix Ours savait qu'il ne pourrait jamais les retenir, aussi n'essaya-t-il pas. Un groupe de vingt guerriers, parmi lesquels se trouvaient Oiseau Frappeur, Jambe de Pierre et Vent Dans Les Cheveux, partit sur l'heure, promettant de ne pas attaquer l'ennemi sans être assurés du succès.

7

Le major Hatch prit sa décision tard cette nuit-là. Il ne voulait pas être gêné par l'épineux problème d'un sauvage, d'un homme blanc à moitié indien, assis juste sous son nez. Le major n'avait rien d'un penseur visionnaire, et, dès le début, il avait été déconcerté et effrayé par son étrange prisonnier.

Il ne vint pas à l'esprit de ce major aux idées étroites qu'il aurait pu utiliser Danse Avec Les Loups avec un grand profit comme monnaie d'échange. Il voulait simplement se débarrasser de lui. Sa présence avait déjà ébranlé le poste.

Le renvoyer à Fort Hays semblait une brillante idée. En tant que prisonnier il aurait beaucoup plus de valeur pour le major là-bas qu'ici. La capture d'un déserteur le mettrait en très bonne position vis-à-vis du haut commandement. L'armée parlerait de ce prisonnier, et si on parlait du prisonnier, le nom de l'homme qui l'avait capturé apparaîtrait aussi souvent.

Le major souffla sa lampe et remonta ses couvertures avec un bâillement d'autosatisfaction. Tout allait marcher parfaitement, songeait-il. La campagne n'aurait pu commencer mieux.

8

Ils vinrent chercher le prisonnier tôt le lendemain matin.

Le sergent Murphy fit relever Danse Avec Les Loups par deux hommes et demanda au major :

– Devons-nous le mettre en uniforme, monsieur, le pomponner un peu ?

– Bien sûr que non, répondit sèchement le major. Maintenant faites-le monter dans le chariot.

Six hommes furent affectés au voyage de retour : deux à cheval devant, deux à cheval derrière, un pour conduire, et un pour garder le prisonnier dans le chariot.

Ils partirent plein est, à travers la prairie ondulante qu'il aimait tant. Mais, par ce brillant matin d'octobre, il n'y avait nul amour dans le cœur de Danse Avec Les Loups. Il ne dit rien à ses geôliers, préférant être ballotté à l'arrière du chariot, à écouter le cliquetis régulier de ses chaînes tandis que son esprit examinait la situation.

Il ne pouvait pas espérer l'emporter dans un combat

contre son escorte. Il pourrait en tuer un, peut-être même deux. Mais les autres le tueraient ensuite. Il songea tout de même à essayer. Mourir en combattant ces hommes ne serait pas une si mauvaise chose. Ce serait meilleur que de finir dans quelque sinistre prison.

Chaque fois qu'il pensait à Celle Qui Se Dresse Avec Un Poing Fermé, son cœur se fendait. Quand l'image de son visage commençait à se former dans son esprit, il se contraignait à penser à autre chose. Il devait le faire très souvent. C'était le pire des supplices.

Il doutait que quiconque vienne le chercher. Il savait qu'ils le voudraient, mais il ne pouvait pas imaginer que Dix Ours compromettrait la sécurité de son peuple pour sauver un seul homme. Danse Avec Les Loups lui-même n'aurait pas fait une chose pareille.

Pourtant, il était persuadé qu'ils avaient envoyé des éclaireurs et qu'ils connaissaient sa situation désespérée. S'ils étaient restés suffisamment longtemps dans les parages pour voir partir le chariot, avec seulement six hommes pour le garder, il y avait peut-être une chance.

Tandis que la matinée s'étirait, Danse Avec Les Loups s'accrocha à cette idée comme à son seul espoir. Chaque fois que le chariot ralentissait pour une montée ou tanguait sous la traction, il retenait sa respiration, espérant le sifflement d'une flèche ou le claquement d'un fusil.

À midi il n'avait rien entendu.

Ils s'étaient écartés de la rivière assez longtemps, mais ils la longeaient à nouveau. Cherchant un endroit où traverser à gué, ils la suivirent pendant cinq cents mètres avant que les soldats de l'avant-garde trouvent un passage souvent emprunté par les bisons.

Le cours d'eau n'était pas large, mais les buissons autour de la rivière étaient exceptionnellement denses, suffisamment pour une embuscade. Tandis que le chariot descendait en grinçant le long de la pente, Danse Avec Les Loups garda ses yeux et ses oreilles ouverts.

Le sergent responsable du groupe cria au conducteur de s'arrêter avant d'entrer dans l'eau, et ils attendirent que le sergent et un autre homme aient atteint l'autre rive. Pendant une ou deux longues minutes ils fouillèrent les buissons. Puis le sergent mit ses mains en coupe autour de sa bouche et leur cria de faire avancer le chariot.

Danse Avec Les Loups ferma les poings et s'accroupit. Il ne pouvait rien voir ni rien entendre.

Mais il savait qu'ils étaient là.

Il réagit au son de la première flèche, bien plus vite que le garde dans le chariot, qui tâtonnait toujours avec son fusil quand Danse Avec Les Loups lui passa la chaîne de ses menottes autour du cou.

Des coups de fusil explosèrent derrière lui et il tira sèchement sur la chaîne tendue, sentant la chair sous elle céder quand la gorge du soldat fut enfoncée.

Du coin de l'œil il vit le sergent basculer par-dessus la tête de son cheval, une flèche plantée dans le bas du dos. Le conducteur du chariot avait sauté sur le côté. Il était dans l'eau jusqu'aux genoux, tirant sauvagement avec un pistolet.

Danse Avec Les Loups lui atterrit dessus et ils luttèrent brièvement dans l'eau avant qu'il puisse se libérer. Utilisant la chaîne à deux mains comme un fouet, il cingla la tête du conducteur et le soldat devint mou, roulant lentement dans les eaux peu profondes. Danse Avec Les Loups lui donna quelques méchants autres coups, ne s'arrêtant que lorsqu'il vit l'eau virer au rouge.

Des hurlements retentirent en aval. Danse Avec Les Loups regarda juste à temps pour voir le dernier des hommes de troupe essayer de s'échapper. Il devait avoir été blessé car il rebondissait mollement sur sa selle.

Vent Dans Les Cheveux était juste derrière le soldat condamné. Quand leurs chevaux furent au même niveau, Danse Avec Les Loups entendit le bruit mou du casse-tête de Vent Dans Les Cheveux défonçant le crâne de l'homme.

Derrière lui tout était calme, et quand il se retourna il vit les hommes de l'arrière-garde étendus morts dans l'eau.

Plusieurs Indiens plantaient des lances dans les corps, et il fut submergé de joie de voir que l'un d'eux était Jambe de Pierre.

Une main lui agrippa l'épaule et Danse Avec Les Loups pivota pour se trouver face au visage radieux d'Oiseau Frappeur.

– Quel grand combat! s'exclama l'homme-médecine. Nous les avons eus facilement et personne n'est blessé.

– J'en ai eu deux ! hurla Danse Avec Les Loups en retour.

Il leva ses mains enchaînées en l'air et cria :

– Avec ça !

L'expédition de secours ne perdit pas de temps. Après une fouille frénétique ils trouvèrent les clés des chaînes de Danse Avec Les Loups sur le corps du sergent mort.

Puis ils sautèrent sur leurs poneys et s'éloignèrent au galop, prenant une route qui faisait un large détour à de nombreux kilomètres au sud et à l'ouest de Fort Sedgewick.

CHAPITRE XXX

1

Par la grâce des dieux, trois centimètres de neige précoce tombèrent sur le peuple de Dix Ours en fuite, couvrant leurs traces jusqu'au camp de l'hiver.

Tout le monde soutint l'allure, et six jours plus tard le groupe éclaté fut réuni au fond du gigantesque canyon qui serait leur résidence pour plusieurs mois.

L'endroit était étroitement lié à l'histoire des Comanches et était nommé à juste titre Le Grand Esprit Marche Ici. Le canyon faisait plusieurs kilomètres de long sur deux de large, et certaines de ses falaises les plus à pic plongeaient sur un kilomètre du sommet jusqu'en bas. Ils avaient toujours passé l'hiver ici et c'était un site parfait, fournissant le fourrage et beaucoup d'eau pour les hommes et les bêtes ainsi qu'une large protection contre les blizzards qui faisaient rage au-dessus de leurs têtes tout au long de l'hiver. De plus, il se trouvait hors de portée de leurs ennemis.

D'autres tribus passaient également l'hiver ici, et il y avait beaucoup de réjouissance quand des amis et des parents se revoyaient pour la première fois depuis le printemps.

Après s'être réassemblé, cependant, le village de Dix Ours s'installa dans l'attente, incapable de se reposer tant que le sort de l'expédition de secours n'était pas connu.

En milieu de matinée, le lendemain de leur arrivée, un éclaireur revint précipitamment au camp, apportant la nouvelle que l'expédition était de retour. Il dit que Danse Avec Les Loups était avec eux.

Celle Qui Se Dresse Avec Un Poing Fermé courut le

long de la piste devant tout le monde. Elle pleurait tout en courant, et quand elle aperçut les cavaliers, chevauchant en file sur la piste au-dessus d'eux, elle cria son nom.

Elle ne cessa pas d'appeler avant de l'avoir rejoint.

2

La neige précoce fut le prélude à un blizzard qui frappa cet après-midi même.

Les gens restèrent près de leurs tentes pendant les deux jours suivants.

Danse Avec Les Loups et Celle Qui Se Dresse Avec Un Poing Fermé ne virent pratiquement personne.

Oiseau Frappeur soigna de son mieux le visage de Danse Avec Les Loups, faisant diminuer l'enflure et essayant d'accélérer sa guérison avec des herbes médicinales. Il n'y avait malheureusement rien à faire pour la fragile pommette qui avait éclaté : il fallait laisser le temps faire son œuvre.

Danse Avec Les Loups n'était pas le moins du monde inquiet pour ses blessures. Un sujet plus important le préoccupait et le poussait à rechercher la solitude.

Il ne parlait qu'avec Celle Qui Se Dresse Avec Un Poing Fermé, mais peu de choses furent dites. La plupart du temps il restait étendu sous la tente comme un malade. Elle s'étendait avec lui, se demandant ce qui n'allait pas mais attendant qu'il le lui dise, comme elle savait qu'il finirait par le faire.

Le blizzard avait entamé sa troisième journée quand Danse Avec Les Loups partit pour une longue promenade solitaire. Lorsqu'il revint il la fit asseoir et lui fit part de sa décision irrévocable.

Elle se détourna alors de lui et resta assise pendant près d'une heure, la tête penchée dans une attitude de contemplation silencieuse.

– Il doit en être ainsi ? demanda-t-elle finalement.

Ses yeux brillaient de tristesse.

Danse Avec Les Loups était triste, lui aussi.

– Oui, dit-il doucement.

Elle soupira lugubrement, luttant contre les larmes.

– Alors qu'il en soit ainsi.

3

Danse Avec Les Loups demanda qu'un conseil soit convoqué. Il voulait parler avec Dix Ours. Il demanda également que soient présents Oiseau Frappeur, Vent Dans Les Cheveux, Jambe de Pierre et tous ceux que Dix Ours jugerait devoir y assister.

Ils se réunirent le soir suivant. Le blizzard s'éloignait et tout le monde était joyeux. Ils passèrent les préliminaires en mangeant et en fumant, racontant des histoires animées à propos du combat à la rivière et du sauvetage de Danse Avec Les Loups.

Il attendit avec bonne humeur pendant tout ce temps. Il était heureux d'être avec ses amis.

Mais quand la conversation retomba, il saisit le premier silence pour se lancer.

– Je veux vous dire ce que j'ai à l'esprit, dit-il.

Et le conseil commença officiellement.

Les hommes savaient que quelque chose d'important approchait et ils étaient donc des plus attentifs. Dix Ours tourna sa meilleure oreille vers l'orateur, ne voulant pas manquer un seul mot.

– Il n'y a pas longtemps que je suis parmi vous, mais je sens dans mon cœur que c'est toute ma vie. Je suis fier d'être un Comanche. Je serai toujours fier d'être un Comanche. J'aime la façon de vivre des Comanches et j'aime chacun de vous comme si nous étions du même sang. Dans mon cœur et dans mon esprit je serai toujours avec vous. Vous devez donc comprendre qu'il est dur pour moi de vous dire que je dois vous quitter.

Des exclamations de surprise fusèrent, chaque homme protestant de son incompréhension. Vent Dans Les Cheveux bondit sur ses pieds et fit des aller et retour, agitant les mains de colère à cette idée folle.

Danse Avec Les Loups resta assis durant cette explosion.

Il fixait le feu, ses mains tranquillement nouées sur ses genoux.

Dix Ours leva une main et dit à ses hommes de cesser de parler. La tente redevint silencieuse.

Vent Dans Les Cheveux continuait d'aller et venir, malgré tout, et Dix Ours lui aboya :

– Viens t'asseoir, Vent Dans Les Cheveux. Notre frère n'a pas terminé.

À contrecœur Vent Dans Les Cheveux s'exécuta, et quand il fut assis Danse Avec Les Loups poursuivit.

– Tuer ces soldats à la rivière était une bonne chose. Cela m'a libéré et mon cœur était empli de joie de voir mes frères venir à mon secours. Tuer ces hommes ne m'a rien fait. J'étais heureux de le faire. Mais vous ne connaissez pas l'esprit des Blancs comme moi. Les soldats pensent que je suis l'un des leurs devenu mauvais. Ils pensent que je les ai trahis. À leurs yeux je suis un traître parce que j'ai choisi de vivre parmi vous. Peu m'importe qu'ils aient raison ou tort, mais je vous dis sincèrement que c'est ce qu'ils croient. Les hommes blancs poursuivront un traître longtemps après avoir abandonné la poursuite d'autres hommes. Pour eux un traître est la pire chose qu'un soldat puisse devenir. Aussi me pourchasseront-ils jusqu'à ce qu'ils me trouvent. Ils n'abandonneront pas. Quand ils me trouveront ils vous trouveront également. Ils voudront me pendre et ils voudront la même punition pour vous. Peut-être qu'ils vous puniront même si je ne suis plus là. Je ne sais pas. S'il ne s'agissait que de nous je pourrais rester, mais il y a plus que nous, les hommes. Il y a vos femmes et vos enfants et ceux de vos amis. Ce sont eux qui seront blessés. Ils ne doivent pas me trouver parmi vous. C'est tout. C'est pourquoi je dois partir. J'ai parlé de ceci à Celle Qui Se Dresse Avec Un Poing Fermé et nous partirons ensemble.

Personne ne bougea pendant de longues secondes. Ils savaient tous qu'il avait raison, mais ne savaient que dire.

– Où irez-vous ? demanda finalement Oiseau Frappeur.

– Je ne sais pas. Loin. Loin de ce pays.

À nouveau il y eut un silence. Il était devenu totalement insupportable quand Dix Ours toussota.

– Tu as bien parlé, Danse Avec Les Loups. Ton nom restera vivant dans les cœurs de notre peuple tant qu'il y aura des Comanches. Nous y veillerons. Quand partirez-vous ?

– Quand la neige cessera de tomber, répondit doucement Danse Avec Les Loups.

– La neige cessera de tomber demain, dit Dix Ours. Nous devrions aller dormir à présent.

4

Dix Ours était un homme extraordinaire.

Il avait dépassé la moyenne de longévité sur les plaines, et avec chaque nouvelle saison de sa vie le vieil homme avait emmagasiné une masse remarquable de connaissances. Ces connaissances avaient grandi puis s'étaient concentrées en un savoir intuitif, et au soir de sa vie Dix Ours avait atteint un sommet... Il était devenu un sage.

Les yeux du vieil homme faiblissaient, mais dans la pénombre il voyait avec une clarté que nul autre, pas même Oiseau Frappeur, ne pouvait égaler. Son ouïe était moins fine, mais curieusement les sons qui importaient ne manquaient jamais d'atteindre ses oreilles. Et dernièrement, une chose très extraordinaire s'était produite. Sans se fier à des sens qui maintenant l'abandonnaient, Dix Ours avait véritablement commencé à *sentir* la vie de son peuple. Depuis l'enfance il avait été doué d'une perspicacité particulière, mais ceci était bien plus. Il voyait avec tout son être, et au lieu de se sentir vieux et usé, Dix Ours était revivifié par cet étrange et mystérieux pouvoir dont il était investi.

Mais le pouvoir qui avait été si long à venir et semblait infaillible s'était brisé. Pendant deux jours entiers, après le conseil avec Danse Avec Les Loups, le chef resta assis dans sa tente à fumer, se demandant ce qui avait pu mal tourner.

« La neige cessera de tomber demain. »

Les mots n'avaient pas été pensés. Ils lui étaient venus spontanément, se formant sur sa langue comme si le Grand Esprit Lui-même les y avait placés.

Mais la neige n'avait pas cessé de tomber. L'orage avait gagné de la force. Au bout de deux jours les congères s'accumulaient très haut contre les parois de peaux des tipis. Elles devenaient plus hautes d'heure en heure. Dix Ours pouvait les sentir qui pressaient contre les parois de sa propre tente.

Son appétit s'était évanoui et le vieil homme ignorait tout ce qui n'était pas sa pipe et le feu. Il passait chaque minute de veille à fixer les flammes qui s'agitaient au centre de son tipi. Il suppliait le Grand Esprit de prendre pitié d'un vieil homme et de lui accorder une dernière lueur de compréhension, mais cela n'avait nul effet.

Finalement Dix Ours se mit à considérer son erreur de prédiction comme un signe. Il pensa que c'était un appel pour qu'il achève sa vie. Ce ne fut que lorsqu'il se fut totalement résigné à cette idée et qu'il eut commencé à répéter son chant de mort qu'un événement fantastique se produisit.

La vieille femme qui avait été son épouse durant toutes ces années le vit se lever brusquement devant le feu, s'envelopper d'une couverture et sortir de la tente. Elle lui demanda où il allait, mais Dix Ours ne répondit pas.

En fait, il ne l'avait pas entendue. Il écoutait une voix qui avait surgi dans sa tête. La voix répétait une simple phrase et Dix Ours obéissait à son ordre.

– Va à la tente de Danse Avec Les Loups, disait la voix.

Sans avoir conscience de l'effort, Dix Ours lutta contre la neige qui tombait. Quand il atteignit la tente au bord du camp, il hésita avant de frapper.

Il n'y avait personne. La neige tombait à gros flocons, humide et lourde. Tandis qu'il attendait, Dix Ours eut l'impression qu'il pouvait entendre la neige, il crut qu'il pouvait entendre chaque flocon toucher le sol. Le son était paradisiaque, et, debout dans le froid, Dix Ours sentit sa tête vaciller. Pendant quelques instants, il crut être passé dans l'au-delà.

Un faucon cria et, quand il chercha l'oiseau, il vit une

fumée vivante se tordre hors du trou dans la tente de Danse Avec Les Loups. Il cligna des yeux pour en chasser la neige et tira sur la portière.

Quand elle s'ouvrit, un grand mur de chaleur se précipita à sa rencontre. Il s'enroula autour du vieil homme, l'aspira devant Danse Avec Les Loups et le fit entrer dans la tente comme un être vivant. Il se tint debout au centre du tipi et sentit à nouveau la tête lui tourner. Avec soulagement, cette fois, car durant le temps qu'il lui avait fallu pour passer de l'extérieur à l'intérieur, Dix Ours avait résolu le mystère de son erreur.

L'erreur ne venait pas de lui. Elle avait été commise par un autre et s'était glissée sans qu'il la remarque. Dix Ours n'avait fait qu'apprêter l'erreur quand il avait dit : « La neige cessera de tomber demain. »

La neige avait raison. Il aurait dû commencer par l'écouter. Dix Ours sourit et secoua légèrement la tête. Comme c'était simple ! Comment avait-il pu ne pas le voir ? J'ai encore des choses à apprendre, songea-t-il.

L'homme qui avait fait l'erreur se tenait debout devant lui, mais Dix Ours ne ressentait nulle colère envers Danse Avec Les Loups. Il se contenta de sourire devant l'incompréhension qu'il lisait sur le visage du jeune homme.

Danse Avec Les Loups retrouva sa langue pour dire :

– S'il te plaît... Assieds-toi près de mon feu.

Quand Dix Ours s'installa, il fit une rapide inspection de la tente, et elle confirma ce que sa tête tournoyante lui avait dit. C'était une demeure heureuse et bien tenue. Il écarta sa couverture, laissant la chaleur du feu le pénétrer.

– C'est un beau feu, dit-il aimablement. À mon âge un bon feu est meilleur que tout.

Celle Qui Se Dresse Avec Un Poing Fermé plaça un bol de nourriture près de chaque homme, puis recula jusqu'à son lit au fond de la tente. Là elle prit de la couture. Mais elle garda une oreille tournée vers la conversation qui n'allait pas manquer de venir.

Les deux hommes mangèrent en silence pendant quelques minutes, Dix Ours mâchant soigneusement. Finalement il repoussa son bol de côté et toussa légèrement.

– Je n'ai cessé de réfléchir depuis que tu as parlé sous ma tente. Je me demandais comment allait ton mauvais cœur et j'ai pensé que je devais venir voir moi-même.

Il examina la tente. Puis il regarda franchement Danse Avec Les Loups.

– Cette place ne semble pas avoir un si mauvais cœur.

– Heu... non, bégaya Danse Avec Les Loups. Oui, nous sommes heureux ici.

Dix Ours sourit et hocha la tête.

– C'est ce que je pensais.

Un silence s'installa entre les deux hommes. Dix Ours fixa les flammes, ses yeux se fermant graduellement. Danse Avec Les Loups attendit poliment, ne sachant que faire. Peut-être aurait-il dû demander au vieil homme s'il désirait s'étendre. Il avait marché dans la neige. Mais à présent il était trop tard pour dire ça. Son important invité semblait déjà somnoler.

Dix Ours changea de position et parla, prononçant les mots d'une façon qui donnait l'impression qu'il parlait en dormant.

– J'ai réfléchi à ce que tu as dit... les raisons qui te poussent à partir.

Soudain ses yeux s'ouvrirent et Danse Avec Les Loups fut surpris par leur éclat. Ils brillaient comme des étoiles.

– Tu peux nous quitter quand tu veux... mais pas pour ces raisons. Ces raisons ne sont pas bonnes. Toutes les bouches poilues du monde pourraient fouiller notre camp et aucune ne trouverait la personne qu'ils cherchent, celui qui s'appelle lui-même Loo Ten Nant.

Dix Ours étendit légèrement les mains et sa voix résonna d'allégresse.

– Celui qu'on appelle Loo Ten Nant n'est pas ici. Dans cette tente ils ne trouveront qu'un guerrier comanche, un bon guerrier comanche et sa femme.

Danse Avec Les Loups laissa les mots le pénétrer. Il jeta un coup d'œil à Celle Qui Se Dresse Avec Un Poing Fermé par-dessus son épaule. Il pouvait voir un sourire sur son visage, mais elle ne regardait pas dans sa direction. Il n'y avait rien qu'il puisse dire.

Quand il se retourna, il vit Dix Ours fixer une pipe presque terminée qui émergeait de sa boîte. Le vieil homme pointa un doigt osseux en direction de l'objet convoité.

– Tu fabriques une pipe, Danse Avec Les Loups ?

– Oui.

Dix Ours tendit les mains et Danse Avec les Loups y plaça la pipe. Le vieil homme l'approcha de son visage, faisant courir ses yeux sur toute sa longueur.

– Cela pourrait être une excellente pipe... Comment tire-t-elle ?

– Je ne le sais pas, répondit Danse Avec Les Loups. Je ne l'ai pas encore essayée.

– Fumons-la un instant, dit Dix Ours en la lui rendant. Il est bon de passer le temps de cette façon.

CHAPITRE XXXI

Ce fut un hiver à rester sous les couvertures. Sauf pour une occasionnelle partie de chasse, les Comanches sortirent rarement de leurs tentes. Les gens passèrent tant de temps à fumer autour de leurs feux que l'on se souvint de cette saison sous le nom de l'Hiver Aux Nombreuses Pipes.

Au printemps tout le monde avait hâte de bouger, et au premier dégel ils furent à nouveau sur la piste.

Un nouveau camp fut installé cette année-là, loin de l'ancien, qui était trop proche de Fort Sedgewick. C'était un bon endroit avec beaucoup d'eau et d'herbe pour les poneys. Les bisons revinrent par milliers et la chasse fut bonne, avec très peu d'hommes blessés. Plus tard dans l'été de nombreux bébés naquirent; de mémoire de Comanche, on n'en avait jamais vu naître autant.

Ils restèrent loin des pistes fréquentées, ne voyant pas d'hommes blancs et seulement quelques commerçants mexicains. Cela les rendit tous heureux d'avoir si peu à s'inquiéter.

Mais une marée humaine, qu'ils ne pouvaient ni voir ni entendre, se levait à l'est. Elle déferlerait bientôt sur eux. Le bonheur de cet été serait le dernier. Leur temps était compté et serait bientôt terminé pour l'éternité.

POLAR

Cette collection présente tous les genres du roman criminel : le policier classique avec des auteurs tels que Ellery Queen, Boileau-Narcejac, le roman noir avec Raymond Chandler, Ed McBain et les œuvres de suspense illustrées par Stephen King ou Tony Kenrick.
C'est un panorama complet du roman criminel qui est ainsi proposé aux lecteurs de J'ai lu.

SADOUL Jacques	*L'Héritage Greenwood* 1529/**3**
	L'inconnue de Las Vegas 1753/**3**
	Trois morts au soleil 2323/**3**
	Le mort et l'astrologue 2797/**3**
	Doctor Jazz 3008/**3**
	Yerba Buena 3292/**4** Inédit (Septembre 92)
SCHALLINGHER Sophie	*L'amour venin* 3148/**5**
SPILLANE Mickey	*En quatrième vitesse* 1798/**3**
TORRES Edwin	*Contre-enquête* 2933/**3** Inédit
WILTSE David	*Le cinquième ange* 2876/**4**

2958

Achevé d'imprimer en Europe (France)
par Brodard et Taupin à la Flèche (Sarthe)
le 17 juillet 1992. 1091G-5
Dépôt légal juillet 1992. ISBN 2-277-22958-X
1ᵉʳ dépôt légal dans la collection : janvier 1991
Éditions J'ai lu
27, rue Cassette, 75006 Paris
Diffusion France et étranger : Flammarion